RENNES-LE-CHÂTEAU
et l'énigme de l'or maudit

JEAN MARKALE

RENNES-LE-CHÂTEAU
et l'énigme de l'or maudit

FRANCE LOISIRS
123, boulevard de Grenelle, Paris

Édition du Club France Loisirs, Paris,
avec l'autorisation des Éditions Pygmalion/Gérard Watelet, Paris.

© 1989 Éditions Pygmalion/Gérard Watelet, Paris

ISBN 2-7242-6459-2

*Les chemins qui montent
sont aussi ceux qui descendent.*

Héraclite

PREMIÈRE PARTIE

Les Lieux du Mystère

I

DES CHEMINS DE ROCS ET DE POUSSIÈRE

Le voyageur qui, depuis Carcassonne, remonte la haute vallée de l'Aude en passant par des sites ombragés, de vieilles cités pittoresques comme Limoux ou Alet, les yeux souvent attirés par le ruissellement du fleuve qui sinue au gré des promontoires, n'imagine guère ce qui se passe *là-haut*, c'est-à-dire sur le plateau. Parvenu à Couiza, là où l'Aude reçoit la rivière de Sals, ce même voyageur est tenté de continuer vers le sud, vers Quillan, cette ouverture vers ces châteaux construits « à flanc d'abîme », pour reprendre une expression d'André Breton, châteaux que l'on dit être cathares. Car, ici, nous sommes dans un pays marqué par la présence de ceux qu'on a appelés un peu trop vite les « dualistes », les « hérétiques », les « Albigeois ». Tout dépend de ce que cherche réellement le voyageur : l'or du saint Graal ou l'or du Diable, les deux quêtes n'étant nullement contradictoires mais demandant un étalement dans le temps. Car, de Couiza, on peut obliquer vers l'est, suivre un instant la vallée de la Sals, et monter par la raide route qui débouche sur le plateau, au milieu des rocs et de la poussière minérale accumulée par les siècles. Et là, également « à flanc d'abîme », surgit un étrange village perdu en cul-de-sac, dominant largement le couchant, à peine distinct de la pierre, le village de Rennes-le-Château.

J'ai mis très longtemps à découvrir la route de Rennes-le-Château. A vrai dire, pendant la plus grande partie de ma vie, j'ai parfaitement ignoré l'existence de ce village isolé des Corbières, ainsi que celle d'un autre village caché au creux d'une

11

vallée voisine et portant le même nom, Rennes-les-Bains. Pour moi, le mot « Rennes » ne pouvait évoquer que la ville située au confluent de l'Ille et de la Vilaine, cette capitale d'une Bretagne que j'avais davantage l'habitude de fréquenter que les zones frontières qui séparent le pays audois d'un Roussillon fort lointain dont le nom français, d'ailleurs très évocateur d'un soleil ardent, masquait celui plus authentique mais plus « étranger » de Catalogne.

De plus, ce nom de Rennes (Ille-et-Vilaine) m'intriguait depuis ma plus lointaine enfance : j'avais en effet entendu parler des Lapons, qui vivaient dans les froides plaines du Nord et qui chassaient les *rennes* et je me demandais bien, dans ma naïveté, quels pouvaient être les rapports existant entre ces animaux qu'on m'avait décrits comme très semblables aux cerfs et cette ville, ou plutôt cette gare, où le train qui m'emmenait vers Brocéliande s'arrêtait, de nuit comme de jour, et parfois très longtemps. Ce qui est toujours extraordinaire dans l'imagination d'un enfant, c'est l'immense et finalement terrifiante possibilité d'aller jusqu'au bout dans l'exploration de l'univers fantasmatique : la censure socioculturelle ne joue pas encore, et les ultimes frontières du réel sont toujours franchies avec autant d'allégresse que d'inconscience. Ainsi voyais-je, à l'emplacement de cette gare de Rennes, une plaine enneigée sur laquelle des ombres surgissaient pour traquer des animaux qui s'enfuyaient vers un horizon perdu dans la nuit. C'était le temps des locomotives à vapeur : après tout, le halètement de ces machines n'évoquait-il pas les naseaux fumants de quelque animal aux abois ? Je n'ai jamais aimé les chasseurs, et je ne les aime pas davantage à présent. Tuer des bêtes représentait pour moi un acte criminel, et je n'ai jamais compris quel sordide et sadique plaisir on peut ressentir en tirant des lièvres, des perdrix ou des biches qui n'ont fait de mal à personne et que, trop souvent, on élève pour servir de cibles à des gens qui croient que la virilité est synonyme de cruauté. Passons... Il est normal que l'être humain se défende lorsqu'il est attaqué par des animaux féroces ou venimeux. Il est normal que l'être humain, dans certaines périodes de pénurie, comme lors des grandes glaciations, puisse survivre aux dépens des animaux. Mais que dire des tueries organisées pour le trouble plaisir de certains privilégiés ? Question de point de vue. Si je m'écoutais, je recueillerais tous les animaux malheureux que je rencontre.

Tout cela pour dire que Rennes a commencé par évoquer le règne animal. J'ai fini par admettre qu'il s'agissait du nom d'une ville, et que cette ville, autrefois, était la capitale d'un pays qui était celui de mes ancêtres. Je n'allai pas chercher plus loin, et je ne me doutais pas qu'il pût exister ailleurs, dans une région qui m'était totalement inconnue, deux villages qui portaient le même nom. Rien, en effet, ne me rattachait aux Corbières. Personne, dans mon entourage, n'avait jamais parlé de cette région. Au fond, ce n'est qu'un peu plus tard, quand j'ai pu lire les étiquettes de certaines bouteilles de vin d'appellation contrôlée, que le mot « Corbières » a pris pour moi une signification. Encore faut-il préciser que le terme, à partir du moment où je me suis passionné pour la littérature, a évoqué davantage le poète breton Tristan Corbière (sans « s ») qu'un bon vin rouge destiné à fêter dignement quelque événement familial. Et lorsque mon père se faisait un plaisir de me lire le célèbre conte attribué à Alphonse Daudet (mais, en réalité, de Paul Arène, qui était le « nègre » de Daudet), *le Curé de Cucugnan*, j'étais loin d'imaginer que ce village de Cucugnan se trouvait précisément dans le massif des Corbières et non dans une Provence complètement rêvée par l'auteur de l'immortel *Tartarin*. Eh oui... Cucugnan n'est pas tellement loin de Rennes-le-Château. Et selon la vision du brave curé, il semblerait que les Cucugnanais se soient laissés prendre au piège de l'Or du Diable. En serait-il autant de certains habitants de Rennes-le-Château ?

Je dois avouer honnêtement que j'ai ignoré Rennes-le-Château pendant un bon demi-siècle. Les articles de revues ou les reportages qui ont été publiés vers les années 1950-1960 sur cette région et le fabuleux trésor de l'abbé Saunière n'ont laissé aucune trace remarquable dans ma mémoire. J'ai dû penser, à ce moment-là, qu'un habile commerçant du coin avait trouvé le moyen de développer le tourisme dans un endroit déshérité. C'est tout. J'avais d'autres sujets de réflexion et de recherche, tout entiers centrés sur mes « pôles » à moi, qui se trouvaient en Bretagne, à la Fontaine de Barenton, dans cette forêt de Brocéliande qui m'est si chère, dans le tertre de Gavrinis, dans ce golfe du Morbihan qui est si bleu lorsque le soleil l'inonde, ou encore le tertre de New-Grange, en Irlande, centre absolu de tous les récits mythologiques celtiques qui m'animaient, et enfin l'étrange cercle de Stonehenge, dans la plaine de Salisbury, en

Angleterre, là où Merlin, par sa magie, avait transporté d'Irlande cette fantastique « Danse des Géants » que je pressentais déjà être un temple solaire d'une antique religion dont je ne savais rien. Dans ces conditions, comment aurais-je pu m'intéresser à un village des Corbières, dans un pays que je n'avais jamais fréquenté ? Certes, j'étais passé à Carcassonne : j'avais erré dans la cité, je m'étais pénétré des images fortes que les remparts suscitaient dans mon imaginaire toujours hanté par la beauté de ces siècles dits obscurs. Mais Carcassonne n'est pas les Corbières, et encore moins le Razès. Et je n'avais jamais entendu prononcer le nom de Razès.

Ce qui est étrange dans l'intérêt que chacun manifeste pour un sujet précis, pour un lieu déterminé, ce sont les circonstances grâce auxquelles cet intérêt s'éveille. Et ces circonstances sont souvent dues à un « hasard » qui n'en est pas un, qui serait plutôt ce que les Surréalistes nommaient le « hasard objectif ». J'ai déjà raconté ailleurs comment j'en suis venu à *vivre* dans les légendes celtiques, tant à cause de mes origines, de ma longue fréquentation de Brocéliande, que de mes rencontres avec Jean Hani, mon professeur de littérature en classe de Troisième, et avec l'abbé Henri Gillard, le « Recteur de Tréhorenteuc », qui fut véritablement mon maître spirituel. Mais ce que je n'ai jamais dit, c'est pourquoi et comment je me suis passionné pour les druides et le druidisme. Je vais donc tout avouer. En 1948, grâce à mon amie la poétesse Renée Willy qui « tenait » alors la Librairie Celtique, rue de Rennes (encore !) à Paris, librairie depuis longtemps disparue, j'avais fait l'acquisition d'un livre publié en 1945, et qui avait été pour moi une véritable illumination. Ce livre, c'était *Au pied des Menhirs*, de Robert Ambelain.

Cet aveu a de quoi faire ricaner mes détracteurs, ceux qui signent des pétitions dans lesquelles ils m'accusent à la fois d'inventer tout ce que j'écris et de tout « piquer » chez mes confrères. Qu'ils se mettent d'accord avec eux-mêmes avant de tirer à boulets rouges sur les autres ! Mais passons. Je ne peux nier que l'ouvrage de Robert Ambelain a constitué pour moi ce qu'on appelle un « révélateur » et qu'il m'a encouragé à entreprendre une recherche en profondeur de la spiritualité celtique. Certes, cet ouvrage, inspiré d'un néo-druidisme des plus suspects, dénué de toute référence sérieuse, reposant sur de vagues analogies et des traductions romantiques de textes parfaitement apocryphes, n'a aucune valeur en soi. Mais il a été une clé pour ouvrir d'autres portes. Et c'est pourquoi, malgré les faiblesses et les aberrations de ce livre, je me sens redevable à Robert Ambelain de m'avoir *provoqué* à aller plus loin. Et, par la suite, j'allais assister aux conférences du druide Erwan Berthou-Kerverziou, aujourd'hui disparu, à la Salle de Géographie à Paris. Je ne comprenais rien à ce qu'il disait, et je sais aujourd'hui que cela valait mieux : son néo-druidisme relevait davantage de la poésie échevelée que de la recherche scientifique. Visiblement, il délirait. Mais le délire n'est-il pas une des formes de la logique celtique ? Je pourrais en dire autant de Philéas Lebesgue, qui se prétendait «druide des Gaules», et qui n'était que «poète et paysan», mais d'une tenue littéraire incontestable.

Tout cela pour dire que le thème de Rennes-le-Château m'a été imposé par une de ces rencontres apparemment fortuites, mais qui marquent d'une manière indélébile ceux qui en sont les «objets» conscients. C'était en 1981, à Paris, sur la Montagne Sainte-Geneviève, dans une librairie qui venait d'ouvrir, et où j'avais été invité par la grâce de mon ami, l'éditeur Jean Picollec. L'ambiance était fort sympathique. Et dans la docte assemblée qui se pressait au milieu des livres, un jeune homme m'offrit son dernier livre, avec une belle dédicace, en m'engageant à chercher, de mon côté, ce qui pouvait être intéressant dans le sujet. Or, ce livre, c'était *le Trésor du Triangle d'or,* dont l'auteur était Jean-Luc Chaumeil. C'est donc grâce à Jean-Luc Chaumeil que j'ai pénétré de plain-pied dans Rennes-le-Château et dans l'énigme de l'Or maudit.

J'ai lu ce livre avec une curiosité amusée, dans la mesure où, pour moi, la recherche de trésors cachés n'était qu'un jeu de l'esprit sans conséquences. Chaumeil parlait de Gisors et des secrets qui, paraît-il, étaient enfouis dans les souterrains du château de cette ville frontière entre la Normandie et l'Ile-de-France, secrets dus aux mystérieux Templiers que Gérard de Sède, quelques années plus tôt, avait contribué à faire connaître à un large public. Mais il parlait aussi, pêle-mêle, de Stenay, dans le nord de la France, ville sacrée des Mérovingiens, de l'église Saint-Sulpice à Paris, monument que je considérais comme le triomphe de l'horreur absolue de l'architecture religieuse, et enfin de Rennes-le-Château, là où dormait le «secret» d'un étrange prêtre, l'abbé Bérenger Saunière, le tout dans une atmosphère

15

brumeuse d'où émergeait la soi-disant figure d'un authentique descendant des Mérovingiens, lequel aurait pu prétendre à la couronne royale de France. Tout cela me faisait penser à un excellent roman du style « histoire-fiction », et je n'y attachai alors qu'une importance toute relative, mais sans aucunement prendre position dans les hypothèses développées dans l'ouvrage. Je me disais simplement : « Pourquoi pas ? » Mais j'étais davantage attiré par le Graal et par les implications de cette légende à Montségur, à peu de distance de là, ce qui me paraissait beaucoup plus essentiel dans ma propre démarche. Le livre de Jean-Luc Chaumeil demeura donc « en dormition » dans un des rayons de ma bibliothèque.

Cependant, le germe avait été enfoui dans une terre féconde, même si ce n'était que dans les profondeurs. Il me fut impossible de chercher quelque chose à Montségur en ignorant ce qui pouvait se passer aux alentours de ce site prestigieux et énigmatique. J'avais gardé de ma première montée à Montségur le sentiment que tout ce pays recelait des traditions et des réminiscences qui ne demandaient qu'à être régurgitées au niveau de la conscience. D'autre part, depuis mon enfance, j'avais toujours été quelque peu envoûté par la période mérovingienne, et j'avais plongé avec délices dans les eaux troubles des *Récits des temps mérovingiens* d'Augustin Thierry. Après tout, je me rendais compte que la vie *réelle* de mon héros favori, le roi Arthur, se situait aux alentours de l'an 500, à la période charnière entre la fin de l'Empire romain et le début de ces temps « barbares » sur lesquels mon imagination ne cessait de broder. Des personnages féminins hauts en couleur, et parfaitement odieux, comme les reines Frédégonde et Brunehaut, ne pouvaient qu'alimenter les problèmes qui se posaient à moi concernant le passage d'une civilisation à une autre. Déjà, je mettais en doute la réalité de ces invasions « barbares » et « sauvages » sur l'Occident chrétien, considérant à juste titre que les Wisigoths, par exemple, avaient laissé des traces profondes dans la mentalité occitane et des objets merveilleux, mis au jour par les archéologues, témoignant d'une culture étonnante et raffinée encore que méconnue et injustement méprisée. Cette période que les Anglo-Saxons appellent si joliment *Dark Ages*, les « Ages sombres », avait de quoi me fasciner, car j'y retrouvais l'âme des anciens Bretons, ceux de l'île de Bretagne et ceux qui

16

venaient de s'établir dans la péninsule armoricaine, avec un roi Arthur qui n'était qu'un simple «chef de guerre» et non un roi, et dont les chevaliers n'étaient que des guerriers, parfois doués — d'après la légende — de pouvoirs magiques redoutables qui les faisaient davantage ressembler à des dieux incarnés qu'à des truands préoccupés par le sac des forteresses. Dans la mesure où j'avais établi que l'origine du mythe du Graal (tout au moins l'une des origines) se situait précisément vers cette époque, dans un Occident dont le vernis chrétien n'avait point complètement étouffé le substrat païen, celtique et germanique, je ne pouvais que réfléchir sur ces étranges histoires, totalement invérifiables mais terriblement séduisantes, que l'on racontait à propos d'une possible descendance légitime des Mérovingiens, et de la présence, non loin de Montségur, de «secrets» qu'il eût été dangereux de divulguer parce qu'ils remettaient en cause la propre histoire de l'Occident telle qu'elle est consignée dans les manuels.

L'Histoire m'est toujours apparue comme un *mensonge* délibéré, destiné à orienter, selon les circonstances et les idéologies au pouvoir, à mener les peuples dans une direction choisie par ceux qu'on persiste à appeler les «élites» et qui ne sont que les manipulateurs des sociétés. J'ai dit ailleurs[1] que je considérais l'Histoire comme une matérialisation du mythe, ce mythe étant une structure mentale inhérente à l'humanité, mais qui, en tant que tel, équivaut au néant : la seule façon de prouver l'existence du mythe, c'est de le reconnaître dans sa matérialisation, dans son *incarnation* par des hommes et des femmes qui, au moment opportun, cristallisent les pulsions inconscientes de cette humanité à la recherche d'elle-même. Je n'ai pas changé d'opinion. Je l'ai seulement affinée et surtout, j'ai tenté de la rendre plus compréhensible, plus adaptée aux mutations que notre société universaliste et industrielle fait subir aux valeurs primitives trop longtemps considérées comme immuables, dogmatiques, et donc parfaitement stériles. L'Histoire suscite ses héros lorsqu'elle en ressent la nécessité. Mais, comme le Libre Arbitre est la seule richesse de l'être humain (même s'il n'existe

---

1. Notamment dans ma préface des *Celtes et la civilisation celtique*, Paris, Payot, 1969, et dans la postface de *la Tradition celtique*, Paris, Payot, 1975.

que dans la proportion de un pour cent!), le héros, quel qu'il soit, influe sur le déroulement de l'Histoire. Les chemins qui montent sont aussi ceux qui descendent.

Cette digression sur le Mythe et l'Histoire n'est pas inutile, car elle permet de mesurer la distance qui sépare la plupart du temps l'événement historique qui a effectivement eu lieu, et le récit qui en est donné par la suite, quelle que soit l'objectivité, ou même la bonne volonté, de ceux qui se chargent d'animer ce récit. Le Mythe étant pure potentialité, il n'a d'existence reconnue que grâce au récit (épopée, conte, légende) qui le concrétise et le rend accessible à la compréhension des auditeurs ou des lecteurs. Mais il en est de même pour l'Histoire. Celle-ci, se trouvant *de facto* dans un Passé qui n'est plus mesurable que par souvenirs (mémoire, écrits, monuments divers), apparaît dans la même situation que le Mythe. Et pour la rendre concrète et vivante, compréhensible et accessible à tous, il convient de lui donner un *corps*, que ce corps soit de l'histoire événementielle ou de savants diagrammes codés faisant intervenir les notions les plus scientifiques. Mais c'est là où tout risque d'être faussé. Car quel crédit peut-on accorder aux témoignages de ce passé? Même en s'entourant des meilleures garanties d'authenticité, on risque de s'égarer à travers des erreurs d'appréciation ou des faiblesses de sensibilité. L'objectivité pure n'est qu'un leurre, et de toute façon, le regard qu'on projette sur le passé se trouve dans la complète dépendance d'un regard *actuel*, chargé des motivations les plus diverses et des interprétations les plus abusives. Mythe et Histoire subissent donc un sort identique. J'allais bientôt m'en rendre compte à propos de tout ce qui entoure les ténébreuses affaires de Rennes-le-Château.

Mais à la lecture du livre de Jean-Luc Chaumeil, je n'en étais pas encore à me poser ces questions d'ordre théorique. Rennes-le-Château m'apparaissait davantage comme un de ces pôles que les ouvrages ésotériques, ou dits tels, qualifient volontiers de centres vitaux, où il *se passe quelque chose*, tant par la situation géographique et la configuration du terrain que par l'importance qu'on peut lui accorder dans la délicate trame magnétique, tellurique, cosmique et tout simplement mystique, qui parcourt la surface de la terre. Il y a des endroits privilégiés, des endroits voués de tout temps à la célébration de certains cultes, à la prière, aux phénomènes qu'on dit miraculeux, des

18

sanctuaires où le Ciel et la Terre communiquent, des lieux saints que les Celtes appelaient *nemeton* et sur l'emplacement desquels on retrouve la plupart des églises du Christianisme. Je pensais donc que Rennes-le-Château était un de ces lieux privilégiés. C'est tout. Je n'étais pas mûr pour tenter de le déchiffrer.

C'est si vrai que, venant de Toulouse, où j'avais fait une conférence, et ayant décidé, avec Môn, de poursuivre notre voyage vers la Catalogne, je ne jugeai même pas utile de prévoir un arrêt dans le Razès. Pourtant, nous passâmes tout près de là. Voulant rejoindre Prades par des routes secondaires, nous avions remonté la vallée de l'Aude. Nous avions fait une courte halte à Limoux, non pas pour savourer une «blanquette» (boisson que j'exècre), mais pour nous rafraîchir à la terrasse d'un café, sous les ombrages d'une allée de platanes. Ce que j'appelle le «Midi» a toujours beaucoup de charme pour moi qui suis davantage habitué aux rudes granits de la côte atlantique. Quelque peu dépaysé, mais néanmoins ravi de me trouver dans un domaine qui m'est étranger, je me laissais aller à la rêverie. Puis nous avions continué vers le sud. La ville d'Alet n'avait évoqué dans mon esprit que l'ancien nom de Saint-Servan, premier emplacement de la ville et de l'évêché de Saint-Malo. Couiza nous avait paru une rue dans une vallée. Quillan n'avait été qu'une paisible ville endormie sous la chaleur de ce mois de mai. Et nous prîmes la direction de Perpignan, nous promettant ensuite de bifurquer à la première occasion et d'emprunter une route de montagne qui nous mènerait à Prades.

Nous passâmes donc auprès du Razès sans nous en inquiéter. Nous aperçûmes de loin quelques vestiges des châteaux cathares, mais sans nous en soucier davantage. J'avais hâte d'arriver à Prades, dans cette région parfaitement inconnue de moi qu'était cette partie intérieure de la Catalogne qu'on nomme la Cerdagne. Le but de ce voyage était beaucoup plus celui de Môn que le mien : elle avait vécu en effet une partie de son enfance à Prades, et j'avais exprimé le désir qu'elle me montrât quelques-uns des lieux qu'elle avait hantés lorsqu'elle n'était qu'une petite fille. Par suite de circonstances familiales douloureuses, Môn avait perdu tout contact avec sa famille paternelle. Elle ne savait même pas, à ce moment-là, où se trouvait son père. Quelques années auparavant, elle avait fait une longue marche dans les Pyrénées pour tenter de le retrouver, mais jusque-là, elle n'avait pas osé aller jusqu'au bout. Il y avait un brouillard dans la mémoire de Môn. Ce brouillard allait-il se dissiper à Prades ? Nous roulâmes longtemps à travers les vignes avant d'atteindre notre but. Nous allâmes d'abord jusqu'au cimetière, où Môn voulait retrouver des tombes familiales. C'est là que nous apprîmes que sa grand-mère vivait encore. Curieuse journée : je revois Môn avec sa grand-mère, qu'elle n'avait pas rencontrée depuis vingt-cinq ans. Et ce fut l'ultime fois, puisque la vieille dame allait bientôt disparaître de cette terre. Môn revit aussi son oncle et sa tante. Elle obtint des nouvelles de son père. Elle m'emmena rôder dans les rues à la recherche des ruisseaux d'eau fraîche et courante qui circulent à travers la ville, provenant des sources de montagne. Elle m'emmena visiter la magnifique abbaye de Saint-Michel de Cuxa. Elle évoqua le jour où elle avait assisté, tout enfant, à un concert de Pablo Casals et où ce prodigieux personnage lui avait serré la main. Et nous étions repartis, par la montagne, nous arrêtant à La Tour de Carol, dans une étrange auberge vide : les fenêtres de notre chambre donnaient sur la vieille route d'Espagne, et tout était désuet, enseveli dans les méandres d'un lointain passé révolu. Nous avions avec nous le petit chien de Môn, qui se nommait curieusement Vespasien. Il était déjà vieux et malade, mais je l'aimais bien, et il partageait alors toutes nos joies et tous nos ennuis. J'ai toujours aimé les animaux, et plus particulièrement les chats. Mais je dois dire que Vespasien, un joli teckel noir, a laissé en moi le souvenir ému d'un ami très cher. Et, de La Tour de Carol (un nom qui chantait toujours en moi), nous repartîmes vers l'ouest, vers la Bretagne. Il ne fut même pas question de Rennes-le-Château.

Le temps passa. J'avais d'autres centres d'intérêt, encore que mon travail d'approche d'un sujet sur saint Louis me ramenât de temps à autre dans ces zones occitanes où les rois capétiens ont tout fait pour étouffer une civilisation qui portait ombrage aux seigneurs du Nord. Je me demandais d'ailleurs comment les Occitans allaient accueillir mon ouvrage sur ce roi qui lavait les pieds des lépreux et qui rendait la justice sous un chêne. C'est pourquoi je l'avais intitulé *le Chêne de la Sagesse*[1]. Mais

---

1. Publié en 1985 à Paris, aux éditions Hermé.

déjà, en composant cet ouvrage, j'avais été obligé de repenser aux Cathares et à ce qui avait bien pu se passer dans le Razès au XIIIᵉ siècle : ne disait-on pas en effet que la reine Blanche de Castille avait enfoui un trésor — ou des documents — quelque part dans le Razès, probablement à Rennes-les-Bains ? Il y avait là de quoi me faire réfléchir sur ce bizarre terroir où je n'avais jamais encore posé mon regard.

Et puis, élément important dans ma quête personnelle, j'avais reçu, en 1983, l'un des premiers exemplaires d'un livre qui allait se révéler un grand succès de librairie, *l'Énigme sacrée*, de Michael Baigent, Richard Leigh et Henry Lincoln [1], dont le titre anglais avait tout pour me plaire, puisqu'il s'agissait de *the Holy Blood and the Holy Grail*, autrement dit le « Saint Sang et le Saint-Graal ». J'avais dévoré cet ouvrage, sans pour autant adhérer aux hypothèses — fort audacieuses — de ses auteurs, à la vérité beaucoup plus journalistes à sensations qu'écrivains et historiens. Mais quelle que soit la valeur réelle de ce livre, il avait pour moi le mérite de poser de façon précise des questions embarrassantes qui n'avaient jamais été vraiment posées, ni résolues évidemment, et aussi d'insister sur les directions de recherche tout à fait originales.

Cela dit, *l'Énigme sacrée* est un ouvrage « irritant » et ma première réaction a été un rejet complet de toutes les idées qui y étaient suscitées. Je sentais, ma lecture achevée, une provocation délibérée, une entreprise délibérée de déstabilisation des valeurs traditionnelles de l'Occident. On m'a assez accusé d'être moi-même un « agnostique », ce que je ne suis pas, et un « fossoyeur de la spiritualité occidentale », ce qui me semble absolument contraire à toute ma démarche, pour que je me sente concerné au premier chef par des réflexions qui remettent en cause aussi bien la réalité profonde des Évangiles que celle des textes fondamentaux pré-chrétiens, qu'ils soient grecs, germaniques ou celtiques. Si, au gré des pages de *l'Énigme sacrée*, je me suis souvent laissé aller à une franche hilarité [2], je n'en ai pas moins retiré l'impression que le sujet était essentiel et qu'il fallait peut-être réviser nos anciens jugements sur les données

---

1. Paris, éditions Pygmalion Gérard Watelet.
2. Surtout en ce qui concerne les soi-disant *généalogies* qui sont truquées, tronquées, revues et corrigées de la façon la plus éhontée.

21

de l'Histoire et de la Légende d'une Europe sortant à peine d'une soi-disant «paix romaine»[1] et gravissant les pentes d'une culture nouvelle, issue d'une synthèse harmonieuse entre toutes les sources qui l'ont abreuvée. J'y ai au moins découvert la confirmation de ce que je pensais depuis longtemps, à savoir que le Saint-Graal, *sangréal* en vieux français, pouvait tout aussi bien désigner un «sang royal», une «lignée royale», qu'un objet, coupe, calice ou plateau, contenant le sang du Christ, si l'on en croit la version popularisée par les Clunisiens d'abord, par les Cisterciens ensuite. Mais quant à adhérer à l'hypothèse d'une descendance légitime des «Rois chevelus», entendez les Mérovingiens, et à leurs origines contestables (Jésus et Marie-Madeleine), il n'en était aucunement question, même si d'un point de vue heuristique, la question méritait d'être posée. A l'époque, on ne parlait point encore de *la Dernière Tentation du Christ*, le film de Scorsèse qui, on le sait, a déchaîné tant de passions et de scandales. Mais le texte de Katzanzakis, sur lequel est bâti le film, existait bel et bien, et personne n'en parlait. Or, n'oublions pas que l'église de Rennes-le-Château est dédiée à Marie de Magdala, et que celle-ci est étrangement et abondamment représentée à l'intérieur du sanctuaire, de par la volonté affichée de l'abbé Saunière, constructeur de cette tour Magdala dans laquelle il voulait aménager sa bibliothèque. Curieux, non? La lecture de *l'Énigme sacrée* m'obligeait donc à me poser beaucoup de questions, insolubles évidemment. Et cela n'a pas été sans me faire relire *le Trésor du Triangle d'or*, de Jean-Luc Chaumeil, celui-ci se montrant en l'occurrence comme mon véritable «frère introducteur» dans une bizarre «Tenue blanche fermée» où j'aurais été le seul non-initié.

Mais, là encore, rien ne pouvait me satisfaire. Jean-Luc Chaumeil, malgré ses informations qu'il prétend authentiques et qui sont pourtant incontrôlables parce qu'il ne donne jamais aucune référence, et les auteurs de *l'Énigme sacrée*, qui se prennent un

---

1. La *Pax Romana*, que les livres d'Histoire nous présentent comme une réalité ayant perduré plusieurs siècles, est une des plus remarquables escroqueries commises par les historiens. Jamais époque n'a été plus troublée, plus fertile en révoltes, usurpations, guerres civiles et autres réjouissances du même ordre, surtout sur le territoire de la Gaule où quantité d'usurpateurs ont tenté d'acquérir, puis de conserver un pouvoir qui leur échappait.

peu trop pour des *wizards* anglo-saxons héritiers des fantômes des châteaux hantés d'Écosse, sont tombés dans un piège qui me paraît le plus pernicieux et le plus caractéristique de notre époque vouée tout entière aux faux prophètes et aux gourous de pacotille, à savoir le fameux «Prieuré de Sion». Ce fantomatique prieuré, soi-disant issu d'une scission de l'Ordre du Temple (sous l'orme de Gisors, merci, Gérard de Sède!), et qui aurait compté parmi ses grands maîtres des gens aussi célèbres que Claude Debussy et Jean Cocteau, n'est que pure invention — montée de toutes pièces par quelques auteurs en mal de succès, des hobereaux de campagne se targuant de leur ascendance mérovingienne, et quelques farfelus du spectacle et de la télévision groupés autour du génial Francis Blanche, lequel doit bien rire, dans sa tombe, du succès inespéré de ses provocations, reprises, revues et corrigées par des amateurs de mystères en tous genres et par tous les chercheurs de trésors qui ont fait la gloire d'un certain Robert Charroux à une époque où on commençait à remplacer la baguette de coudrier par le détecteur dit vulgairement «poêle à frire».

C'est dire que tout cela ne me paraissait guère sérieux. Non, décidément, même si je commençais à fréquenter Montségur à la recherche des Cathares, et surtout de la relation problématique qu'il pouvait y avoir entre eux et le Graal, je n'étais pas prêt à aller explorer Rennes-le-Château. Et je sais que bien m'en a pris, car c'était le temps où d'aimables farceurs profitaient des nuits sans lune pour creuser des trous un peu partout, voire pour faire sauter des explosifs dans le cimetière, à la recherche du fabuleux trésor du non moins fabuleux abbé Bérenger Saunière. Je crois donc avoir fort bien fait de me tenir alors à l'écart de cette folie furieuse et d'ignorer superbement ce mystérieux Razès.

J'ai appris dans ma vie quelque peu agitée et quelque peu aventureuse qu'il ne fallait jamais rien entreprendre avant d'avoir le «feu vert» de certaines forces obscures qui guident notre action sur cette terre. J'ai également compris que les rencontres de certains personnages ne sont jamais fortuites et qu'elles correspondent nécessairement à une étape d'une quête qui se poursuit tout au long d'une existence, surtout si l'on se prétend, comme je le fais, indépendant de tout dogme établi, de toute idéologie préconçue, de toute obligation politique ou philosophique. Je ne me reconnais d'aucune secte, d'aucune obédience, d'aucune filiation, pas plus que je ne m'érige en « gourou » d'un quelconque système de pensée. Je n'ai pas d'élèves[1], encore moins de disciples, et surtout pas de « nègres »[2]; je ne suis mandaté par personne. Je dis ce que je pense, au moment où je le dis, quitte à reconnaître ensuite que je me suis parfois trompé. J'ai seulement rencontré des gens qui m'ont indiqué des chemins. Je pense à André Breton. Je pense à mon ancien condisciple Jean Cathelin. Je pense à ce mystérieux Yann-Ber Kerbiriou, qui réapparaît de temps à autre dans ma vie, et qui, sans me laisser d'adresse où je puisse le joindre, me donne un renseignement que je n'attendais pas. Je pense aux femmes que j'ai frôlées dans ma longue marche, et qui, telles les fameuses « pucelles » qui marquent l'errance de Lancelot du Lac, m'ont apporté chacune un éclair de soleil qui pouvait me permettre d'aller plus loin dans les sombres cavernes de la terre et d'y distinguer la présence de dragons monstrueux prêts à fondre sur moi. Je pense aussi à certains livres qui sont tombés sous mes yeux à un moment où j'avais besoin d'eux. *Le Trésor du Triangle d'or* et *l'Énigme sacrée* ont été parmi ces livres. Mais autrement plus important, parce que plus profond et plus « indirect », et riche en références, a été l'ouvrage de Michel Lamy intitulé *Jules Verne, initié et initiateur*[3]. On se demandera ce que vient faire Jules Verne dans les « affaires » de Rennes-le-Château : pourtant, c'est en définitive grâce à Michel Lamy que j'ai compris ce qui était essentiel dans le brouillard qui entoure le curé Bérenger Saunière et son problématique « Or maudit ». C'est à partir de là que j'ai su que je devais pénétrer dans la caverne.

C'est à partir de Montségur que je me lançai dans l'aventure. Il me faut toujours un port d'attache, fût-il provisoire, une de ces sources où il est nécessaire de revenir s'abreuver de temps à autre lorsque le soleil dessèche la terre et que mon sang s'épais-

---

1. J'en ai eu, et de fort nombreux, lorsque j'étais professeur, mais il ne s'agit pas des mêmes problèmes.
2. Bien que certains en dénombrent jusqu'à une vingtaine.
3. Publié en 1984 aux éditions Payot, à Paris. Cet ouvrage a été à peu près passé sous silence par la critique soi-disant avertie. Il est probable que cet ouvrage s'avérait « dérangeant ».

sit, devient lourd à travers mes veines. L'Occitanie n'est point ma patrie, bien que les deux femmes qui aient le plus compté dans ma vie fussent toutes deux occitanes. C'est par elles, à travers elles, que j'ai pu errer sur les chemins rocailleux du Sud, même si je me sentais parfois saoulé d'une lumière qui m'était irréelle. C'est grâce à Môn que j'ai pénétré à Montségur, au cœur même du mystère cathare. Dès lors, Montségur est devenu non seulement un des pôles fondamentaux de ma quête personnelle, mais aussi un asile, une oasis où je me sens bien, comme chez moi, dans la plénitude de l'esprit et en contact intime avec une nature que je qualifierais volontiers de *wagnérienne*, quoique Wagner n'ait vraisemblablement jamais mis les pieds dans ce sanctuaire du bout du monde. J'aime le village de Montségur et je sais que j'y ai des amis. J'aime marcher dans les rues du village, sous l'ombre étonnante du «pog» et de ses créneaux qui menacent toujours de percer le ciel de leurs dents d'or philosophal. J'aime passer des heures dans la librairie de mes amis Raymonde et Nicolas Reznikov. J'aime l'atmosphère étrange, ombreuse, familière et complètement désuète de l'hôtel Costes. Madame Costes y officie comme une prêtresse des temps anciens, avec calme et bonté. Quant à Fernand Costes, c'est lui le véritable gardien du temple, je veux parler du château : il en connaît les moindres recoins, les moindres pierres, les moindres lumières surgies des ténèbres. Jamais je ne me suis senti si bien, si à l'aise, si lavé de mes angoisses que dans ce village de Montségur. Et j'y ai écrit un bon nombre de pages sur des sujets qui n'avaient pas forcément de rapports avec le lieu, par exemple mon livre sur *Carnac et l'énigme de l'Atlantide*[1]. Quoi donc d'étonnant à ce que je prenne Montségur comme point d'appui pour me lancer, de l'autre côté de l'Aude, à la poursuite des fantômes de Rennes-le-Château ?

Ce fut donc un jour de septembre 1985 que Môn et moi, nous passâmes du versant atlantique, où se trouve Montségur, au versant méditerranéen, franchissant l'Aude à Quillan et remontant vers le nord, jusqu'à Couiza, cette petite bourgade où nous étions déjà passés l'année précédente sans y voir autre chose qu'une rue dans le creux de la vallée. Mais, cette fois, nous empruntâ-

---

1. Du même auteur, chez le même éditeur.

25

mes la petite route qui suit la rivière de Sals et nous nous engageâmes sur les lacets qui gravissent la montagne, vers des sommets qu'on devinait arides et brûlés de soleil, même en cette époque déclinante de l'été. J'aime les routes étroites et sinueuses. Elles me rappellent toujours mes reptations d'enfance, lorsque je découvrais le monde à quatre pattes : c'est probablement le temps où l'on apprend le plus de choses sans les comprendre. Et lorsque nous débouchâmes sur le plateau, ce fut l'émerveillement.

Ce qui est déroutant dans les Corbières, c'est le contraste absolu qui se manifeste entre les vallées, fermées sur elles-mêmes, fournies de verdure, fraîches de leurs eaux courantes, et les plateaux livrés au vent, au soleil, à des horizons défiant le temps, criblés de rocailles, et au-dessous desquels émergent parfois des buttes plus sombres dont les flancs sont couronnés d'arbres curieusement échappés à la canicule. Là, après les multiples contours de la route, nous aperçûmes un village dont les maisons se blottissaient les unes contre les autres, avec, en saillie, la masse plus imposante d'un château, et plus discrètement le clocher d'une église, prolongé vers le couchant, d'une bizarre construction en forme de tour qui semblait défier l'abîme. C'était donc cela, Rennes-le-Château... Un village comme tant d'autres, bâti de la même pierre, recouvert des mêmes tuiles romanes, avec des rues vides, comme si jamais personne ne s'était risqué à venir habiter cet endroit.

Je commençai par garer ma voiture à l'ombre et, après avoir traversé le village, j'allai vers cette fameuse tour qui m'intriguait tant. A vrai dire, je me demandais ce que je faisais là. Je craignais confusément que quelqu'un ne me reconnût et ne se posât certaines questions au sujet de ma présence en cet endroit si éloigné de mes lieux habituels. Je savais que les habitants de Rennes-le-Château en avaient plus qu'assez des chercheurs de trésors et autres fouineurs aux motivations plus que suspectes. Allait-on me considérer, moi aussi, comme l'un de ces fouineurs qui viennent déranger la tranquillité d'un village endormi sous le soleil ? Je n'avais pourtant nulle intention maléfique. Peu m'importait s'il y avait des trésors encore enfouis dans les jardins ou dans le cimetière. Peu m'importait de m'occuper des habitants et de leur vie quotidienne. Je voulais seulement *voir*, je voulais m'imprégner de l'atmosphère de ce lieu qu'on m'avait décrit tantôt comme un endroit maudit, tantôt comme un haut sanctuaire du passé. Libre à moi, ensuite, de me faire mon opinion. Notre première réaction, à Môn comme à moi, fut donc celle de l'émerveillement. Le site était tout simplement magnifique, orienté selon mes propres goûts, vers le soleil couchant et découvrant une immensité de paysage de sommets et de vallées où traînaient quelques ombres. Nous eûmes tous les deux l'impression de nous trouver dans un lieu idéal, un endroit où il fait bon vivre, un village entre ciel et terre, doucement caressé par le vent qui venait des montagnes, chargé de senteurs, teinté des plus riches couleurs du soleil. Nous allâmes vers cette bizarre construction néo-gothique qu'on m'avait dit être la tour Magdala, et nous nous penchâmes le long du mur, nous abîmant pendant longtemps dans une muette contemplation. Je savais que l'abbé Saunière avait fait construire cette tour Magdala pour en faire sa bibliothèque. Comme je comprenais cet homme ! Et comme j'eusse été heureux d'avoir ma propre bibliothèque en un tel site, dominant un tel paysage grandiose et serein à la fois ! Il me semble que je me fusse senti inspiré dans cette tour, au milieu de mes livres, et que j'y eusse été fort à l'aise pour travailler, pour approfondir, pour méditer. Nul doute que cet abbé Saunière avait été un *inspiré*, pour avoir conçu un tel projet. Et, de ce fait, tout ce qu'on m'avait dit de trouble sur ce curé de village devenait pure invention. Un homme qui se fait construire un tel observatoire pour méditer ne peut être qu'un chercheur de vérité, et un chercheur de vérité ne peut pas avoir vendu son âme au diable.

Nous prîmes alors le chemin de l'église, non sans avoir jeté un regard quelque peu stupéfait sur la villa Béthania : quelle étonnante construction digne des plus horribles pavillons des lotissements de banlieue parisienne d'avant-guerre ! Dans un pays où la construction traditionnelle, en pierre, est tout de même remarquable et digne d'intérêt, pourquoi avoir fait construire ce bâtiment qui n'a même pas le mérite d'être en style «nouille», celui de l'architecte Guimard et des anciennes stations du métro parisien ? Curieux... La tour Magdala a quand même une autre allure, même si la manie néo-gothique des années 1900 s'y fait trop remarquer. Je me disais que peut-être l'abbé Saunière n'était pas aussi riche que ses biographes ont pu le prétendre, réflexion qui, par la suite, n'allait pas tarder à se vérifier à la vue des monstruosités dont il a voulu agrémenter son église paroissiale. Mais c'était le matin, et l'église était fermée, une visite étant prévue pour le début de l'après-midi. Comme je comprends les habitants de Rennes-le-Château qui prennent tant de précautions pour ne pas laisser seuls les touristes dans leur église ! S'il n'en était pas ainsi, il y a longtemps que l'édifice aurait été vidé, et fortement altéré, par les fouineurs indélicats. D'ailleurs, à l'entrée du bourg, une pancarte précise bien que les fouilles sont interdites sur le territoire de la commune. Cela n'empêche pas certains « gratteurs » d'opérer pendant les nuits sans lune, mais on sauve peut-être l'essentiel, et en premier lieu la tranquillité des gens de Rennes. Bref, l'église était donc fermée, et ce n'est pas moi qui m'en serais plaint. Pour l'instant, j'avais toujours la possibilité de remarquer la croix sur le pilier dit wisigothique, et surtout de constater que ce pilier était manifestement à l'envers. Je pouvais aussi méditer sur l'inscription de la porte : « *iste locus est terribilis* », autrement dit : « ce lieu est terrible ». Mais deux choses m'intriguaient. D'une part, l'emploi du mot latin *iste*, lequel a un sens nettement péjoratif (et parfois l'équivalent du possessif de la deuxième personne), me plongeait dans des abîmes de réflexions. D'autre part, je ne pouvais m'empêcher de penser que j'avais moi-même, sur la demande de l'abbé Henri Gillard, écrit une aussi bizarre inscription sur la porte de l'église paroissiale de Tréhorenteuc (Morbihan) : « la porte est en dedans », inscription toujours visible aujourd'hui. Certes, il ne s'agit pas de la même idée, mais je me trouvais en pays de connaissance, et je pressentais une analogie, même très vague, entre ces deux églises pourtant bien éloignées l'une de l'autre.

Comme il était l'heure du repas, nous allâmes donc nous attabler dans un charmant restaurant-jardin bien ombragé. Le temps était merveilleux et nous nous sentions parfaitement en harmonie avec le paysage. Notre repas fut égayé par la présence d'un impertinent enfant que, Môn et moi, nous prîmes pour une petite fille parce que son nom était *Morgan*. Évidemment, j'y avais vu une coïncidence de plus, la fée Morgane était la grande ombre mythique qui plane sur la forêt de Brocéliande et qui est précisément représentée sur le Chemin de Croix de l'église de Tréhorenteuc. Depuis, j'ai appris que cette *Morgane* était en réalité un joli garçon du nom de *Morgan*, ce qui n'infirme en rien toutes les spéculations que j'avais pu faire concernant les rapports analogiques entre Rennes-le-Château et la forêt de Brocéliande. Ne tombons pas dans de basses querelles à propos du sexe des Anges. De toute façon, Morgane-Morgan avait un visage d'ange et une turbulence de diablotin. J'espère qu'il me pardonnera d'être aussi impertinent que lui le fut pendant cette journée de septembre 1985.

Cela dit, quand l'heure fut venue, nous pûmes visiter l'église, en compagnie d'un certain nombre de « touristes » qui, visiblement, s'intéressaient à tous les détails et semblaient plongés dans de grandes perplexités. On sentait bien que la question primordiale était : « Qu'est-ce que cela cache ? » Et ils étaient tous pleins d'espoir : ils allaient sûrement découvrir le détail qui avait échappé aux autres. Curieuse impression... La pauvre église dédiée à Marie-Madeleine n'était plus un lieu de culte ou de prière mais un traité d'alchimie en images, codé bien entendu, et dont chacun s'efforçait de retrouver la clé. Plus que jamais je pensais à la phrase de Tréhorenteuc : « la porte est en dedans ».

Je dois avouer que, pendant cette visite, je n'ai rien cherché d'autre que de me *rendre compte*. Les « affaires » de Rennes-le-Château, telles qu'elles m'avaient été présentées, avec leur « aura » de mystères, demandaient qu'on réfléchît avant de se prononcer, avant même d'envisager ce qu'il pouvait y avoir de témoignages réels à propos de trésors, de secrets et même de remise en question du monde occidental. Pas de panique! comme l'on dit parfois. On m'accuse souvent de délirer : on a tort, car je suis le plus froid rationaliste qui se puisse trouver dans un domaine où l'irrationnel est pourtant le moteur absolu de toute démarche intellectuelle et spirituelle. On me traite d'agnostique : or, je suis celui qui croit certainement le plus en la valeur des textes religieux — de toutes les religions — parce qu'ils contiennent tous une certaine partie d'une Vérité impossible à atteindre, et que je qualifierais plus justement de « réalité » profonde, celle que les Surréalistes tentaient de débusquer sous les apparences fallacieuses du divertissement si bien dénoncé par Blaise Pascal. Mais, ce jour de septembre 1985, à Rennes-le-Château, j'ai eu l'impression d'être une sorte d'extra-terrestre en pleine contemplation ahurie devant un monde que je ne comprenais pas. Il est vrai qu'on dit souvent que les des-

29

seins de Dieu sont incompréhensibles. Or, la question que je me suis posée alors était celle de savoir si *réellement* il y avait un quelconque dessein de Dieu dans cette église.

Évidemment, le visiteur est prévenu : « ce lieu est terrible ». Mais de quel lieu s'agit-il ? Dès qu'on entre, on croit pouvoir répondre que c'est effectivement l'église elle-même, car on y est accueilli tout de suite par un horrible diable. Je sais bien que ce diable, Asmodée pour les intimes, n'est pas dans une posture glorieuse, puisqu'il est ployé et obligé de supporter un bénitier. Ce n'est pas le diable dans le bénitier, mais sous le bénitier. Il n'importe, c'est quand même surprenant, et j'ai ressenti un étrange malaise en pénétrant dans le sanctuaire, chose qui ne m'est jamais arrivée autre part qu'à Rennes-le-Château et dans l'église Saint-Sulpice de Paris. Ce n'est sûrement pas un hasard.

J'ai essayé d'analyser l'origine de ce malaise, que Môn ressentait en même temps que moi. Était-ce à cause de l'inscription concernant le « lieu terrible » ? Était-ce la présence de ce grotesque Asmodée dont la posture humiliante ne fait pas oublier qu'il est quand même le gardien du temple ? Et de quel temple ? J'avoue avoir eu le sentiment que ce temple était davantage fait pour des célébrations plus ou moins marginales, du genre des « messes à rebours ». D'ailleurs, on y relève un parti pris délibéré d'inversion. Non seulement, au-dehors, le pilier faussement wisigothique est à l'envers, mais à l'intérieur, le chemin de croix est disposé en sens contraire par rapport à la plupart des autres églises. Et que penser de ces deux statues de plâtre, de la plus pure tradition sulpicienne du XIXe siècle, représentant Joseph et Marie, chacun d'eux portant un enfant, et se faisant face de chaque côté de la nef ? Bizarre. Y aurait-il deux enfants Jésus ? Le thème pourrait être cathare, mais il n'y a pourtant rien de cathare ici. Et, sous l'autel, cette curieuse peinture, due paraît-il à l'abbé Saunière, représente Marie-Madeleine, patronne de la paroisse, dans une grotte et en contemplation devant une tête de mort. Enfin, que dire de la présence de deux saints Antoine, l'ermite et celui de Padoue ? *A priori*, on ne peut tirer aucune conclusion de ces « curiosités », mais il faut admettre qu'elles puissent provoquer et même alimenter un certain malaise.

Et, à ce propos, je ne pouvais m'empêcher de poser une fois

de plus le problème de l'esthétique par rapport à la religion, quelle que soit celle-ci. On sait que, depuis les époques les plus reculées, les manifestations artistiques ont d'abord été religieuses avant d'être purement esthétiques ; on sait que le théâtre provient de rituels parfois ambigus empruntés aux cérémonies des religions dominantes, et que toute représentation, concrète ou abstraite, sur la paroi des grottes ou les supports des monuments mégalithiques, suppose une transcendance de l'humain par rapport à un divin. Dans les civilisations qui n'avaient point encore opéré la distinction entre Sacré et Profane, et qui unissaient le travail, intellectuel ou manuel, à un acte d'adoration des forces supérieures qui animent le monde, la beauté, sous toutes ses formes, présidait à l'élaboration de tout culte, de toute construction de temple, de toute ornementation de sanctuaire. Or, l'*esthétique* de l'église de Rennes-le-Château ne correspond nullement à cette préoccupation fondamentale d'une humanité à la recherche de son Créateur. Pourquoi tant d'horreurs, de « bondieuseries » accumulées dans ce qui demeure malgré tout un sanctuaire ? Faut-il croire que l'inspirateur de cette ornementation de l'église de Rennes-le-Château, en l'occurrence l'abbé Bérenger Saunière, était un ignare au point de vue artistique, ou bien qu'il ait délibérément ignoré l'aspect esthétique au profit d'un message purement intellectuel (le côté proprement spirituel n'apparaissant guère au premier abord) ?

Il faut dire à la décharge de cet abbé Saunière qu'il vivait à une époque où l'on ne comprenait plus guère la nécessité d'harmoniser Beauté et Glorification. C'est la fin du XIXe et le début du XXe siècle. C'est l'époque où furent construites les basiliques de Fourvière, à Lyon, du Sacré-Cœur, à Paris, de Sainte-Anne-d'Auray, en Bretagne, qui sont, de l'avis objectif unanime des amateurs d'art, des monuments de laideur en même temps que des manifestations d'un catholicisme agressif et triomphaliste en face de la montée de la laïcité. Grillot de Givry, dans son remarquable et toujours actuel ouvrage sur *Lourdes, ville initiatique*, s'efforçait déjà de démasquer l'imposture qui consiste à construire n'importe quoi « pourvu qu'il y ait du monde », et j'ajouterai, pourvu que ça rapporte. La basilique de Lourdes était déjà une horreur en 1900. J'imagine les cris que pousserait le digne — et parfaitement croyant — Grillot de Givry à la vue du parking souterrain de Lourdes qu'on intitule pom-

31

peusement « Basilique saint Pie X », et des atrocités d'un chemin de croix tout juste bon à donner des cauchemars aux plus
fervents dévots de la Vierge Marie ! Il faut dire les choses telles
qu'elles sont : Beauté et Religion sont liées. L'Antiquité et le
Moyen Age nous l'ont prouvé par une série de monuments qui
sont autant glorieux pour la Divinité que pour le genre humain.

Je fus alors tenté de traiter l'ornementation (il ne pouvait être
ici question d'art) de l'église Sainte-Madeleine de « misérabi-
lisme ». Mais tout cela me rappelait une fois de plus ma forêt
de Brocéliande et cette église de Tréhorenteuc ornementée par
les soins de son recteur, l'abbé Henri Gillard, et à laquelle, tant
par ma présence que par mes discussions, j'avais contribué. Certes, rien n'est identique dans les deux églises, à part la disposition *à l'envers* du chemin de croix. Celui de Rennes-le-Château,
examiné avec tant de soin par les « touristes » dans ses moindres détails, n'offre pourtant rien d'original : c'est une produc-
tion sulpicienne à plusieurs exemplaires, qu'on retrouve dans
plusieurs sanctuaires, y compris à Rocamadour. Mais celui de
Tréhorenteuc est original, peint sur place sous la direction de
l'abbé Gillard, avec des décors empruntés au pays même et une
scène qui fit scandale à l'époque (1948), Jésus tombant aux pieds
de la fée Morgane, représentant symboliquement la luxure. Mais
n'y a-t-il pas un rapport étroit entre la Morgane de la tradition
celtique, « femme la plus chaude et la plus luxurieuse de toute
la Bretagne », et Marie-Madeleine, la soi-disant pécheresse repentie, celle qu'on représente volontiers comme une de ces anciennes prostituées sacrées de l'Antiquité récupérée, pardonnée et
sanctifiée par le Christianisme triomphant ? Tout cela pour dire
que l'ornementation de l'église de Tréhorenteuc, peu intéressante au point de vue strictement esthétique, est néanmoins une
création originale, je peux en témoigner. Mais l'ornementation
de l'église Sainte-Madeleine de Rennes-le-Château est du plus
pur style sulpicien de l'époque décadente. Mon impression de
malaise, mon sentiment au vu de ce sanctuaire — avec son
damier faussement maçonnique —, ses inversions, son baroque
de pacotille, n'étaient-ils pas provoqués par la *laideur* du lieu
plutôt que par des considérations d'ordre impalpable ?

Mais la mémoire, ou plutôt la fonction de mémorisation, est
une suite de déclics qui s'opèrent dans un mécanisme délicat.
Je me souvins alors de certaines paroles de l'abbé Gillard, paroles

qui, jusqu'alors, n'avaient effleuré qu'un niveau extrêmement faible de ma conscience. Il m'avait raconté sa «drôle de guerre», celle de 1939-1940, notamment les épisodes de la fin, cette fin peu glorieuse qui avait suivi la débâcle de l'armée française devant les troupes allemandes. Lui, il l'avait faite, cette drôle de guerre, sous l'uniforme français, comme il se devait pour tout bon citoyen de la République en âge de porter les armes. A la suite de pérégrinations multiples, il s'était retrouvé du côté de Rodez, où il s'était fait démobiliser. Mais avant de pouvoir regagner la Bretagne, où son ministère ecclésiastique l'appelait, il lui avait fallu patienter. Or, comme cet homme n'avait jamais pu se satisfaire de l'inaction, il en avait profité pour voyager aux alentours et explorer un pays que, jusque-là, il ne connaissait pas. Il n'y a pas loin de l'Aveyron à l'Ariège et à l'Aude. Il était allé à Montségur, où le thème du Saint-Graal, lié à la forteresse cathare, n'a pas été sans influence sur l'intérêt qu'il manifesta ensuite pour les romans dits arthuriens et pour ce mythe majeur de l'Occident. Et il m'avait parlé d'un village de l'Aude où, autrefois, un modeste curé avait complètement restauré son église paroissiale en ruine, voulant faire de ce village une sorte de lieu de pèlerinage satisfaisant à la fois ses préoccupations religieuses et les intérêts des habitants du pays. En somme, l'abbé Gillard avait découvert *là-bas* la vocation du tourisme religieux et culturel qu'il allait, dans les années qui suivirent, mettre en pratique à Tréhorenteuc, haut lieu de la Brocéliande légendaire. Et ce *là-bas*, je ne l'avais pas compris à l'époque, c'était tout simplement Rennes-le-Château. Comme quoi, il n'y a jamais de hasard. Moi qui avais participé, dans une certaine mesure, à l'amélioration de ce coin perdu du Morbihan, et qui avais, en quelque sorte, assisté l'abbé Gillard dans la réalisation de son vœu, je me retrouvais, en ce mois de septembre 1985, six ans après la mort de l'abbé Gillard, dans un des lieux qui avaient inspiré son action. Coïncidence? Je ne le crois pas.

Je compris alors certaines choses. Bien sûr, il ne s'agit pas dans mon esprit d'assimiler l'abbé Saunière et l'abbé Gillard. Ils n'étaient ni de la même époque, ni de la même trempe, et leurs motivations profondes semblent avoir été fondamentalement différentes. Le seul lien est, au premier degré, d'avoir voulu faire d'une modeste église paroissiale un lieu de «tourisme religieux et culturel », et d'avoir laissé, dans les édifices concernés, une empreinte indélébile. Certes, l'abbé Gillard est inhumé *à l'intérieur* de l'église de Tréhorenteuc, comme on pratiquait dans les anciens temps, tandis que l'abbé Saunière est enterré *à l'extérieur* du sanctuaire, mais sous le chevet, dans un cimetière étrange, auprès d'un autre tombeau, celui de sa servante Marie Dénarnaud, une bien étrange personne, elle aussi.

Nous allâmes bien entendu visiter le cimetière, après avoir franchi un porche qui me fit sourire, car il prétendait imiter maladroitement l'un de ces portails triomphaux qui ont fait la gloire et la réputation des enclos paroissiaux du Finistère. Nous nous recueillîmes devant la tombe de l'abbé Saunière, sentant confusément que cet homme avait déclenché quelque chose qui avait dépassé sa propre personne. Ne m'avait-on pas dit que cette tombe avait été profanée? Qu'y cherchait-on? Un trésor ou un secret? On m'avait dit également que l'abbé Saunière avait lui-même, dans des circonstances demeurées mystérieuses, pratiqué une sorte de profanation sur une autre tombe. Qu'est-ce que cela pouvait bien signifier?

Il n'en reste pas moins vrai que ce court séjour à Rennes-le-Château, qui constituait une authentique découverte, s'il me laissa dans des abîmes de perplexité, demeura dans ma mémoire un pur ravissement. La beauté et le calme du village, la simplicité puissante du château, les mystérieux jardins élaborés par l'abbé Saunière, la tour Magdala, face à un horizon que j'imaginais, le soir, complètement inondé par un soleil rouge se noyant dans les montagnes et dans la brume, tout cela fut d'un profond réconfort. Oui, ici, il faisait bon vivre. Et j'avais acquis la certitude qu'il n'y avait rien à chercher en creusant le sol inconsidérément ou après de savants calculs, tous plus faux les uns que les autres. Si j'avais été moi-même un habitant de Rennes-le-Château, je n'aurais certes point accepté qu'on vînt déranger la plénitude et la sérénité de ces lieux. Bref, je me suis senti en parfaite harmonie avec le site.

Mais il n'y a pas que Rennes-le-Château. Il y a aussi ce plateau aride, vibrant de ravins, harcelés par quelques arbres, avec le pic de Bugarach vers le sud-est pour signifier qu'il y a toujours une montagne qui sert d'observatoire, ou de poste de surveillance, comme la tour de guet d'une forteresse. Et, effectivement, tout cela donnait l'impression d'une forteresse.

Je savais que cette région avait servi de retraite sûre pour les anciens habitants, au temps du Razès, au temps des Wisigoths, de ces fameux Wisigoths qu'on a toujours considérés comme des «Barbares» et qui n'étaient que des «étrangers» dotés d'une brillante civilisation. Et puis, il y avait aussi, quelque part enfoui dans une vallée que nous ne discernions pas, Rennes-les-Bains, cette autre Rennes qui, à mon sens, devait contraster étrangement avec la sécheresse du village perché sur ce flanc d'abîme.

Nous partîmes donc pour Rennes-les-Bains, mais en passant par une invraisemblable route qui serpentait sur le plateau. C'était plutôt un chemin qu'une véritable route, mais ma voiture en avait vu d'autres et avait avalé tant de poussière et de soleil que cela n'avait plus aucune importance. Merveilleuse pérégrination où, plusieurs fois, nous crûmes nous être égarés, tant les culs-de-sac nous guettaient à chaque carrefour et à tous les hameaux que nous rencontrions. Lentement, sous la chaleur de septembre, nous descendîmes vers une vallée qui nous surprit tant elle était verdoyante, ombragée, paisible, mais d'une toute autre paix que celle du sommet. Ici était le domaine de l'eau. Nous nous en aperçûmes bien vite en débouchant dans ce village de Rennes-les-Bains qui est une authentique station thermale[1]. Et la première chose que je remarquai, ce fut une ancienne inscription, à demi effacée, sur un hôtel thermal désuet et fermé : «Ici, on soigne les *catarres*». Il y avait de quoi rire dans ce pays de toute évidence marqué par la présence des Cathares! Il n'empêche que le charme indicible de cette petite bourgade enfouie dans la verdure ne fut pas sans effet sur moi. J'ai toujours aimé les villes d'eaux, non pas pour y suivre des cures thermales, mais parce que j'y ai découvert une curieuse atmosphère, un style «fin de siècle», un triomphe de la «décadence» au sens que donnaient au mot les poètes qui ont succédé aux symbolistes et fait les beaux jours de la Belle Époque. Mais je n'apprécie guère les grandes villes thermales. Je préfère les petites stations un peu oubliées parfois, comme Vals-les-Bains, en Ardèche, Néris-les-Bains, dans l'Allier, ou encore Saint-Honoré-les-Bains, dans la Nièvre. Rennes-les-Bains m'apparut de même

---

1. Actuellement, la petite station est en train de revivre, en particulier grâce au parrainage et à l'aide de la ville de Rennes (Ille-et-Vilaine).

nature, une station complètement en dehors du temps et de l'espace, presque ignorée sur les cartes, succombant sous la torpeur, ou plutôt sous la lourdeur d'un air qui s'engouffrait dans la vallée, encore chargé de tous les effluves des herbes du plateau.

Et puis, à Rennes-les-Bains, le mythe continue. Les « Bains de Rennes », comme on les appelait autrefois, ont aussi quelque chose de mystérieux. Cela date des Romains, ce qui veut dire que les Romains ont aménagé un établissement qui était déjà en usage du temps des Gaulois. Et ne parlons pas des jeux de mots : les « Bains de Rennes » sont aussi les « Bains de la Reine ». Il n'en fallait pas plus pour que la tradition locale se fît l'écho de la présence de Blanche de Castille, la mère de saint Louis, qui y aurait bien entendu enseveli — ou découvert, il y a plusieurs versions ! — un trésor ou des documents. Décidément, Rennes, que ce soit celui du haut ou celui du bas, prédispose à des cachettes de ce genre. Cela ne fait qu'ajouter au mystère de cette région déjà tellement mystérieuse par elle-même, par sa nature à la fois sauvage et raffinée, ce bout de terre perdu dans les Corbières, où, comme aurait dit Rabelais, les années de sécheresse, il fait bon avoir « cave fraîche et bien garnie » — en jus de vigne fermenté, bien entendu.

Et s'il n'y avait que ces souvenirs d'un lointain passé ! Mais Rennes-les-Bains est aussi un lieu mystique, presque magique, ne serait-ce que par l'ombre de l'abbé Boudet, qui fut curé de cette paroisse à peu près au même moment où officiait l'abbé Saunière à Rennes-le-Château. Voici encore un personnage hors du commun, et dont le rôle, d'après ce que je savais à l'époque, paraissait encore plus trouble que celui de son confrère du plateau. L'abbé Boudet se piquait d'être écrivain, historien, préhistorien, et même un linguiste distingué. N'avait-il pas écrit et publié un ouvrage sur *la Vraie Langue celtique*, reconstituée par ses soins à partir de la langue anglaise et en vertu d'un soi-disant cromlech qui encercle toute la région ? Bizarre, bizarre... J'avais déjà lu quelques fragments de cette *Vraie Langue celtique*, et j'en avais été quitte pour des crises de fou rire incontrôlables. Je crois d'ailleurs qu'au moment de la publication de cet ouvrage, invendable et invendu, mais abondamment distribué aux Sociétés savantes et aux érudits locaux, personne n'a pris au sérieux les délires linguistiques de l'abbé Boudet. Il a fallu la résurgence des affaires concernant l'abbé Saunière pour

36

qu'on recommence à s'intéresser à l'abbé Boudet, pour que l'on réédite — de nombreuses fois — son ouvrage, agrémenté de préfaces toutes aussi délirantes. A moins que... Tant de sottises accumulées dans un livre écrit par un personnage qui n'était certainement pas un sot, cela mérite quelques réflexions. Qu'est-ce que cela peut donc cacher?

Alors, bien sûr, nous allâmes visiter l'église paroissiale de Rennes-les-Bains. L'édifice est sobre, encastré dans le vieux bourg. Ici, je me suis senti dans un sanctuaire, dans un authentique sanctuaire destiné au culte et à la prière, en dépit d'un curieux tableau qui fait la joie — et l'angoisse — des décrypteurs de mystères. L'église est sombre, elle est presque utérine dans la mesure où l'on s'y sent protégé contre toute influence maléfique venue de l'extérieur. C'est un havre de paix comme on aime à en rencontrer de temps à autre au cours d'errances qui fatiguent les yeux et irritent la conscience. Certes, elle non plus n'est pas un chef-d'œuvre de l'art religieux. Mais il ne semble pas que l'abbé Boudet, préoccupé qu'il était de recherches intellectuelles, ait laissé sa propre marque sur les murs. Il n'a rien rénové, ici, ni aucunement réalisé de transformations choquantes ou simplement déroutantes.

Mais tout recommence dans le cimetière. Décidément, bien que le séjour des morts soit généralement réputé pour sa tranquillité, les cimetières de campagne, surtout lorsqu'ils se trouvent encore (et de plus en plus rarement) au cœur du village et autour de l'église, sont des endroits plutôt agités. Ne parlons pas des fantômes : le légendaire de tous les pays puise abondamment dans cet univers fantastique et fantasmatique. Bornons-nous aux réalités. Pourquoi, dans le cimetière de Rennes-les-Bains, par exemple, y a-t-il deux tombes pour un même personnage? De nombreuses hypothèses ont tenté d'expliquer cette anomalie. Mais, quand on sait que le personnage en question «a fait le bien toute sa vie», on ne peut pas douter qu'il ait appartenu, sa vie durant, à une sorte de loge de Rose+Croix, l'inscription en est la preuve. Alors? De quoi s'agit-il réellement? Les farces macabres ne sont pas de mise ici. Il y a autre chose. A chacun d'y découvrir sa propre vérité.

.Il y a un point où, comme le dit André Breton dans le *Manifeste du Surréalisme,* les divers aspects de la réalité cessent d'être *perçus* contradictoirement. C'est une notion très difficile à admettre, puisque l'existence, telle qu'elle nous apparaît, repose sur cette contradiction fondamentale que j'ai tant de fois mise en évidence, ne serait-ce qu'avec le perpétuel combat entre l'Archange de Lumière et le Dragon des Profondeurs. Tout serait si simple si l'on ne voulait pas faire compliqué. Mais l'esprit humain est «tordu», imprégné par des forces maléfiques (j'entends par ce mot des forces de destruction et de déstructuration inhérentes à l'esprit humain). Je pense que, dans cette première visite aux deux Rennes du Razès, j'ai compris que dans la réalité il y a tellement d'éléments hétéroclites qu'une intelligence humaine n'est plus capable de discerner ce qui est de ce qui n'est pas. En ce sens, le cimetière de Rennes-les-Bains m'a paru révélateur d'un certain état d'esprit, mais je n'allai pas plus loin dans mes spéculations.

Quoi qu'il en soit, après cette intrusion dans le «domaine enchanté» du Razès, je n'en fis qu'un épiphénomène par rapport à ce qui m'intéressait au premier chef, à savoir l'aventure fantastique des Cathares et surtout l'acharnement qu'on avait mis en haut lieu (papauté et monarchie capétienne) à détruire une doctrine que je considère la plus merveilleuse qui soit, puisqu'elle affirme que le monde ne pourra retrouver sa Lumière originelle tant que la dernière âme humaine — et angélique, cela va de soi — ne sera pas sauvée et réintégrée dans sa pureté primitive. Le péché n'est-il pas alors de ne pas aider les autres à se sauver? N'est-ce pas une «non-assistance à personne en danger de mort»?

Je suis revenu dans le Razès avec Môn, alors que j'avais déjà publié mon livre sur *Montségur*. Et c'est encore à partir de Montségur que je voulus élargir mon champ de vision et pénétrer plus avant dans cette connaissance d'une Occitanie harcelée entre la Méditerranée et l'Atlantique, entre les influences grecques, latines et germaniques, entre le mégalithisme et le druidisme, entre la France (celle du nord) et les paisibles royaumes du soleil, entre la montagne et le causse.

Beaucoup de choses avaient changé pour moi, du moins dans ma façon de voir le monde à travers les brumes de quelque soirée déroutante où tout devient flou comme aux approches de la mort. Nous retournâmes donc à Rennes-le-Château mais après avoir fait escale à Alet, siège d'un diocèse autrefois important. Nous nous étions égarés à travers les ruines de la cathédrale, en tait une primitive abbatiale, en pleine restauration, mais qui conservait de l'ancien temps son privilège d'être un endroit sacré *par principe*, et depuis la plus lointaine préhistoire. Ce n'est pas seulement une étape quand on remonte la haute vallée de l'Aude, c'est ce que je nommerais du terme celtique de *nemeton*, c'est-à-dire sanctuaire en pleine nature au milieu des bois, près de l'eau vive qui circule dans les veines de la terre comme le sang dans les artères d'un corps humain pour irriguer un cœur mystérieux dont les battements se font sentir seulement à ceux qui savent repérer les échos des courants telluriques inondant le monde.

Je ne suis pas druide, contrairement à ce que certains prétendent, pour mieux cerner mes contradictions. Je n'ai pas la prétention de retrouver, vingt siècles après leur disparition, les pâles ombres des prêtres de la société celtique, et surtout leur doctrine et leur rituel. En ce temps-là, toute fonction sacrée était liée à une fonction sociale et culturelle ; il ne semble pas que ce soit le cas aujourd'hui. Je n'ai jamais participé à ces mascarades où des individus, en se revêtant de robes blanches et d'insignes pour le moins bizarres (y compris des svastikas, symboles aryens), s'arrogent le droit d'*officier* sacerdotalement au nom du druidisme éternel. Les druides, on le sait, ont disparu depuis l'empire romain, non pas tellement parce qu'ils ont été pourchassés par les autorités impériales, mais parce qu'ils sont devenus des prêtres chrétiens. Pourquoi donc les chercher où ils ne se trouvent pas ? Pourquoi prétendre restituer un druidisme de pacotille qui n'a sûrement rien à voir avec ce qui était vécu réellement à l'époque de César et de Vercingétorix ? Je sais bien que notre époque raffole du folklore, fût-il du plus mauvais goût. Mais quel crédit puis-je accorder à des gens qui se déclarent druides uniquement en affirmant que le Ciel leur a parlé et leur a dévoilé les grands secrets de nos ancêtres ? Il est vrai que certains de ces néo-druides n'ont jamais prétendu autre chose qu'à rechercher la pensée druidique à travers la tradition. Mais ils retombent tous dans le même bourbier, celui de l'érudit gallois de la fin du XVIIIe siècle, Iolo Morganwg, qui n'était qu'un brillant «antiquaire», c'est-à-dire un intellectuel pré-romantique en mal de sources. Alors, je ne suis pas druide. Dieu m'en garde ! Mais je sais reconnaître les lieux druidiques, je sais les sentir, parce que ce sont des endroits sacrés depuis toujours, et pour toujours.

39

La ville d'Alet, avec sa cathédrale en ruine et ses vieilles rues marquées du sceau du Moyen Age, avec ses fantastiques ruelles et son calme impénétrable, nous laissa, à Môn et à moi, un souvenir inoubliable. Je connais des villes médiévales et je les aime. J'ai beaucoup rêvé sur les pentes du Puy-en-Velay, derrière les remparts de Concarneau et d'Aigues-Mortes, dans les montées de Dinan et des Baux-de-Provence, autour de la cathédrale de Rouen. Il fut un temps où le Moyen Age exerçait sur moi une fascination irrésistible. J'en faisais le cadre de tous les romans que je bâtissais. Hélas! ce Moyen Age n'existait plus, ou bien il surgissait de l'esprit enfiévré et romantique de Viollet-Le-Duc ou de ses homologues anglais. Je préfère finalement la beauté fruste et sauvage des ruines de Glastonbury, en Angleterre, là où l'on retrouva soi-disant la tombe du roi Arthur et de la reine Guénièvre, le site de Tintagel, toujours en Angleterre (mais en Cornwall, nuance!) où rôdent les ombres d'Arthur, de Merlin, de Tristan, d'Yseult et du roi Mark, ou encore la mélancolie déchirante de l'enclos monastique de Clonmacnoise, en plein cœur de l'Irlande, là où furent mis par écrit la plupart des grands textes fondamentaux de la tradition gaélique, et cela par des moines chrétiens. Je préfère aussi l'âpreté de Montségur dont la rudesse exprime mieux que n'importe quelle restauration le drame qui s'y est joué. Mais j'ai aimé Alet et ses ruelles. Je m'y suis senti dans un autre monde, un peu semblable à cet Autre Monde celtique que je traque sans répit depuis tant d'années.

Mais Alet, avec tout ce que cela m'évoquait au niveau de l'inconscient, n'était pas notre but. Nous revînmes à Rennes-le-Château, cette fois sans visiter l'église. C'était le site que nous voulions contempler, dont nous voulions nous imprégner. Nous ne fûmes pas déçus. Nous retrouvâmes cette même atmosphère qui nous avait tant marqués l'année précédente, une sorte de calme incompréhensible, un sentiment de bien-être absolu. Et pourtant le mystère demeurait, car j'avais depuis lors voulu m'informer plus profondément de tout ce qui agitait ce modeste village du Razès. Nous déjeunâmes au même endroit, sous les arbres de ce parc transformé en restaurant. Nous errâmes un peu dans le bourg. Puis nous repartîmes vers Rennes-les-Bains, par les mêmes chemins poussiéreux. Nous nous arrêtâmes encore une fois au cimetière, sur la tombe double du sieur de Fleury, et nous poursuivîmes notre chemin vers le nord, puis vers l'est, n'arrivant point à découvrir la fameuse tombe soi-disant peinte par Nicolas Poussin, non loin d'Arques, cette tombe énigmatique sur laquelle des bergers essaient de déchiffrer l'inscription : « *Et in Arcadia ego* ». Bien sûr, ces bergers ne pourront jamais découvrir le véritable sens de ce logogriphe. Bien sûr, cette tombe est un « faux », construit d'après le tableau de Poussin (mais pourquoi, au fait ?). Bien sûr, nous n'avons pas réussi à trouver cette tombe. Mais nous voulions aller plus loin.

Un fait nouveau s'était en effet produit dans la vie de Môn. Elle savait que son père possédait une maison quelque part non loin du Razès, à Mouthoumet, en plein cœur de ces Corbières que ni elle, ni moi, ne connaissions vraiment. Or, comme le père de Môn avait abandonné cette maison et qu'en plus, il avait en quelque sorte interdit à sa fille de mettre les pieds dans cette région, la curiosité, on s'en doute, nous tenaillait. Il fallait aller à Mouthoumet. C'est pourquoi, partant de Rennes-le-Château, passant par Rennes-les-Bains et remontant ensuite par Serres, nous cherchâmes désespérément le fameux tombeau immortalisé par Poussin sur la route d'Arques. Et nous continuâmes, à travers des vallées toujours verdoyantes et des garrigues qu'on devinait pleines de serpents. Nous aboutîmes enfin à Mouthoumet, un village désert, brûlé par le soleil. Que pouvait-il se passer en un tel lieu ? Quelque peu assoiffés, nous cherchâmes refuge dans l'unique bar-restaurant du village. Quand nous entrâmes dans la salle, des convives, plutôt joyeux et qui avaient probablement forcé sur le « Corbières », étaient en train de discourir. Parmi eux, il y avait un gendarme en uniforme qui parlait encore plus fort que les autres. Inutile de dire qu'aucun d'eux ne prêta la moindre attention à notre entrée. Nous nous assîmes, désireux de commander une boisson fraîche qui aurait étanché notre soif. Peine perdue... Nous attendîmes au moins un quart d'heure sans voir arriver le moindre tenancier, la moindre servante pour s'enquérir de nos désirs. Et les convives continuaient à converser bruyamment, sans nous adresser un seul regard. Nous sortîmes dignement de cet établissement, sans doute très bien coté sur le guide Michelin, mais où, manifestement, ne surgissaient que des *zombies*, et encore... Cela me rappela un téléfilm ancien, dont l'action se déroulait dans un village des Corbières. Je n'ai pas retenu le titre : je sais seulement que l'actrice principale

était cette merveilleuse Clothilde Joanno, hélas! trop tôt disparue. Il s'agissait d'un couple qui se retrouvait dans un village
d'où l'on ne pouvait plus communiquer avec l'extérieur, le télé-
phone ne fonctionnant plus, les voitures ne pouvant plus ni
entrer ni sortir, les habitants agissant comme si de rien n'était,
mais quand même en parfaits automates. Bref, un cauchemar
où la réalité et l'imaginaire se côtoyaient si intimement qu'on
ne pouvait plus discerner dans quel monde on se trouvait. Eh
bien, cet après-midi de juin 1986, à Mouthoumet (Aude), j'ai
vraiment eu cette impression de me trouver dans l'Autre Monde;
j'ai eu le sentiment très net que tous ceux que j'avais aperçus
dans la salle du bar-restaurant n'étaient que des apparences, et
qu'ils n'étaient autres que ces *silentes* dont parlent les poètes
latins, ces gens qui, selon les vieilles légendes irlandaises, habi-
tent des tours de verre en plein océan : on les voit, ils bougent,
ils vivent leur vie (mais quelle vie?) mais ne peuvent répondre
à la moindre question que les navigateurs audacieux leur posent.
Étrange impression, étrange pays...

Nous nous retrouvâmes à déambuler dans les rues de Mouthoumet. Personne. Du soleil et des maisons aux fenêtres désespérément vides de toute présence humaine. En suivant certaines
indications qui nous avaient été données, nous découvrîmes facilement la maison du père de Môn, également vide, lavée de toute
vie, avec une toiture en parfait état, mais dans un abandon plus
qu'évident. Nous rôdâmes ensuite dans des rues qui ne menaient
que sur les garrigues. Et, quelque peu désemparés, nous retournâmes sur la place où j'avais laissé ma voiture.

C'est alors que se produisit quelque chose. Nous entendîmes
un bruit de moteur et nous aperçûmes une camionnette qui s'arrêtait sur la place. C'était un épicier ambulant qui ameutait sa clientèle en jouant à fond de son avertisseur sonore. Le miracle
s'accomplit sous nos yeux héberlués, car à ce moment précis, une
foule de femmes surgirent de partout, de ces maisons que nous
avions frôlées sans y avoir décelé la moindre présence, et se grou-
pèrent en caquetant autour de la camionnette dont l'épicier avait
préparé l'éventaire. Et passant près de nous, ces femmes nous
saluèrent aimablement, comme si elles nous connaissaient depuis
toujours. Inutile d'ajouter que cette scène fortifia en moi la vision
que j'avais d'un Autre Monde englouti comme la ville d'Is sous
les flots, et surgissant à quelques moments privilégiés, les habi-

tants en profitant alors pour parler et pour demander quelque chose à ceux qui se trouvent là par hasard.

Je ne sais malheureusement pas ce que les gens de Mouthoumet auraient pu nous demander en cet après-midi ensoleillé, au lendemain du solstice d'été. Nous montâmes dans la voiture et nous n'eûmes aucune difficulté à sortir du village et à reprendre la route vers l'ouest. Mais je voulus changer mon itinéraire. Nous empruntâmes alors des routes secondaires qui suivaient d'étroites vallées et paraissaient toujours se perdre dans des forêts obscures. Jamais je n'aurais cru que ce pays fût si boisé. Et, de carrefour en carrefour, d'hésitation en hésitation, nous arrivâmes au pied du pic de Bugarach, cette mystérieuse montagne qui semble faire pendant à Montségur, en un endroit où les Templiers et les « Bougres », c'est-à-dire les ancêtres des Cathares, ont laissé quelques traces. Là, je me reconnaissais et n'avais plus besoin de tâtonner. Nous nous trouvions en plein cœur du Razès. Nous rejoignîmes directement la ville de Quillan, et de là notre base de Montségur.

Mais j'ai gardé de cette journée un souvenir ambigu. Que s'était-il passé au juste ? Avions-nous rêvé ? Est-ce que les ombres indéfinissables qui rôdent au-dessus de Rennes-le-Château et de Rennes-les-Bains nous avaient accompagnés dans ce pèlerinage à travers un monde inconnu, nécessairement aux frontières de l'irréel et de l'impossible ? La découverte d'un pays ne se borne jamais à la connaissance du visible : elle exige la fréquentation de l'impalpable, de tout ce qui est subtil et qui constitue pourtant l'âme du pays. On peut raisonner sur le visible, on peut commenter des monuments et des paysages, on peut apprécier les événements qui s'y sont déroulés. Mais on ne peut décrire les impressions, surtout celles qui relèvent d'un contact presque mystique avec l'âme des êtres et des choses. On pourra toujours dire que la chaleur, parmi ces rochers brûlés par le soleil, conduit à des hallucinations, à de véritables mirages. On pourra démontrer l'importance du substrat légendaire qui constituait l'assise de notre démarche. Mais une chose reste sûre, pour moi : Rennes-le-Château et le Razès allaient désormais nourrir un univers fantastique d'une incomparable richesse et d'une incroyable densité.

II

CAMP RETRANCHÉ

Rennes-le-Château appartient à un petit pays, le Razès, qui se trouve sur les contreforts occidentaux du massif des Corbières, au sud du département de l'Aude, à la limite du Roussillon. Pays de petites montagnes, de plateaux, de vallées profondes, le Razès est marqué en son centre par la haute vallée de l'Aude, fleuve vers lequel convergent les rivières et les torrents qui surgissent des hauteurs. La ville atuellement la plus importante est Quillan, sur l'Aude, sorte de carrefour d'où s'égarent les routes de Perpignan, à l'est, de Carcassonne, au nord, et de Foix, à l'ouest. Bien que les influences pyrénéennes soient encore très nombreuses, le paysage est cependant typiquement méditerranéen, et le climat également, même si le vent du sud amène le froid pendant l'hiver. En principe, le Razès est un pays où l'on passe, mais où l'on ne s'arrête pas. Cependant, ces dernières années, grâce au tourisme, le circuit des châteaux dits cathares, à partir de Montségur, a provoqué pour les gens de passage un intérêt évident. Et, bien sûr, l'*affaire* de Rennes-le-Château, essentiellement à partir d'un article de journal en 1956, a attiré dans cet endroit perdu une foule de curieux, de sceptiques et de chercheurs assidus.

Le Razès est pittoresque et mériterait, seulement pour la beauté de ses paysages, d'être mieux connu que par des réputations quelque peu douteuses. Mais comme on dit qu'il n'y a jamais de fumée sans feu, il faut bien admettre la réalité de certains mystères du Razès. On verra d'ailleurs que la plupart de ces «mystères» sont liés, de près ou de loin, au paysage audois

45

aussi bien qu'à la mentalité des habitants et à leurs traditions ancestrales. Il n'y a donc rien qui puisse surprendre, car de telles équivalences se retrouvent dans de nombreuses autres régions, en particulier dans ce qu'on appelle parfois des « pays forts », parce qu'ils comportent en eux-mêmes des curiosités naturelles, des richesses architecturales et des souvenirs historiques et légendaires. Et comme tout se tient, il faut bien commencer par planter le décor lorsqu'on veut raconter une histoire, même si cette histoire se révèle fantastique et finalement en dehors du temps et de l'espace.

Rennes-le-Château est actuellement un simple village où les maisons se groupent autour du château et de l'église. On a peine à imaginer que ce fut là la capitale d'un comté, même aux dimensions réduites, mais qui joua un certain rôle dans les sombres périodes mérovingiennes. Il faut d'ailleurs bien se garder d'une confusion pourtant si courante : une capitale n'est pas forcément une grande ville, cela peut être tout simplement la résidence d'un chef, et personne ne peut affirmer qu'en ces temps lointains, le chef se faisait entourer par tout son peuple. Il n'est que de songer à Versailles, résidence du roi et des courtisans, mais à l'écart de la véritable capitale qui était Paris. Il n'y a probablement jamais eu autre chose à Rennes-le-Château qu'une forteresse, certainement bien munie, et comportant un certain nombre d'habitations autour de la résidence comtale. Cela ne veut pas dire qu'il n'y ait point eu, aux alentours, des avant-postes, eux aussi fortifiés, et, dans les vallées, des agglomérations beaucoup plus peuplées où se déroulaient les activités économiques nécessaires à la survie du groupe. Les exemples sont innombrables de villes commerçantes ou artisanales situées sur des voies de communication faciles, à proximité d'un cours d'eau ou de terres fertiles, ou encore de ressources minières : cela n'empêchait nullement les habitants de ces villes de se réfugier, en cas de guerre ou de danger, à l'intérieur d'une forteresse, généralement située sur une hauteur. C'est donc bien ainsi qu'il faut considérer Rennes-le-Château.

Certes, la position est idéale, sur un promontoire rocheux qui domine largement l'horizon. Le lieu est idéal pour la surveillance du pays. De plus, il se trouve sur une importante voie de communication, du moins ancienne, car on ne s'en rend plus guère compte aujourd'hui : en effet, c'est là que passe la voie

46

romaine qui allait de Carcassonne vers la Catalogne en passant par le fameux col appelé depuis « Col de Saint-Louis », qui a longtemps constitué un poste frontière entre la Catalogne et la France. Mais cette voie antique, qui devait correspondre à un chemin gaulois, n'est plus visible aujourd'hui que par quelques traces égarées çà et là dans la campagne. C'est en venant de Couiza par le chemin départemental 52 qu'on se rend le mieux compte de l'importance de ce bourg juché sur un véritable nid d'aigle. Toutes les habitations se trouvent en effet sur le sommet de la butte, les maisons en contrebas, le château, d'origine très ancienne mais modifié considérablement au XVIᵉ siècle, dominant la pente nord, la plus exposée aux raids d'ennemis éventuels. Et ce qui frappe, c'est l'ensemble constitué par l'église et cette propriété aménagée par l'abbé Saunière, comprenant des jardins, la villa Béthania et la tour Magdala, qui surplombe un magnifique paysage. Le site est maintenant célèbre. Il l'était d'ailleurs du temps de l'abbé Saunière, aux environs de 1900, puisque celui-ci éditait des cartes postales sur son « œuvre », mais en ce temps-là, on ne parlait pas d'or maudit ou de secrets jalousement gardés par un mystérieux Prieuré.

Cette plate-forme rocheuse qui supporte Rennes a une altitude de 472 mètres, et domine largement les hameaux d'alentour qui se nichent dans quelques trouées du plateau. En observant le paysage, du côté de la tour Magdala, on peut voir, en contrebas, un petit village dont le nom de Casteillas signifie qu'il y avait là, autrefois, une forteresse, et plus loin, dans la vallée, le bourg d'Espéraza. Au-delà, des sommets arrondis, des bois, et les contours des Pyrénées ariégeoises. Vers le nord-ouest, c'est Couiza, et Montazels, le pays d'origine de l'abbé Saunière. Vers le nord, c'est la vallée de l'Aude, avec ce qu'on appelle l'*Étroit* d'Alet, et, un peu plus à l'est, le village et le château en ruine de Coustaussa, accrochés aux rochers du coteau qui domine la rivière de la Sals. Vers le sud, c'est le bois touffu du Lauzet, qui s'étend jusqu'au bourg de Granes, en direction du mystérieux Bézu, de toute évidence un lieu sacré, et qui fut le domaine de Templiers dotés d'un statut très spécial qui leur permit d'échapper à la persécution de Philippe le Bel. Vers le sud-est, domine le « pech » de Bugarach, dominant l'ensemble du pays du haut de ses 1 230 mètres. A l'est, en direction de Rennes-les-Bains, dissimulée derrière une barrière de collines boisées, de petits hameaux jalonnent une route étroite et tortueuse, comme la Maurine, Lavaldieu, comme Sourde et le Pas de la Roque, noms qui ne sont pas sans évoquer un passé qui recèle encore bien des mystères.

Cela, c'est la vision qu'on a de l'environnement immédiat. Ailleurs, on ne sait plus. C'est un monde à part, ici, un monde clos, et ce n'est pas sans raison que l'abbé Boudet parlait d'un immense *cromlech*, bien qu'il fît — volontairement, semble-t-il — la confusion entre les dispositions du paysage naturel et la construction humaine, fût-elle rudimentaire.

Mais l'intérieur du village est pittoresque, avec ses ruelles étroites et la masse imposante de son château. La partie la plus ancienne remonte au XIIe siècle, et a été édifiée, sur l'emplacement d'une forteresse carolingienne (et peut-être même même wisigothique), par un certain Guillaume d'Assalit, qui était le viguier des comtes du Razès. Le bâtiment, endommagé au cours des siècles, fut restauré et aménagé au XVIe siècle, avec quatre tours qui flanquent des murs entourant une cour intérieure. Jusqu'à la Révolution, le château appartint à la famille d'Hautpoul, descendant des Cathares, et l'un des membres de cette famille, Marie de Négri d'Ables, enterrée dans le cimetière de Rennes, est devenue une figure légendaire, puisque sa pierre tombale paraît avoir été — sinon le point de départ — du moins un élément important des énigmatiques activités de l'abbé Bérenger Saunière.

Le jardin qui précède l'église et qui permet d'entrer au cimetière est assez curieusement dessiné. Une allée centrale en biais permet d'accéder à la porte de l'église, où se trouve inscrite la fameuse formule « *iste locus est terribilis* ». Ce sont des paroles attribuées à Jacob dans le texte biblique de la *Vulgate*. Mais que viennent-elles faire ici, et quelle signification leur donner ? Sur la gauche, c'est le pilier dit wisigothique, et qui n'est que carolingien, la facture et l'ornementation le prouvant incontestablement, soutenant une statue de Notre-Dame de Lourdes. Il s'agit d'une ancienne pierre d'autel retrouvée dans l'église, et placée là, *à l'envers*, après avoir été retaillée et sciée, à l'occasion de la Mission de 1891. A l'origine, cette curieuse pierre mesurait près d'un mètre de longueur, et elle n'en mesure plus que soixante-quinze centimètres. La face principale comporte une gravure représentant une croix pattée et gemmée emmanchée au bout d'une torsade, surmontée de l'alpha et de l'oméga, qui sont le symbole de la création de l'univers divin infini, le début et la fin de toutes choses, symbole équivalant au fameux *ourobouros* antique, « le serpent qui se mord la queue ». Sur la droite, se trouve une sorte de fausse grotte, qui n'évoque certainement pas la grotte de Lourdes, et sur le mur du chemin, la représentation d'une pierre levée qui fait penser à un menhir. On a remarqué que ce « menhir » se trouvait dans l'alignement du mur issu de la villa Béthania et de la tour Magdala. De toute évidence, l'abbé Saunière avait une idée en tête lorsqu'il fit aménager ce « jardin ».

Toujours sur la droite, une allée circulaire entoure un calvaire, avec une inscription qui a provoqué bien des commentaires : « *Christus A.O.M.P.S. defendit* ». On notera en passant que l'ensemble reconstitue ce qu'on appelle une « croix inscrite », à l'origine de la croix occitane (elle-même signe particulier du peuple gaulois des Volques Tectosages) et de la célèbre croix celtique. Plus loin, vers le cimetière, on peut voir un bassin en forme de cratère, qui a été saccagé en 1979 par des inconnus, puis un reposoir des morts contre le mur d'enceinte. On entre alors dans le cimetière par un porche au-dessus duquel l'abbé Saunière a fait graver les paroles prononcées par l'officiant lors de la cérémonie du mercredi des Cendres, agrémentées d'un crâne de mort sculpté, avec deux tibias en sautoir, dans un phylactère. Le crâne semble ricaner, mais il montre ses vingt-deux dents, ce qui correspond aux arcanes majeurs du Tarot. Ce portail, vraiment de fort mauvais goût, et le reposoir des morts sont, de toute évidence, un souvenir de ces grands porches triomphaux qui font la gloire des enclos paroissiaux du Finistère. Mais ici, on y chercherait en vain une quelconque beauté, même macabre, et le moindre souci du grandiose. Est-ce par manque de moyens, par manque de goût artistique, ou par dérision ? Ces questions se posent, qu'on le veuille ou non.

L'église de Rennes, aujourd'hui sous le vocable de Marie-Madeleine, est l'ancienne chapelle comtale du château. L'abside, en tout cas, remonte au XIIe siècle, époque de la reconstruction du château. Par la suite, elle a été agrandie et transformée, et enfin restaurée et ornementée par l'abbé Saunière, à sa façon. Il faut dire qu'à l'arrivée de Saunière, l'état des lieux ne devait guère être satisfaisant. Plusieurs documents prouvent la vétusté de cette église paroissiale, bien avant 1885, date de l'entrée en fonction de l'abbé. Ainsi, en 1883, le vicaire général de Carcassonne sollicite-t-il de l'État une aide urgente pour réparer un édifice qui menace ruine et insiste-t-il sur le fait que la population de ce village perdu sur un plateau élevé et aride est trop pauvre pour assumer elle-même le poids des travaux. Ainsi décrit-il, dans sa requête au Conseil d'État, «l'état déplorable dans lequel se trouvent le sanctuaire, l'autel et les deux fenêtres de la nef, dont les châssis ont été brisés et emportés par un ouragan». Et il souligne le danger que représente cette situation pour les fidèles. Mais il semble que les autorités civiles, en ce début des querelles de la laïcité, aient fait la sourde oreille. On comprend alors pourquoi l'abbé Saunière, en présence d'un sanctuaire en ruine, fit tous ses efforts pour le restaurer. Quoi de plus normal, et quoi de plus honorable ? Mais cette restauration s'est faite dans des conditions très étranges, et le résultat en est assez surprenant.

L'accueil que tout visiteur (y a-t-il encore vraiment des fidèles dans ce sanctuaire ?) reçoit à son entrée est en effet déroutant. Immédiatement à gauche, voici cet horrible diable, «Asmodée», au visage grimaçant, aux yeux exorbités (un des yeux a été refait), qui fixe «démoniaquement» le carrelage noir et blanc. Il a le genou gauche ployé sous le poids qu'il est obligé de supporter, c'est-à-dire un lourd bénitier. Mais on peut se demander si l'eau que contient le bénitier est vraiment bénite. La main droite du diable forme une sorte de cercle, et l'on dit que, primitivement, cette main portait une fourche, la fourche grâce à laquelle, selon l'imagerie médiévale populaire, les démons de l'enfer enfournent les damnés dans leurs chaudières. Généralement, dans les églises et cathédrales du Moyen Age, de telles représentations se trouvent *au-dehors*, et généralement sur le côté nord, le côté *sinistre*, pour bien montrer au peuple que le seul moyen d'échapper aux tourments infernaux, c'est de *pénétrer* dans le sanctuaire. A moins que l'abbé Saunière ait eu connaissance de la fameuse fresque qui se trouve à l'intérieur de l'église de Kernascléden (Morbihan), ou encore des horrifiantes *taolennou* («tableaux») que les missionnaires bretons, sur l'initiative du Père Julien Maunoir, au XVIIe siècle, au moment de la Contre-Réforme, présentaient aux fidèles des lointaines paroisses de campagne après leur avoir infligé des sermons terrifiants et leur avoir fait subir des représentations dramatiques tout aussi évocatrices. En soi, l'idée que le diable soit obligé de supporter le bénitier, est excellente, dans l'optique chrétienne. Dans l'église de Campénéac (Morbihan), le diable est, de la même façon, contraint de supporter la chaire d'où émane la parole de Dieu. Et tout cela fait penser à cette chute de Satan dans l'abîme, telle qu'elle est somptueusement et lyriquement décrite par Victor Hugo dans un ouvrage posthume intitulé *la Fin de Satan*. Mais on ne peut pas dire que cette vision d'Asmodée mette à l'aise le visiteur.

Heureusement, il n'y a pas que cela. Au-dessus du diable et du bénitier, on peut voir quatre anges qui exécutent chacun une partie du signe de croix, et sur le socle, on peut lire « par ce signe, tu vaincras », rappel de la légende selon laquelle l'empereur Constantin, ayant vu cette inscription dans le ciel, vainquit effectivement ses ennemis et promulgua un édit de tolérance qui mettait fin aux persécutions contre les Chrétiens. Mais, sur le même socle, on trouve deux monstres, peut-être des basilics, ces animaux fabuleux empruntés aux bestiaires du Moyen Age, et un cercle qui entoure les deux lettres « B.S. » qu'on suppose être la signature de Bérenger Saunière. Après tout, le nom des donateurs est toujours signalé dans les édifices religieux.

Sur le mur du fond, qui ne comporte pas d'ouverture, et contre lequel se trouve le confessionnal, on peut remarquer une fresque qui intrigue à la fois par sa naïveté et par les détails qu'on y relève. Elle représente le Christ sur une montagne fleurie, entouré de personnages qu'il est difficile d'identifier. Au pied de cette montagne de fleurs, on remarque distinctement un sac crevé d'où s'échappent des grains de blé. Quelle signification accorder à cette représentation ? Est-ce que les grains de blé s'échappant du sac sont les paroles du Christ qui n'ont pas été comprises et qui ont été dispersées à tort et à travers, ou bien l'indication d'un « trésor » dont il manque une partie, aujourd'hui enfouie dans la région, bien entendu ? Cette dernière interprétation a donné lieu à bien des recherches passionnées. Mais il faut avouer qu'elle ne repose sur rien de précis : les textes sacrés et les représentations imagées des épisodes mis en scène par ces textes ne nous apparaissent guère que dans ce qu'on appelle volontiers un « flou artistique ». Tout ce que l'on peut affirmer, encore une fois, c'est que Bérenger Saunière avait une idée en tête lorsqu'il a fait représenter cette scène. Faut-il ajouter que les détails sont encore plus irritants : l'arrière-fond est en effet constitué par un curieux paysage où l'on remarque des villages et même des villes. Est-ce le Razès, vu, revu, rêvé et corrigé par l'abbé Saunière, ou bien une vision d'un monde édénique dont Jésus vient, par ses paraboles, rappeler la réalité profonde à travers les apparences trompeuses d'un monde menacé par l'œil ironique d'Asmodée ?

Ce qui frappe, quand on regarde du côté opposé, vers l'autel, c'est la peinture qui se trouve sous cet autel, peinture à laquelle, selon certains témoignages d'ailleurs invérifiables, l'abbé Saunière aurait mis lui-même la main. En soi, le sujet n'a rien d'étonnant puisqu'il s'agit d'une représentation de Marie-Madeleine. Mais cela n'a rien à voir avec le texte évangélique de la résurrection de Jésus, ni même avec la légende provençale de la Sainte-Baume. La magdaléenne se trouve en effet à genoux dans une grotte, les mains jointes et les doigts entremêlés, vêtue de somptueux vêtements. Elle a le regard fixé sur le sommet d'une croix plantée dans le sol de la grotte et visiblement fabriquée avec des branches d'arbre. Près de ses genoux, un crâne humain. Un peu plus en profondeur, un livre ouvert. A l'extérieur, un paysage de rochers dénudés qui se prolonge par l'évocation de ruines devant un ciel lumineux mais tourmenté. L'entrée de la grotte semble délimitée par des blocs rocheux tombés de la paroi. Voilà un bien étrange tableau. Bien sûr, la grotte peut évoquer le tombeau du Christ, mais que viendrait y faire la tête de mort ? Bien sûr, on pourrait penser à la caverne de la Sainte-Baume : mais la magdaléenne a davantage l'air d'une riche aristocrate que d'une pauvre ermite. Et le thème de la tête de mort réapparaît sur une statue de Marie-Madeleine, dans l'église même, ainsi que dans la chapelle privée que s'était fait construire l'abbé Saunière dans la villa Béthania. A coup sûr, cette représentation de Marie-Madeleine, patronne de la paroisse, répétons-le, devait lui tenir bien à cœur. Mais que signifie réellement cette étrange peinture ?

Les autres statues de l'église sont d'une effarante nullité artistique. Ce sont des plâtres comme on en voit partout : saint Jean-Baptiste, sainte Germaine, saint Roch. Mais pourquoi y a-t-il, presque opposées, deux statues de saint Antoine, l'un étant l'ermite (celui de la Tentation), et l'autre étant celui de Padoue (celui qui fait retrouver les objets perdus!)? Là encore, il est impossible que ce soit un hasard, et l'intention de l'abbé Saunière a été de les mettre en valeur en les opposant, et certainement de faire réfléchir à leur signification symbolique. Après cela, on s'étonnera de voir tant de gens bâtir des romans sur les «Tentations de l'abbé Saunière» et chercher des trésors enfouis et perdus à Rennes-le-Château?

Il y a encore les deux statues qui encadrent l'autel. Sur la gauche — en regardant l'autel —, il s'agit de saint Joseph; à droite, il s'agit de la Vierge Marie. Cela n'aurait rien d'extraordinaire si chacun des deux ne tenait un enfant Jésus. Il y aurait donc deux Jésus à Rennes-le-Château, l'un issu du père putatif, Joseph, l'autre issu de la mère. Voilà une notion on ne peut plus hérétique.

J'ai déjà proposé à ce sujet une hypothèse qui vaut ce qu'elle vaut[1]. Nous nous trouvons dans un pays où l'influence cathare a joué fortement. La présence privilégiée du diable dans cette église rappelle peut-être que les Cathares, du moins les dualistes radicaux, croyaient fermement à l'existence d'un principe du Mal incarné par Satan, créateur de la matière, un «presque dieu» du Mal qui s'opposerait au dieu du Bien. On pourrait donc dire que l'enfant tenu par Joseph, sur le côté gauche, donc sur le côté *sinistre*, n'est pas Jésus, mais Satan, tandis que le véritable Jésus, du côté droit, est tenu par Marie : mais, pour reprendre la théorie dualiste exprimée chez certains Cathares, *les deux, c'est-à-dire Satan et Jésus, seraient frères*, fils de Dieu le Père, unique créateur, les deux manifestations d'une divinité bonne et mauvaise. Pourquoi pas? Une autre hypothèse, avancée par Franck Marie, n'est pas moins intéressante. L'enfant tenu par Joseph représente un élément mâle, soit ce qui est apparent, ce qui est visible, ce qui est extérieur, comme le sexe masculin. Par contre, l'enfant tenu par Marie peut représenter l'élément femelle, l'élément subtil, *ce qui est caché*[2]. Pourquoi pas? Il ne faut pas négliger le fait que, sur le côté gauche, dans l'église de Rennes, se trouvent la chaire, d'où émane la parole divine sous sa forme *apparente* et en quelque

1. J. Markale, *Montségur et l'énigme cathare*, Paris, Pygmalion, 1986, p. 107.
2. F. Marie, *la Résurrection du «Grand Cocu»*, Bagneux, S.R.E.S., 1981, pp. 16-18.

sorte exotérique, ainsi que le clocher qui permet une manifestation sonore et extérieure de la pensée divine. Mais, sur le côté droit, c'est la porte qui conduit à la petite sacristie, et surtout, de là, à une pièce secrète que l'abbé Saunière avait fait construire. N'oublions pas que le Chemin de Croix est disposé à l'envers, dans cette église (et dans quelques autres, mais fort rares), et que pour suivre ce chemin de croix, il est nécessaire de commencer par la gauche pour finir par la droite. Tout se passe donc, à Rennes-le-Château, comme si on voulait nous signifier, d'abord, de nous méfier des apparences, ensuite, qu'il suffit de suivre la voie extérieure, exotérique, pour découvrir enfin la voie secrète, ésotérique. Encore une fois, ce qui est écrit sur la porte de l'église de Tréhorenteuc (Morbihan), « la porte est en dedans », paraît pleinement justifié dans cette église de Marie-Madeleine.

On ne peut quitter Rennes-le-Château sans y visiter le petit musée qui y a été installé, et où l'on montre la mystérieuse « Pierre du Chevalier », un bas-relief découvert dans l'église et dont l'interprétation est fort difficile. On a prétendu sans raison, et sans aucune preuve, qu'il s'agissait d'un témoignage particulièrement important sur la présence, dans le Razès, du descendant légitime des Mérovingiens, fils d'un Dagobert II qu'on sait pourtant être mort en bas âge. De là, le roman-feuilleton — qui n'est pas terminé! — à propos du futur « Roi du Monde » qui sera l'héritier enfin reconnu de la première dynastie, celle des « Rois chevelus ». En fait, ce bas-relief n'est pas plus mérovingien que le fameux pilier à l'envers n'est wisi-gothique. C'est une très belle œuvre carolingienne remontant au VIIIe siècle, représentant deux cavaliers sous deux arcades. Le cheval du cavalier de gauche semble boire dans une auge, et l'on pourrait penser qu'il s'agit d'une cavalière, à cause de la coiffure et des plis du vêtement du personnage. Quant au cavalier de droite, il est dans la lignée d'autres représentations de ce type, parfaitement caractéristique de l'art carolingien, brandissant un javelot et tenant un bouclier rond. C'est, selon toute vraisemblance, une scène de chasse, œuvre profane que l'artiste a voulu christianiser en ajoutant, comme il se doit en pareil cas, une grappe qui représente l'Eucharistie, et l'Arbre de Vie, si célèbre dans les récits bibliques et les légendes du Graal. C'est l'abbé Saunière qui découvrit cette pierre en effectuant ses travaux dans l'église, et il est sûr qu'elle constituait un des éléments du chancel, cette séparation entre la nef et le chœur. Mais quoi qu'il en soit, et quoi qu'on ait pu raconter sur cette représentation, l'objet est un magnifique témoignage de l'art de la fin du VIIIᵉ siècle, et à ce titre, il vaudrait à lui seul le déplacement à Rennes-le-Château. Les œuvres d'art authentiques y sont plutôt rares...

Mais Rennes-le-Château n'a pas été la forteresse primitive de ce pays du Razès. Il est fort probable que le site gaulois se trouvait au lieu dit le Casteillas, une énorme masse calcaire qui émerge tant bien que mal d'une végétation rachitique et que l'on peut très bien voir du pied de la tour Magdala, vers le sud-ouest. Le nom est révélateur d'une très ancienne forteresse (bas-latin *castellum*) et désigne un peu partout en France (et en Bretagne) des établissements de l'époque celtique sur des promontoires rocheux. Cela évoque certains de ces *hill-forts* dont le sud-ouest de l'Angleterre est particulièrement riche. Si Rennes-le-Château est réellement d'origine celtique (et c'est à peu près certain), c'est au Casteillas qu'il faut le chercher, sur ce monticule séparé du bourg actuel par ce torrent curieusement nommé « Ruisseau des Couleurs » qui forme une dépression difficilement franchissable. Il est impossible actuellement d'y discerner autre chose que des rocailles et de la végétation, mais, au XIXᵉ siècle, on y découvrit l'existence de « trous souffleurs ». « En effet, par certaines cavités », on pouvait, selon un géologue du temps, enregistrer « une sortie d'air chaud qui semblait provenir des entrailles de Casteillas, le sous-sol étant truffé de galeries, véritables paradis des spéléologues [1] ». Et l'on pourrait ajouter « paradis des chercheurs de trésors et autres amateurs de mystères cachés ». On a également prétendu qu'on y avait récemment découvert une colonne et les vestiges d'un portique fort ancien. L'information doit être prise avec toutes les réserves d'usage, car ce *castellum* à la mode celtique n'était, si on le compare avec tous ceux qui sont bien connus, qu'un sommet entouré de remparts constitués d'une assise de pierre sèches et surmontés d'une palissade en bois, les « habitations » intérieures étant également construites de la même façon. Tout ce

---

1. R. Bordes, *Rennes-le-Château*, éd. Schrauben, 1985, p. 30.

qu'on peut y découvrir, si l'on y procède à des fouilles systématiques, ce sont des objets divers, armes et bijoux.

Si, au sortir de Rennes-le-Château, on emprunte la route qui serpente à travers les plateaux calcaires, on est amené à passer par des lieux chargés d'histoire et de légendes. C'est le chemin de Coume Sourde, du nom d'un hameau isolé. Mais cette appellation est d'origine celtique. La *Coume*, ou parfois la *Come*, c'est tout simplement le français *Combe*, si commun dans la toponymie de l'Hexagone, qui provient d'une racine gauloise signifiant « courbe », mais désignant, par évolution sémantique, une vallée sinueuse. Les variantes de ce thème sont innombrables, depuis le Combourg si cher à Chateaubriand et le Combrit du Finistère aux divers « Chambon » du Massif central, en passant par Chambord (« le gué sur la courbe »), sans parler de toutes les « combes » qui caractérisent de nombreux lieux-dits. En l'occurrence, Coume Sourde, d'après l'abbé Sabarthès, historien du pays, voudrait dire « Combe sordide », allusion à la pauvreté du lieu. Mais d'après un spécialiste des stations thermales, le docteur Gourdon, qui écrivit un savant ouvrage en 1874 sur ce sujet, la région de Rennes présenterait dans son sous-sol « un bassin limité de 1 500 mètres environ » au-dessous du bourg, ce qui supposerait une nappe d'eaux souterraines (sans doute chaudes, si l'on se réfère au Casteillas), et qui donnerait au toponyme le sens de « Combe d'où émane un bruit sourd ». Pourquoi pas ? Mais on peut aussi proposer une autre étymologie, entièrement celtique celle-là, le deuxième terme *sourde* dérivant d'une racine gauloise apparentée au latin *siccus*, « sec », ayant donné le gallois *sych*. Dans ces conditions, Coume Sourde ne serait autre que « la Combe sèche », ce qui correspondrait parfaitement aux caractéristiques du paysage. Mais, en toponymie, qui peut se vanter d'avoir le dernier mot ?

Un autre lieu, étrange et désolé, prête à commentaires. C'est Lavaldieu. Ce n'est pas un nom typique du pays, car on trouve, par exemple, les ruines d'une abbaye du Val-Dieu dans la forêt de Réno, entre Longny et Mortagne-au-Perche, dans l'Orne, ou encore le très beau cloître de Lavaudieu, près de Brioude, en Haute-Loire. Il ne fait aucun doute qu'il s'agit dans tous ces cas de *Vallis Dei*, « vallée de Dieu ». Le problème est de savoir si cette appellation date de l'époque chrétienne et si elle ne recouvre pas quelque chose de plus ancien. Dans une légende locale recueillie avant 1874, donc bien avant les événements relatifs à l'abbé Saunière, le docteur Gourdon, poursuivant ses investigations sur les nappes d'eaux thermales de la région, en vient à une curieuse hypothèse : il aurait en effet existé, « dans ce lieu appelé quelquefois par corruption Bal-Dieu, un temple érigé au dieu Baal où les habitants de la contrée se réunissaient pour lui offrir des sacrifices, et l'on est porté à croire que ce temple aurait pu être fondé par les Phéniciens qui ont jeté quelques colonies sur la côte d'Espagne la plus voisine ». Cela n'a rien d'impossible, les Phéniciens s'étant avancés vraisemblablement dans l'arrière-pays méditerranéen, ne serait-ce que pour y exploiter certaines mines d'or ou d'argent dont le territoire était autrefois bien fourni. Mais il n'est peut-être pas nécessaire d'aller chercher un dieu phénicien : ne serait-ce pas plutôt le Bel celtique, abrégé de Bélénos, c'est-à-dire le « Brillant », surnom donné à différentes divinités gauloises et qui a laissé d'abondantes traces dans la toponymie — la plupart du temps en confusion avec l'adjectif français *bel* ? Il faut aussi préciser que Lavaldieu, ainsi que Coume Sourde, ont été, pendant un certain temps, des propriétés des étranges Templiers du Bézu, au statut très spécial.

Dans la tradition locale, le château en ruine qui se trouve au-dessus du village du Bézu est toujours nommé « Château des Templiers ». Une légende prétend que ces Templiers, protecteurs des Cathares, avaient jeté la cloche d'argent de leur chapelle dans le puits d'une ferme, pour que les gens du roi de France ne pussent s'en emparer, et que cette cloche s'y trouve toujours. Et même, selon l'abbé Mazières, la légende prétend que « toutes les nuits du 12 au 13 octobre, elle sonne le glas ». Alors, on peut voir, dit-on, « une longue file d'ombres blanches venant du cimetière abandonné et montant vers les ruines ; ce sont les Templiers trépassés ; ils cherchent l'église, la petite église d'autrefois, pour y chanter l'office des défunts » [1]. On ne peut pas dire que ce pays manque de légendes...

Mais le Bézu oblige à d'autres interrogations. D'abord, le Château des Templiers est appelé « ruines d'Albedun » sur une carte d'état-major de 1830. Le nom d'Albedun est incontestablement d'origine celtique (*Albo-Duno*, « forteresse blanche »). Et on le

---

1. Abbé Mazières, *les Templiers du Bézu*, éd. Schrauben, 1984, p. 30.

retrouve plus au nord, vers Rennes-les-Bains, sous la forme franco-occitane de Blanquefort, ou Blanchefort, désignant les ruines d'un château qui est le berceau de la célèbre famille des Blanchefort. Albedun et Blanchefort sont donc deux noms identiques. Il faut cependant signaler que l'appellation « forteresse blanche » est commune sur tout le territoire de l'ancienne Gaule, où elle désigne une antique ville fortifiée, soit existante, soit à l'état de ruines, soit même à l'état de souvenir. C'est le nom de Vienne (Isère), qui est une ancienne *Vindobona* (*vindu*, d'où vient le breton *gwenn*, « blanc », et *bona*, « enceinte, muraille »). Le mythe n'est d'ailleurs pas loin : dans l'imagination populaire, la « cité blanche » se confond volontiers avec la « cité de verre », ville merveilleuse de l'ancien temps (c'est toujours dans les origines que se situe la féerie) habitée par un peuple qui appartient davantage à l'Autre Monde qu'à celui du commun des mortels. Dans le *Lancelot* de Chrétien de Troyes, c'est dans la « cité de Gorre (ou de Voirre, c'est-à-dire de Verre) » que la reine Guénièvre est emmenée par Méléagant, autre forme du Maelwas qui, selon les légendes arthuriennes les plus archaïques, était le roi de la Tour de Verre, celle qui se trouvait à l'emplacement actuel de Glastonbury Tor, dans le Somerset. Et l'on sait que Glastonbury, à la suite d'une fausse interprétation du nom (qui est saxon), a passé pour la Cité de Verre, et même pour l'île d'Avalon. On peut ainsi se rendre compte que le Bézu, aussi bien par la farouche beauté de son paysage que par les mythes qu'il évoque, garde tout son mystère et toute l'atmosphère qui convient aux « affaires » qui ont secoué le Razès non seulement depuis quelques décennies, mais depuis le haut Moyen Age. Mais, en tout cas, contrairement à ce qu'affirment certains auteurs, il est impossible phonétiquement que le nom de Bézu provienne d'*Albo-Duno*. D'ailleurs, le nom de *Bézu* est extrêmement répandu dans le domaine autrefois occupé par les Celtes en tant que toponymes pour des villages et des lieux-dits. Ainsi trouve-t-on des Bézu-la-Forêt et des Bézu-Saint-Éloi dans l'Eure, non loin de Gisors. Au Pays de Galles, il apparaît fréquemment sous sa forme *Bedd*. Sa signification est d'ailleurs ambiguë, car il signifie à la fois le « bouleau » (racine celtique apparentée au latin *betula*) et le « tombeau », comme dans le célèbre Grand Bé de Saint-Malo, où se trouve la tombe de Chateaubriand. C'est le sens le plus courant au Pays de Galles, où l'on peut voir, non loin du village de Tre-Taliesin, les débris d'un dolmen nommé *Bedd Taliesin*, le Tombeau de Taliesin, celui-ci étant un barde mi-historique, mi-légendaire, du VIᵉ siècle. Une tradition locale prétend que si l'on dort sur ce dolmen, on se réveille ou poète, ou fou. La même tradition existe dans le Massif central, dans le Pilat, à propos d'une soi-disant «Roche de Merlin». Mais pour ce qui est du Bézu du Razès, hanté par les Templiers et les Cathares, et qui est, de toute façon, un site sacré, faut-il préférer l'étymologie du bouleau ou celle du tombeau? La légende des Templiers fantômes inclinerait à choisir la signification de «tombeau», signification appuyée par le voisinage de cette «Forteresse blanche» qui est, de toute évidence, le souvenir atténué d'antiques croyances et de rituels archaïques.

Cette atmosphère particulière qui règne sur le Bézu et ses environs immédiats, et qui doit autant à la nature qu'aux effluves historiques et légendaires qui y sont rattachés, on ne la retrouve que partiellement dans la paroisse voisine de Granes. Et pourtant, là encore, nous sommes en pleine tradition celtique. On a bien dit que Granes avait quelque chose à voir avec le latin *granum*, et que le nom du village de Sougraine y faisait allusion : il s'agirait d'un pays fertile en céréales, ce qui, apparemment, est une contre-vérité absolue. En fait, le nom de Granes, comme le nom de Grand, dans les Vosges, et aussi l'ancienne appellation d'Aix-la-Chapelle (*Aquae Granni*, d'où l'allemand *Aachen*), est bâti sur le surnom, ou plutôt l'un des surnoms, attesté à l'époque gallo-romaine, *Grannus*, de l'Apollon celtique que Jules César, dans ses *Commentaires*, place au deuxième rang, après le Mercure gaulois, dans la vénération populaire. Cet Apollon est avant tout la divinité tutélaire et initiatrice des sources *guérisseuses*, et c'est en tant que divinité de la médecine qu'Apollon est entré dans la mythologie indo-européenne avant d'être assimilé à un dieu solaire, en réalité avant d'usurper la place tenue primitivement par une déesse solaire (Artémis ou Diane chez les Grecs et les Latins). Il y a une certitude : toutes les inscriptions qui mentionnent *Grannus* le mettent en rapport avec la médecine et la guérison des maladies par des sources sacrées. Or, à Granes, on est tout près des Bains-de-Campagne et de Rennes-les-Bains, et le sous-sol de ce plateau de Rennes-le-Château est occupé par une vaste poche d'eaux thermales qui, comme le nom l'indique, sont des eaux chaudes, connues depuis la plus haute antiquité et exploitées à des fins médicinales — et magico-religieuses, cela va sans dire, puisqu'en ces époques lointaines, médecine, magie et religion étaient liées. Cette réminiscence du surnom d'une des divinités celtiques les plus honorées à Granes fait pendant à ce prétendu temple de Lavaldieu qui aurait pu être un sanctuaire de Bel-Bélénos.

Car l'aspect solaire de Grannus ne peut être négligé. Le soleil est complémentaire de l'eau surgie de la terre pour la guérison des maladies. A Bath, en Angleterre, célèbre station thermale de l'époque victorienne bâtie à l'emplacement des anciens thermes romains (et donc bretons), on a retrouvé une dédicace à la déesse *Sul*, dont le nom indique assez les caractéristiques solaires et fait référence aux époques archaïques où la divinité du soleil — et de la médecine — était féminine. D'ailleurs, en Irlande, même s'il y a un dieu de la médecine, Diancecht, il semble que ce soit sa fille qui joue le rôle principal, si l'on en croit les variantes mythologiques sur le thème[1]. Et puis, il faut savoir que Grannus provient vraisemblablement du même terme qui a donné l'irlandais *grian*, « soleil », que l'on retrouve également sous l'aspect de l'héroïne Grainné, l'un des prototypes les plus flagrants d'Yseult la Blonde, elle-même dernier aspect médiéval de cette primitive déesse solaire.

Cette filiation celtique de Granes ne fait guère de doute. La toponymie du Razès contient de nombreux éléments celtiques. Sans parler de Rennes et du Razès lui-même, on peut remarquer le mot *bec*, au sens de pointe, dans Saint-Julia-de-Bec et la Coume de Bec, *coume* étant de même un terme gaulois. Le nom du village d'Artigues provient du radical *arto* qui signifie « ours ». Cassaignes est dérivé du mot gaulois *cassano* qui signifie « chêne », et d'où découle d'ailleurs le mot français actuel. Le nom du pic de Chalabre contient le radical *calo* qui signifie « dur ». Dans le nom de Limoux (comme dans Limoges, comme dans Limours, comme dans le lac Léman), on reconnaît le mot gaulois *lemo*, « orme », et dans le nom du torrent du Verdouble, il n'est pas difficile de déceler un ancien *Vernodubrum*, ou « cours d'eau à travers les aulnes ».

---

1. Voir J. Markale, *le Druidisme*, Paris, Payot, nouv. éd. 1989, p. 99 et suivantes.

Un autre lieu pose des problèmes, tant par la configuration du terrain que par l'origine de son nom et sa signification symbolique à travers une géographie sacrée qu'on parvient à distinguer tant bien que mal dans la région. Il s'agit de Bugarach, à la fois le pic, qui culmine à 1 230 m d'altitude, et le village qui porte le même nom. Le village doit-il son nom au pic, ou inversement? On ne sait. C'est certainement à partir du Xe siècle que le village s'est appelé ainsi, s'il faut en croire une charte de 889 qui confirmait la possession de cette paroisse aux abbés de Saint-Polycarpe, dans le diocèse de Carcassonne. On sait que la valeur des chartes monastiques reste toujours sujette à caution, les moines du Moyen Age étant fort habiles dans la confection des faux qui confirmaient ou augmentaient leurs privilèges. Quoi qu'il en soit, dans cette charte, le nom apparaît sous la forme latinisée de *Burgaragio*. On retrouve le même nom, désignant le même endroit, en 1231, sous la forme *Bugaragium*, en 1500, sous la forme *Bigarach*, puis en 1594, *Bugaraïch*, et en 1647, *Beugarach*, la forme actuelle n'apparaissant qu'en 1781. On a fait remarquer que ce toponyme n'est pas unique. On le retrouve en effet au sud de Toulouse sous la forme *Bougaroche*, et près de Bordeaux, sous la forme très voisine de *Bougarach*. De toute façon, le mot n'apparaît pas ailleurs que dans le domaine occitan.

D'où provient donc cette appellation aussi bizarre et mystérieuse que cet endroit perdu dans le Razès? On serait tenté d'y retrouver le radical germanique *burg*, désignant la forteresse (équivalent du celtique *duno*) et passé en français sous la forme de «bourg». Mais ce terme n'est jamais employé anciennement dans les pays de langue occitane. Il est plus vraisemblable d'y reconnaître le terme ethnique qui a donné, entre autres, au cours du Moyen Age, les mots *bulgari*, *bugares*, *burgars*, *bougres*, et le français moderne Bulgare. On sait que les «Bougres» ou «Bulgares» passent, certainement à juste titre, pour avoir été les ancêtres directs des Cathares[1]. Il faudrait alors convenir que le nom du pic de Bugarach fait état d'un lieu où se sont réfugiés, à une certaine époque qu'on ne peut préciser, des hérétiques venus d'Orient et qui auraient eu une grande influence sur les

1. Voir J. Markale, *Montségur et l'énigme cathare*, Paris, Pygmalion, 1986.

61

habitants de la région, les conduisant ainsi à adopter les idées dites «dualistes». Bugarach serait donc en relation directe ou indirecte avec l'affaire des Cathares.

Il y a en effet des rapports troublants entre le «pog» de Montségur et le« pech » de Bugarach. Fernand Niel, qui a été l'un des meilleurs connaisseurs — sur le terrain — des Cathares, échafaude une hypothèse qui mérite d'être retenue. En effet, selon les calculs très précis auxquels s'est livré cet ingénieur des chemins de fer passionné par l'hérésie dualiste, il suppose que les constructeurs, en fait les reconstructeurs, de Montségur, vers 1200, auraient aligné consciemment la forteresse cathare sur la position moyenne du lever du soleil. Or, «cette direction ouest-est tombe sur le Pech de Bugarach, point culminant des Corbières dont non seulement l'altitude... est très voisine de celle de Montségur, mais encore la latitude, 42° 52', est égale à celle de ce site... A mesure qu'ils serraient de près leur direction ouest-est, ils voyaient se profiler le sommet de Bugarach au bout de leur alignement. Ainsi sollicités, ils auraient définitivement adopté ce repère offert par la nature[1] ». En somme, Bugarach serait une sorte de double de Montségur, à moins que ce ne soit le contraire. Mais on ne peut nier qu'il existe une corrélation entre les deux sommets, du moins d'un point de vue symbolique, et, comme le dit Fernand Niel, en utilisant les points de repère offerts par la nature. S'il existe une géographie sacrée à travers le monde, il faut bien avouer que cette région du Razès en offre un exemple saisissant. Et l'on ne s'étonnera plus si l'abbé Boudet a cru pouvoir discerner dans l'environnement de Rennes-le-Château un gigantesque cromlech dont il a prétendu détenir le code secret.

Il existe des coïncidences qui ne le sont plus lorsque tout concorde vers une seule unité. L'aspect solaire du château de Montségur ne peut être mis en doute lorsqu'on a été témoin de l'étrange phénomène qui se produit lors du solstice d'été, les rayons du soleil levant traversant les fenêtres de cette mystérieuse salle médiévale analogue à ces « chambres de soleil» dont la tradition celtique est si fournie[2]. Le rapprochement avec ce

---

1. F. Niel, *les Cathares de Montségur*, Paris, Seghers, 1976.
2. Je me suis expliqué abondamment sur ce sujet dans *Montségur et l'énigme cathare*. La «Chambre de Soleil», ou «Chambre de Cristal», est un thème qui apparaît fréquemment dans toutes les légendes celtiques, et en particulier dans

qui se passe dans certains mégalithes, comme le tertre de New-Grange en Irlande, le cercle de Stonehenge en Angleterre ou le tertre de Dissignac en Saint-Nazaire, quand le soleil levant au solstice d'été ou d'hiver vient frapper le centre du monument, ce rapprochement est impossible à éluder[1]. Mais le voisinage de Granes, et celui de Lavaldieu qui est peut-être un ancien sanctuaire de Bélénos, le tout lié à la présence de sources thermales, nous prouvent que cette géographie sacrée du Razès n'est pas uniquement surgie de l'imagination délirante de quelque journaliste en mal de copie. Qu'on adhère à cette conception ou qu'on la rejette, ne supprime en rien les constatations qu'on est amené à faire. Oui, le cromlech de Rennes existe bien, mais *sous forme intellectuelle et symbolique*, et prenant son appui sur des éléments naturels. C'est le reste, autrement dit l'interprétation de réalités tangibles et visibles, qui est du domaine de l'imaginaire.

On a ainsi raconté que le « pech » de Bugarach était un point de repère pour les « extra-terrestres ». On a lancé l'idée que les flancs de cette montagne recélaient des cavernes où se terraient ces fameux extra-terrestres en mission sur notre planète. On en a profité pour affirmer que ces mêmes flancs du Bugarach contenaient de fabuleux trésors, pourquoi pas le trésor des Cathares, celui du Temple de Jérusalem ou celui de Delphes... Il est possible d'affabuler, et il semble que l'on ne s'en prive pas. Mais alors, pourquoi, il y a un siècle, un certain Jules Verne s'est-il intéressé de très près au Razès et particulièrement au pic de Bugarach ?

Jules Verne n'est pas seulement un auteur de romans pour les jeunes gens. On sait maintenant que, dans tous ses ouvrages, il a laissé des messages codés à travers des aventures pseudo-scientifiques et surtout fantastiques, ce qui prouve son intérêt pour une certaine forme d'ésotérisme, et aussi son appartenance à quelque « société philosophique », ce terme recouvrant bien

---

l'histoire de Tristan et Yseult. Il ne faut pas oublier qu'Yseult représente, sous une forme romanesque et christianisée, une antique déesse solaire. La « Chambre de Soleil » est une sorte de sanctuaire où s'opère la régénération par la lumière du soleil, quand celui-ci est au mieux de sa force estivale ou hivernale.

1. Voir également J. Markale, *Carnac et l'énigme de l'Atlantide*, Paris, Pygmalion, 1987.

entendu des confréries initiatiques. Peu importe de savoir lesquelles, d'ailleurs. Ce qui est essentiel, c'est de reconnaître que Jules Verne connaissait parfaitement le Razès et les traditions qui rôdaient sur ce pays, *bien avant les affaires dont Bérenger Saunière a été le héros plus ou moins volontaire.* Il existe en effet un roman peu connu de Jules Verne, publié sous le titre de *Clovis Dardentor,* où le Razès et le pic de Bugarach jouent un rôle primordial, même si tout est présenté, sous couvert d'exotisme, dans des régions tout à fait différentes, en l'occurrence l'Afrique du Nord.

Le sujet de ce roman est la quête d'un trésor caché quelque part du côté d'Oran. On voit tout de suite le jeu de mots : *or en.* On a même pensé que le nom du héros, Clovis, évoquait la légende mérovingienne du Razès, et que Dardentor pouvait se lire de plusieurs façons, même érotique, mais chaque fois liées à la recherche de l'or. Jules Verne va même jusqu'à appeler Oran la «Gouharan des Arabes», ce qui fait tout de suite songer au village de Gourg d'Auran, dans la commune de Quillan. Les héros de l'aventure se retrouvent d'ailleurs au *Vieux Château,* dans le quartier de la *Blanca* : l'allusion est nette, puisqu'il s'agit des ruines du château de Blanchefort. De plus, près de Mers el-Kébir, il y a une petite station thermale (imaginaire, bien sûr) qu'on appelle le «Bain de la Reine». Or, on sait que l'ancien nom de Rennes-les-Bains était «les Bains de Rennes», que l'une des sources s'appelle effectivement «Bain de la Reine», avec toute une légende sur la reine Blanche de Castille. Et Jules Verne prend soin de préciser que les eaux de cette source ont une saveur «franchement saline», avec une «légère odeur de soufre», caractéristiques des eaux thermales de Rennes. C'est pour le moins curieux. Et enfin, ce qui est franchement convaincant, c'est que le capitaine du navire, personnage autoritaire qui prend en charge toute l'expédition, qui dirige tout et qui connaît le plan conduisant au trésor, porte un nom que Verne n'a pas inventé : il s'agit en effet du capitaine *Bugarach.* Le doute n'est plus possible : le pic de Bugarach, qui est le plus haut sommet de la région, qui surpasse donc tout, est le point de repère obligé de toute quête accomplie dans le Razès. *C'est du moins ce que dit Jules Verne*[1].

---

1. Voir sur ce sujet l'excellent livre de Michel Lamy, *Jules Verne, initié et initiateur,* Paris, Payot, 1984.

Mais qu'on prenne cette présence du capitaine Bugarach simplement comme une allusion géographique, ou que l'on y cherche une résonance *secrète*, il n'en est pas moins vrai que Jules Verne nous raconte là une étrange histoire, et cela dans un Razès camouflé que le romancier semble particulièrement bien connaître.

Mais, au fond, ces énigmes, ces coïncidences qui n'en sont pas, ces traditions dont personne ne peut vérifier l'authenticité, ne font que renforcer l'attrait qu'exerce en lui-même le «pech» de Bugarach. Élément indispensable de ce paysage du Razès, il demeure malgré tout un havre de paix et de calme, surveillant de toute sa hauteur une région qui a connu bien des événements historiques dont certains sont confus et inexplicables. Oui, le «capitaine» Bugarach est le maître d'œuvre de toute quête dans le Razès, cette quête fût-elle simplement la recherche d'un magnifique paysage où il fait bon vivre.

A Rennes-les-Bains aussi, il fait bon vivre. Ce village perdu au fond d'une vallée verdoyante parcourue par les eaux salines de la Sals, avec ses maisons anciennes et ses hôtels vétustes, est un charme pour les yeux. Et, de plus, la vertu de ses eaux thermales est reconnue, non seulement pour soigner les rhumatismes, le coryza et autres «catarres», mais tout simplement pour redonner une santé aux gens surmenés et «stressés» dont notre époque est abondamment fournie.

A Rennes-les-Bains, la source la plus intéressante est celle qu'on nomme généralement le «Bain de la Reine», avec le jeu de mots qu'il comporte. La tradition locale prétend que cette reine aurait été Blanche de Castille, et que la mère de saint Louis aurait effectivement séjourné à Rennes pour y «prendre les eaux». C'est loin d'être assuré, mais on sait qu'en ce début de XIII⁰ siècle, secoué par les expéditions contre les «Albigeois», Blanche de Castille a joué un rôle considérable. On peut même, d'un point de vue strictement français du nord, lui reprocher son excessive indulgence vis-à-vis de Raymond VII de Toulouse, toujours prêt à aider les hérétiques et à passer dans le camp des ennemis du roi de France. On peut même supposer que Blanche de Castille, au moment où le célèbre Trencavel voulait reprendre son comté de Razès, eut des pourparlers secrets avec certains seigneurs occitans à propos de mystérieux documents qui auraient été conservés dans les environs de Rennes-le-

Château. Cette tradition invérifiable a servi, on s'en doute, à alimenter la fameuse hypothèse du descendant légitime des Mérovingiens réfugiés dans le Razès. Mais cela signifie qu'il n'est pas impossible que Blanche de Castille soit venue à Rennes-les-Bains.

Le problème surgit quand on constate que la terminologie «Reine Blanche» désigne surtout une entité mythologique bien connue partout, mais plus particulièrement dans les Pyrénées et dans leurs alentours immédiats. La «Reine Blanche», ou la «Dame Blanche», c'est l'image de la Fée des contes populaires, et de la Déesse Blanche des antiques récits mythologiques. Elle apparaît souvent dans des grottes [1], au bord des rivières, et généralement auprès d'une source que, d'après la légende locale, elle fait jaillir. Y aurait-il quelque chose de semblable à Rennes-les-Bains ? Dans ce cas, il ne s'agirait pas de Blanche de Castille, mais du souvenir d'une époque révolue où l'on rendait un culte à une Déesse Blanche, déesse guérisseuse bien entendu, et qui prodiguait la vie et la santé par les eaux qu'elle faisait jaillir dans la vallée. Quant à l'homophonie entre Reine et Rennes, elle a joué à fond, multipliant les composantes mythologiques du thème.

De toute façon, on sait que les sources, surtout celles en lesquelles on reconnaissait des vertus curatives, sont devenues, depuis la plus haute Antiquité, des lieux de culte très fréquentés. Il y avait un temple célèbre aux Sources de la Seine, à l'époque gallo-romaine. A Bath, en Angleterre, on honorait la déesse Sul. A Vichy, de curieuses traditions parlent des Fées qui auraient été les bienfaitrices du pays, *dans le temps*. Les Gaulois connaissaient parfaitement l'usage des eaux thermales, d'autant plus que la médecine druidique se confondait avec la religion, et que les druides étaient à la fois prêtres et médecins (et bien d'autres choses encore). Les Romains n'ont fait que suivre l'exemple gaulois et ils ont aménagé les sources déjà exploitées. Ils se sont particulièrement intéressés aux sources *salines*,

---

1. Sans aucunement mettre en doute les apparitions d'une «Dame blanche» à Bernadette Soubirous, dans la grotte de Lourdes, on est bien obligé de constater une étonnante similitude entre ces «apparitions» reconnues par l'Église et par les fidèles du monde entier, et les nombreuses versions de la «Dame Blanche» répandues à travers toutes les Pyrénées.

car, loin de la mer, le sel se révélait indispensable pour l'équilibre vital des populations — et des animaux. Ainsi s'explique l'importance des établissements thermaux de Fontaines-Salées, à Saint-Père-sous-Vézelay, en Bourgogne, ou encore de Salins, dans le Jura, non loin de l'authentique Alésia, qui était une forteresse-sanctuaire. On manque de documents sur les anciens thermes de Rennes-les-Bains, mais la présence romaine y est fortement attestée. Et, encore une fois, qui dit cure thermale dit culte rendu à des divinités guérisseuses, Apollon en particulier, sous ses différents vocables de *Grannus*, de *Borvo* (« bouillonnement », d'où le nom de « Bourbon »), et également des déesses solaires, souvent présentées en triades (les Trois Déesses Mères), ce qui nous ramène bien évidemment au thème traditionnel des Dames Blanches.

Car si le « Bain de la Reine » est une source dont l'eau surgit à 41° et contient beaucoup de chlorure de sodium, il existe une autre source, à Rennes-les-Bains, qui doit attirer l'attention. C'est celle dite de la Madeleine, ou de la Gode. La première appellation est intéressante quand on songe au culte de Marie-Madeleine dans le Razès, et à ce que semble en avoir compris l'abbé Saunière. De plus, Marie-Madeleine, par sa pieuse légende, colportée dans toute l'Occitanie, est liée au thème de la grotte, ce qui explique assez bien la peinture qu'on voit sous l'autel de l'église de Rennes-le-Château. Cette source de la Madeleine est également très saline, mais il s'y ajoute des éléments sulfureux (au sens strict du terme !). Mais c'est le deuxième nom, la *Gode*, qui intrigue le plus. L'abbé Boudet, l'auteur de *la Vraie Langue celtique*, et accessoirement curé de Rennes-les-Bains au début de ce siècle, y a probablement trouvé l'idée de retrouver la langue gauloise à partir de l'anglais : *Gode* n'est-il pas le mot anglais signifiant « dieu » (ou déesse) ? Ce qui prouve au moins que cette source était placée sous le vocable d'une divinité, d'une Fée des Eaux, analogue à la Boyne irlandaise ou à la Viviane de la tradition arthurienne.

Mais, comme le fait remarquer Franck Marie, « il est étonnant d'observer que l'abbé Boudet, si rapide à interpréter tout mot par l'anglais, transcrive le mot *la Gode* selon *to goad* : aiguillonner, exciter, animer. Pourquoi évite-t-il de traduire *la Gode* par *la Dieu* »[1] ? La question est intéressante. Et Franck Marie va

---

1. F. Marie, *la Résurrection du grand Cocu*, p. 106.

plus loin en supposant que cette appellation de *la Gode* fait référence à une coutume traditionnelle locale, très particulière à
Bugarach, mais intimement liée au célèbre Carnaval de Limoux,
où l'on voit, pendant les festivités, se répandre dans tout le Razès,
de Limoux à Axat, en passant par Alet, Couiza, Quillan et les
deux Rennes, des cortèges de personnages masqués que l'on
nomme *fécos* et *goudils*. Les *fécos* seraient, toujours selon Franck
Marie, des « barbouillés de lie de vin », et les *goudils*, des por-
teurs de hardes. Mais le *goudil* représente l'ermite (homme ou
femme) qui se terre dans une grotte et qui n'apparaît au monde
qu'en certaines occasions, notamment lors du Carnaval. Ne
serait-ce pas une réminiscence lointaine de la Fête celtique de
Samain, le 1er novembre, devenue Toussaint chrétienne, et qui
se marque, dans les pays anglo-saxons, par les défilés carnavalesques de *Halloween* ? Le *goudil* ne serait-il pas l'une de ces divinités que les Irlandais appelaient les *Tuatha Dé Danann*, lesquels
vivaient dans les tertres (monuments mégalithiques) et qui surgissaient sur la surface de la terre la nuit de *Samain* ? Il y a là
quelque chose de troublant, toujours en rapport avec la « Dame
Blanche », car les femmes-fées des Tertres, qui se métamorpho-
sent parfois en cygnes — blancs — sont des personnages fort
importants de la mythologie celtique primitive. Dans ces conditions, on serait tenté d'interpréter la source de *la Gode* comme
la Source de la Femme des Tertres, celle qui attend le moment
propice pour se manifester aux humains, mais qui, de toute
façon, les protège et leur donne l'eau nécessaire à la vie et à
la santé. Et quel est donc le rapport avec Marie-Madeleine,
laquelle, ne l'oublions pas, fait partie de ce qu'on appelle couramment « les trois Marie » ? Tout semble lié dans cette géographie sacrée du Razès.

Mais cette géographie sacrée n'est pas aussi simple et précise
qu'il y paraît. On a bâti des romans fantastiques sur le Razès
à partir d'éléments tout à fait authentiques. Ainsi, les « Dames
Blanches » et autres « déesses » peuvent très bien n'être autre
chose que des *aménagements de faits divers*. Louis Fédié, qui
demeure l'historien incontestable du Razès, signale ainsi une
légende populaire locale qui expliquerait le mythe. « A une époque qui remonte bien loin dans le passé, une reine d'Espagne,
appelée Blanche de Castille, s'était réfugiée dans le château de
Pierre-Pertuse (Peyrepertuse) pour échapper aux dangers qui

menaçaient son existence. Traitée par le gouverneur de la forteresse avec tous les égards dus à son rang et à ses malheurs, elle passait ses tristes journées tantôt priant dans la chapelle, tantôt se promenant dans la campagne, à proximité du château. Les habitants des villages voisins la vénéraient comme une sainte et ils la contemplaient de loin avec une curiosité mêlée du plus grand respect quand elle descendait jusqu'à la fontaine qui coule au pied des remparts. Et là, assise sous un vieux saule pleureur dont les branches se penchaient sur le cristal des eaux, elle passait de longues heures à exhaler ses plaintes d'exilée et à pleurer sur sa destinée de femme sans époux et de reine sans couronne. Un jour, distraite par ses douloureux souvenirs, elle laissa glisser de sa main un gobelet d'argent qui roula dans le précipice et fut retrouvé, longtemps après, par un berger qui le vendit au seigneur de Rouffiac. Ce gobelet, marqué d'un écusson aux armes de Castille, était, avant la Révolution, au pouvoir du trésorier royal du pays de Fenouillède[1] résidant à Caudiès, qui le gardait comme une relique des plus précieuses[2]. » Et l'historien continue son récit, ou plutôt sa légende, par la mention d'une maladie qu'aurait contractée Blanche de Castille, probablement les célèbres « écrouelles ». Et c'est pour apaiser son mal qu'elle se serait rendue en litière au *Locus de Montferrando et Balneis*, pour y prendre les eaux. Elle s'y serait ainsi guérie. D'où l'appellation donnée à cette source des « Bains de la Reine », selon Louis Fédié. Le problème est que cette *Blanche de Castille* semble n'avoir rien de commun avec la mère de saint Louis. Cette reine Blanche peut n'être qu'une châtelaine des environs, probablement une Espagnole. La tradition locale ne sait plus très bien discerner la réalité de la fiction, et il semble que tout cela fasse référence à des croyances beaucoup plus anciennes que le XIIIe siècle.

Le mystère demeure. Et que faut-il penser de cette affirmation du docteur Gourdon qui, dans ses recherches sur le thermalisme dans le Razès, prétend que l'appellation de « Source de la Madeleine » provient tout simplement d'une certaine mademoiselle Madeleine qui fit usage de cette source vers les années

1. Le pays au sud du Razès, et également voisin du Roussillon.
2. Louis Fédié, *le Comté de Razès et le diocèse d'Alet*, 1880.

1871 ? A ce moment-là, que devient le *mythe* de Marie-Madeleine ? Il est un fait incontestable : on a retrouvé, au cours des siècles, à Rennes-les-Bains, de nombreux vestiges romains, et en particulier des statuettes, dont certaines représentent une figure féminine. Est-ce la déesse des sources de Rennes ? Cette petite station thermale devait être bien connue, puisqu'encore au XVIe siècle, Rabelais, dans son *Pantagruel*, cite, parmi les sources fréquentées à son époque, celles de Limons, altération évidente pour Limoux. Or, il n'y a pas de sources à Limoux : il s'agit de celles d'Alet ou de Rennes-les-Bains. Rabelais est-il venu lui-même dans le Razès ? Pourquoi pas ? Et d'après le témoignage de l'abbé Boudet, en 1884, on déplaça, pour la soustraire au vandalisme, une sculpture anthropomorphique — que l'abbé Boudet identifie comme une tête de Jésus-Christ —, qui avait été trouvée sur des rochers portant le nom du *Cap dé l'Hommé* (orthographe de l'abbé Boudet, qui parle même de *ménir* !). En fait, il semble que tout cela soit bien confus. On a découvert une tête masculine en 1884, à Rennes-les-Bains, et en 1898, une autre tête, mais féminine. Et les deux choses ont été mélangées par les auteurs de romans-feuilletons. La tête féminine est ainsi décrite par l'archiviste René Descadeillas, le grand démystificateur de l'affaire Saunière : « Cette tête sculptée peut être d'origine cultuelle si elle représente le visage d'une divinité féminine saillant d'un rocher sortant des eaux. Et dans ce cas, elle serait la divinité d'une source ou d'un ruisseau. » Quoi de plus normal dans un établissement thermal romanisé et remontant au plus profond de la préhistoire gauloise ? Le mythe de la Dame du Lac est toujours présent, et il se matérialise parfois sous forme de sculptures. De toute façon, la facture de cette représentation est gallo-romaine, ce qui n'est pas fait pour nous surprendre, les Gaulois d'avant la conquête romaine n'ayant pour ainsi dire jamais représenté leurs divinités sous forme humaine ou animale. Cela prouve seulement que Rennes-les-Bains était un lieu de culte en même temps qu'une station thermale.

Mais la source de la Madeleine et celle du « Bain de la Reine » ne sont pas les seules. En tout, dans cette vallée de Rennes-les-Bains, il y a cinq sources d'eaux chaudes et cinq sources d'eaux froides. Celle du Bain Doux, qui est à 33°, est dite aussi « Bain des Ladres », à cause de sa réputation dans le traitement de la lèpre. Et puis, parmi les sources froides, il y a la « Fontaine

70

des Amours », laquelle a fait rêver plus d'un commentateur de la région. Qui veut se rendre compte de l'importance des « Bains de Rennes » depuis l'Antiquité, peut toujours explorer ce terrain d'élection. Il y trouvera non seulement de l'eau, mais des vestiges évidents d'une utilisation prolongée et d'une sacralisation des lieux.

Il ne faudrait pourtant pas croire que Rennes-les-Bains est uniquement une station thermale. C'est aussi la paroisse sur laquelle a régné, à la fin du XIXᵉ siècle et au début du XXᵉ, cet abbé Boudet qui, se prenant pour un archéologue et un linguiste, a étudié d'une curieuse façon son pays, et qui a surtout été, à ce qu'on dit, l'inspirateur discret et le maître à penser de son confrère de Rennes-le-Château, l'abbé Bérenger Saunière. Il est donc parfaitement légitime d'aller voir ce qui est apparent dans l'église paroissiale.

On accède à l'église par une voûte qui offre ceci de particulier qu'elle donne le sentiment qu'on pénètre réellement dans un endroit sacré, et que cet endroit sacré se trouve effectivement *dans* le village, qu'il en fait partie intégrante. On n'a pas cette curieuse impression d'aller dans un « bazar » où tout est à vendre, comme c'est malheureusement le cas à Rennes-le-Château. Ici, c'est vraiment un lieu de prière, un sanctuaire où il ne viendrait à personne l'idée qu'il puisse s'y dérouler des « messes à rebours ». Pourtant, le lieu pose aussi des interrogations. L'église paroissiale de Rennes-les-Bains est d'une simplicité totale qui confine à l'austérité janséniste. Elle a été restaurée sans affectation, et l'on sent qu'elle est maintenue en bon état par des gens qui sont fiers de leur sanctuaire et qui viennent parfois s'y recueillir. Et il est bon de se recueillir dans des *nemeton*, ces clairières sacrées des anciens druides, au milieu des bois, en communion avec la nature, mais également en communion avec tous les *existants*, en cette grande fraternité des êtres et des choses à laquelle aspire la Création tout entière.

Mais, assurément, il existe, dans cette église, non pas une anomalie, mais un détail curieux. Il s'agit d'un tableau, d'un médiocre intérêt artistique, mais qui se révèle assez énigmatique. Ce tableau est appelé *Christ au Lièvre*, mais ce n'est qu'une Pietà, comme il y en a tant dans les sanctuaires chrétiens, ouvrage assez ancien et qui a été offert à la paroisse par le seigneur de l'endroit, d'ailleurs possesseur des « Bains de Rennes », à la fin

71

du XVIIIᵉ siècle, Paul-Urbain de Fleury, considéré comme un des bienfaiteurs de cette église. Ce *Christ au Lièvre* est une œuvre bien médiocre, et qui ne devrait attirer l'attention d'aucun observateur si ce n'était une copie quelque peu modifiée, *et surtout inversée*, d'une toile composée en 1636 par Van Dyck, dont l'original est conservé au musée des Beaux-Arts d'Anvers. On peut disserter à l'infini sur certains détails du tableau : il est sûr qu'il revêt une signification particulière, mais laquelle ? Les chercheurs de trésors du Razès ne se sont pas fait faute de l'analyser sous toutes les coutures, mais apparemment sans résultat. A moins que ceux qui aient trouvé la solution se soient bien gardés d'en faire état publiquement. Le problème, dans ce genre d'affaire qui met aux prises des traditions prétendues secrètes, c'est toujours la part de sincérité et la part d'imposture qui s'imbriquent automatiquement dans toute interprétation d'un symbole. Il est certain que si quelqu'un trouve la solution d'une énigme proposée, il se garde bien de la révéler aux autres, d'abord par pure vanité, ensuite parce que la solution d'une énigme n'est valable que si l'on a accompli auparavant un long chemin qu'on appelle pompeusement initiatique, et qui l'est effectivement au sens précis du terme. Comment trouver la chambre centrale d'un tertre obscur si l'on ne franchit pas d'abord le stade de l'*initiation*, c'est-à-dire de l'*entrée* dans un domaine où l'obscurité, par principe, règne en maîtresse absolue ?

Cependant, toute visite de l'église nécessite un prolongement dans le cimetière attenant. L'endroit est calme, paisible, et certainement moins tourmenté que celui de Rennes-le-Château. Ici, personne n'a profané de tombe. Mais c'est précisément une histoire de tombe qui est irritante à bien des points de vue. Et l'on retrouve le personnage de Paul-Urbain de Fleury, donateur du tableau du *Christ au Lièvre*. Et dans des conditions pour le moins bizarres. En effet, ce Paul-Urbain de Fleury *a deux tombes*. En plus, les dates de naissance et de décès inscrites sur ces deux tombes *sont différentes et contradictoires*. Comprenne qui voudra. Et que dire de cette épitaphe : « Il est passé en faisant le bien », sinon qu'elle constitue une signature rosicrucienne ? Les questions qui se posent sont évidentes. Pourquoi ces erreurs de dates *volontaires* ? Pourquoi deux tombes pour un seul et même personnage, aucun doute n'étant permis à ce sujet ?

Laquelle des deux tombes est-elle la vraie, c'est-à-dire la tombe *réelle*? Toute «quête» dans le pays du Razès passe assurément par là. Et si l'on trouve, on s'expose à quelque surprise. De toute évidence, le cimetière de Rennes-les-Bains n'est pas un endroit *neutre*. Il ne faudrait jamais oublier que l'archaïque sanctuaire gaulois, bien avant l'intrusion des Romains, se trouvait là. Et certains personnages, encore au XVIIIe siècle, comme en témoignent les deux monuments funéraires de Paul-Urbain de Fleury, incontestablement membre de la Rose+Croix, savaient encore de quoi il s'agissait. Ils en ont laissé la marque. A chacun d'en faire l'épreuve, ou si l'on préfère l'*initiation*. Tout le reste n'est que littérature à sensations, y compris les savants décryptages de *la Vraie Langue celtique* restituée par l'abbé Boudet.

L'exploration du Razès mystérieux ne se termine pas à Rennes-les-Bains qui, pourtant, se présente comme le pivot de cette géographie sacrée qui se dessine sans qu'on sache trop bien quels en sont les contours exacts. Si l'on va vers le nord, puis si l'on oblique vers l'est, en direction de Mouthoumet, on passe d'abord par le village de Serres, et bien avant d'arriver à Arques, sur la commune de Peyrolles, se trouve le hameau des Pontils. Non loin de là, se dresse un menhir authentique qu'on appelle dans le pays la *Peyro Dréto* (la Pierre Dressée). Mais, comme le dit justement Pierre Jarnac dans son magistral ouvrage sur les affaires de l'abbé Saunière[1] «en dépit de sa vénérable antiquité, son prestige a souffert de la présence d'un monument de construction plus récente, que l'on a coutume d'appeler, au prix d'une impropriété, le "Tombeau d'Arques". Ce tombeau, presque caché par les arbres, a été placé là, au bord d'un à-pic, à la hauteur d'un petit pont qui passe au-dessus du lit d'un ruisseau, aujourd'hui asséché, le *Cruce*... Il se présente sous la forme d'un parallélépipède surmonté d'une pyramide tronquée». Ce monument, c'est un tombeau, et on peut dire qu'il a prêté aux commentaires les plus divers, voire les plus délirants. Il se trouve en effet qu'il est la réplique du tombeau représenté par Nicolas Poussin dans son célèbre tableau, *les Bergers d'Arcadie*, tableau qu'on a mêlé aux affaires de Rennes-le-Château. On dit même

---

1. P. Jarnac, *Histoire du trésor de Rennes-le-Château*, 1985, pp. 400-401.

73

que l'abbé Saunière, lors de son voyage à Paris, dans le but de faire déchiffrer les documents qu'il avait découverts dans son église, serait allé spécialement au musée du Louvre pour l'étudier, et même qu'il en aurait acheté une reproduction. Mais, de toute évidence, c'est le tombeau des Pontils qui est une copie de celui qui est représenté par Poussin. On sait, documents à l'appui, que ce monument a été construit au début de ce siècle, par un certain Louis Galibert, qui y enterra sa grand-mère. Plus tard, le nouveau propriétaire des lieux, Louis Bertram Lawrence, un Américain, aménagea le tombeau. Le plus fort, c'est que le paysage réel que l'on voit derrière le tombeau ressemble à celui qui se trouve dans le tombeau de Poussin. Énigme, bien sûr, d'autant plus que la formule inscrite sur le tableau de Poussin, *et in Arcadia ego*, fait penser que le Razès a souvent, chez certains auteurs, été comparé à l'Arcadie grecque. Énigme, parce que la rivière qui sinue dans la vallée d'Arques, la Réalsès (ayant donné son nom à une grande forêt domaniale, au sud), semble signifier « eau royale ». Énigme encore, parce que la bergère représentée dans le tableau de Poussin pose sa main sur le cou de l'un des bergers et que l'un des replis montagneux visible depuis le tombeau réel porte le nom de *Col d'Al Pastre*. Il est certain que Nicolas Poussin a sciemment voulu représenter ce paysage. Pourquoi ? Là est toute la question. Mais on peut également se demander pourquoi, vers 1900, quelqu'un a délibérément fait construire un tombeau à cet emplacement. Sommes-nous réellement dans cette mystérieuse et plus ou moins fabuleuse Arcadie, où surgit le fleuve souterrain Alphée ?

Il n'en fallait pas plus pour que l'on s'interrogeât sur le nom du village d'Arques. On y a vu un dérivé de *arca*, « arche », mais aussi « secret » (voir le mot « arcane »). Il n'en fallait pas plus pour faire de cette tombe et du tableau de Poussin (dont une réplique *inversée* existe en Angleterre) la clé de tout le mystère du Razès. Malheureusement, jusqu'à présent, personne n'a réussi à déchiffrer le sens du tableau, ni celui de l'inscription, à moins que ceux qui y aient réussi ne s'en soient pas vantés. Quant à Arques, les amateurs de secrets risquent d'être déçus en apprenant l'étymologie réelle de ce nom : Arques provient tout simplement du latin *arx* (pluriel *arces*), qui signifie « citadelle », « forteresse ». C'est le souvenir d'un château qui se trouvait certainement autrefois à l'emplacement ou aux alentours du village. Il n'y a rien d'étonnant à ce fait. Plus à l'ouest, sur le flanc de la même montagne, se dressent les ruines du château de Coustaussa. Or, visiblement, le toponyme Coustaussa provient du latin *custodia*, «garde», «poste de garde», ce que la configuration des lieux ne dément pas, puisque le château gardait littéralement la vallée de la Sals.

Mais la ville religieuse chrétienne du Razès est Alet, actuellement simple village niché au creux de la vallée de l'Aude, entre Limoux et Couiza, et que l'historien du pays, l'abbé Lasserre, décrit comme «posée comme une corbeille de fleurs dans une délicieuse vallée que Dieu s'est plu à enrichir de tous les dons de la nature»[1]. Le village médiéval, parfaitement entretenu et souvent restauré avec beaucoup de goût, est admirable. Le paysage est plein de charme. Et les eaux jaillissent de partout, donnant au site sa réputation ancienne, puisque les premiers renseignements qu'on peut avoir sur Alet concernent un établissement thermal de l'époque gallo-romaine. Et Alet est toujours, actuellement, une ville d'eaux, ce qui contribue à en faire un lieu fréquenté à la fois par des curistes et des touristes.

Le village est installé sur la rive gauche de l'Aude, délimité à l'ouest par un coude de ce fleuve, et au nord par le ruisseau de la Cadène. Ces deux défenses naturelles sont complétées par des remparts qui enserrent presque complètement les maisons et les jardins dans une sorte de pentagone. On y trouve six grandes rues disposées en étoiles autour d'une place centrale, dont l'une reliait cette place à l'entrée nord de l'abbaye, laquelle occupait la partie la plus proche de l'Aude. Une autre assurait la traversée d'Alet, du nord au sud, de la Porte Cadène à la Porte Calvière, mais en 1776, les moines ayant cédé une partie de leurs terrains, une nouvelle route (l'actuel C.D. 118) sépara le village de l'abbaye, rejoignant le pont du XVIIe siècle qui permettait d'accéder à la rive droite, lequel pont avait remplacé un autre ouvrage médiéval situé plus au nord. Les maisons d'Alet sont remarquables par leur pureté de style. Sur la place, ce sont des façades à colombage en encorbellement, avec des poutres sculptées. Dans les rues, qui sont fort étroites, on remarque en particulier ce qu'on appelle la Maison Romane, rue du Séminaire,

1. T. Lasserre, *Recherches historiques sur la ville d'Alet et son ancien diocèse*, Carcassonne, 1877.

constituée d'un rez-de-chaussée percé de six arcs surbaissés et d'une porte d'entrée de profil brisé, avec un étage en encorbellement de bois, éclairé par deux magnifiques fenêtres dont les arcs en plein cintre retombent sur des colonnettes à chapiteaux de feuillages. C'est un très rare et très bel exemple d'architecture civile des environs de l'an 1200.

L'abbaye était très vaste, mais il n'en subsiste que des fragments. Le cloître a disparu en totalité, et l'ancienne abbatiale, devenue ensuite cathédrale, n'est plus qu'à l'état de ruines protégées. On y remarque, du côté nord, le mieux préservé, les bas-côtés et une partie de la nef. C'est là que s'ouvre une porte donnant sur ce qui reste des bâtiments conventuels, en particulier une très belle salle capitulaire. Autour des vestiges du chœur gothique, qui avait été construit lorsque Alet devint évêché, en 1318, à la place de Limoux, on retrouve, presque intacte, la magnifique abside romane qui s'ouvre sur la nef par un arc triomphal décoré de modillons à motifs floraux. Cet arc repose sur deux colonnes à chapiteaux et tailloirs. Les chapiteaux sont finement travaillés. La voûte de l'abside est en cul-de-four dont la base est percée de profondes fenêtres à ébrasement intérieur, et elle repose, à hauteur des murs, sur un bandeau à rang d'oves et perles, avec des motifs floraux. Ce chevet roman frappe par son originalité, et il annonce le chevet de Saint-Jacques de Béziers. D'ailleurs, la primitive abbatiale romane d'Alet semble avoir servi de modèle à Saint-Just de la Cité de Carcassonne. Par contre, dans son aménagement, elle a subi les influences de Saint-Sernin de Toulouse. L'ensemble, bien qu'appartenant à deux époques et à deux styles différents, a conservé une unité remarquable, se présentant comme un ensemble puissant et riche, tant par la hardiesse de la construction proprement dite que par l'abondance de la décoration. Il est fort regrettable que cet ancien monastère-cathédrale ait tant subi les outrages du temps et surtout des hommes : ce serait probablement l'un des plus beaux monuments religieux du Moyen Age dans ce Languedoc qui ne manque pourtant pas de sanctuaires exceptionnels.

Il reste cependant, comme consolation, à arpenter les ruines. Souvent les vestiges évoquent un passé qu'on sent encore présent dans la moindre pierrre, dans la moindre petite sculpture. Alet a été au centre de la vie spirituelle chrétienne de ce pays du Razès. Car si les « affaires » liées à l'abbé Saunière et à l'abbé

Boudet semblent davantage mettre l'accent sur des éléments païens, antérieurs au Christianisme, ou entachés de ce qu'on appelle improprement hérétique, il ne faut pas oublier qu'il y a toujours continuité dans les croyances et dans les cultes. Essayer de comprendre Rennes-le-Château sans faire référence à cette abbaye-évêché d'Alet, ce serait, pour un aveugle, chercher un trésor qu'il a perdu dans les abîmes de la plus profonde des mers.

III

HISTOIRE DU COMTÉ DE RAZÈS

Le comté de Razès est à peu près inconnu des manuels d'Histoire de France. Il faut d'abord préciser que le Razès se trouve en Occitanie, un pays qui, avant l'époque de saint Louis, n'avait rien de commun avec le royaume capétien, issu lui-même de la mainmise des usurpateurs mérovingiens, de nationalité franque, lesquels se sont acharnés, toutes factions confondues, à vider cette Occitanie de son identité culturelle et spirituelle, tout en la spoliant matériellement. Il n'est donc point surprenant de constater l'ignorance desdits manuels d'Histoire nationale (en fait, *nationaliste*) concernant ce modeste territoire situé aux confins d'une Catalogne qui était davantage espagnole que française avant d'être rattachée en partie au royaume capétien. On ne refait pas l'Histoire, c'est certain. Encore faut-il respecter les événements historiques qui font l'Histoire. Le comté de Razès n'apparaît franchement qu'à l'époque wisigothique, au moment où les « Barbares » germaniques ont fondu sur l'empire romain, qui, les manuels nous le disent, a été l'époque de la *pax romana*, et qui, les documents authentiques le prouvent, a été une période de troubles, de révolutions de palais, de guerres meurtrières et de décadence totale qu'on s'efforce de passer sous silence, on se demande bien pourquoi.

Mais le comté de Razès, et donc la région de Rennes-le-Château, n'a pas attendu l'arrivée des Wisigoths pour exister en tant qu'entité territoriale et culturelle.

Cela dit, la présence de monuments mégalithiques — non pas le cromlech imaginaire de l'abbé Boudet, mais les authentiques menhirs et fragments de dolmens — prouve que le pays a été habité de tout temps, et probablement dès les époques du Paléolithique, ce qu'on appelle souvent «Age des Cavernes». Le terrain est calcaire, et plutôt riche en anfractuosités. Il n'est pas douteux que le Razès ait constitué un lieu de résidence tranquille pour des peuplades très anciennes. Mais nous n'en avons gardé aucune trace visible. Où cela devient «folklorique» au sens péjoratif du terme, c'est lorsque certains auteurs contemporains, qui par ailleurs accomplissent une réelle œuvre d'historien à propos des soi-disant tentations de l'abbé Saunière [1], se mettent à franchement exagérer à propos du peuplement ancien du Razès. Dans ce cas-là, il vaut mieux se référer à des historiens locaux qui, tels Louis Fédié et René Descadeillas, ont peut-être contribué à démystifier le mythe de l'*Or maudit* de Rennes, mais qui ont fait preuve d'objectivité en présentant les pièces d'un dossier compliqué parce que volontairement abandonné dans un brouillard propice aux divagations les plus extravagantes. Quand on veut exploiter le mystère, il faut contribuer à l'épaissir, donc à dérouter d'éventuels chercheurs. La tactique a été employée depuis que le monde est monde, ou plutôt depuis que Thucydide a fait basculer les récits mythologiques d'Hérodote (pourtant remplis de renseignements essentiels) vers une Histoire soucieuse de respecter les faits réels.

Le premier problème qui se pose est à la fois historique et linguistique. Il concerne le nom du Razès et celui de Rennes, anciennement *Redhae* ou *Reddae*, ces termes résultant, on s'en doute, d'un archétype commun. Et là, à lire certains auteurs qu'il n'est pas utile de nommer, ce n'est pas du sourire mais de la franche hilarité qui saisit le pauvre lecteur lorsqu'il se voir assener des affirmations de ce genre : «Les noms de Razès et de Rennes proviennent d'un certain Red, dieu de la foudre et

---

1. Je veux parler ici de Pierre Jarnac qui, dans son livre *Histoire du trésor de Rennes-le-Château*, présente des documents probants et convaincants sur l'abbé Saunière et procède à une enquête approfondie sur les lieux qui ont été exploités de façon éhontée par certains bâtisseurs de romans-feuilletons. Mais, que Pierre Jarnac veuille bien me pardonner : son évocation du Razès primitif et les évocations qu'il tente sur le peuplement celtique primitif ne font que reprendre les pires élucubrations des auteurs de romans-feuilletons que, très honnêtement, il dénonce par ailleurs.

des orages, dont les temples étaient souterrains. » Où a-t-on découvert cette géniale interprétation ? Le sol du Razès est bourré de grottes, c'est sûr. Et il est aussi sûr que l'abbé Boudet, auteur, répétons-le, d'un ouvrage impayable sur *la Vraie Langue celtique*, avait compris que celle-ci ne pouvait s'expliquer que par l'anglais moderne. Rappelons d'ailleurs qu'au début du XIXe siècle, le grammairien breton Le Brigant, suivant en cela les visions de Théophile-Malo Coret de La Tour d'Auvergne, premier grenadier de la République, affirmait sans rire que le dialecte bas-breton était la langue parlée au Paradis terrestre, bien avant la malencontreuse aventure du pommier. Et si le Razès, Rennes et sa forme ancienne Reddae, surgissent de Red, dieu de la foudre — personnage totalement inconnu dans la mythologie celtique —, c'est surtout parce qu'en anglais, *red* veut dire « rouge ». Mais il est inutile de « voir rouge » devant une telle ineptie. Allons plutôt voir du côté des serpents. On sait que le culte ophidien a fait la joie des ésotéristes de tous bords et que les mégalithes ont donné lieu à de multiples interprétations de ce genre, notamment à Carnac (Morbihan) et à Stonehenge (Angleterre). On peut en effet imaginer une longue et sinueuse procession de prêtres et de fidèles au milieu d'innombrables pierres levées. Pourquoi pas ? Le cinéma hollywoodien n'a guère fait mieux.

C'est ainsi qu'on trouve l'explication suivante : « Ce nom de *Reddae* s'apparenterait également avec l'entité du dieu-soleil des Gaulois : *Aereda*, le serpent. Il vient du terme *Her Red*, serpent coureur qui s'allonge. » Il serait bien difficile de découvrir la moindre trace de ce dieu-soleil serpent dans les documents relatifs à la mythologie, à moins qu'il ne faille recourir à la représentation gallo-romaine bien connue du « Cavalier à l'Anguipède », formé d'un cavalier surmontant ou écrasant un monstre à tête humaine, mais à queue de serpent. Mais cette idée est reprise ailleurs : « Le nom de Reddae proviendrait d'un Aer-Red, le serpent coureur ou la Wouivre mystique. » Certes, l'étymologie est celtique, et la Wouivre également, cette femme-serpent qui deviendra la Mélusine du Poitou. Quant à *aer*, cela signifie réellement « serpent », mais en breton moderne. Que viendrait donc faire une explication d'un terme *ancien*, dans le sud de la France, par un mot breton, *moderne* de surcroît ? La langue gauloise, qui devait être la langue des anciens habitants

81

du Razès, est à peu près entièrement perdue, et nous n'en connaissons que très peu de mots, grâce aux inscriptions gallo-romaines, à certaines gloses de manuscrits, à certaines allusions dans des manuscrits grecs et latins, et à l'étude des toponymes. Mais il est périlleux d'affirmer péremptoirement de telles signi-fications sans essayer de retrouver le terme le plus ancien. Qu'à cela ne tienne ! On n'est pas à court de solutions. Quand les Celtes sont venus s'installer dans le Razès, et quand « leur par-ler était rauque » (*sic*), ils donnèrent au pays le « nom de *Rhed*, *Rhid* ou *Rith*. Dans le dialecte gallois, *Rheiddum* désigne un dard et le verbe *Rhuid-il* signifie lancer, jeter avec force ». On serait bien en peine de trouver ces deux derniers termes dans un dictionnaire de la *langue* galloise (et non le *dialecte*). Quant à *Rhid* ou *Rith*, c'est sous la forme *Rhyd* qu'on le trouve, tou-jours en gallois, et signifiant « gué », à moins que ce ne soit sous la forme *Rhydd*, qui veut dire « libre ». On pourrait avoir plus de chance avec *Rhed* : le gallois *rhedeg* et le breton *redek* signi-fient tous deux « courir » ou « couler rapidement » (en parlant d'un cours d'eau). C'est ce deuxième sens que l'on retrouve, provenant d'un radical gaulois supposé *red-*, dans le nom de deux fleuves, le Rhin et le Rhône, lesquels sont effectivement des torrents qui coulent rapidement.

En fait, c'est là qu'il faut aller chercher l'explication de Razès, de Reddae et de Rennes. Ce radical *red-* est en effet celui du nom du peuple gaulois des *Redones*, qui s'étaient fixés dans l'actuel département d'Ille-et-Vilaine. Les *Redones* seraient donc « ceux qui courent », les « rapides », qualificatif qui convient bien à un peuple aventureux. Et comme le mot gaulois *reda*, « char », est attesté, on pourrait aussi bien les considérer comme « ceux qui vont dans des chars rapides ». Dans ce cas, le qualificatif (rapide) a été utilisé comme substantif, exactement comme le mot moderne français et anglais *taxi* qui est l'adverbe grec signi-fiant « rapidement ». Cette étymologie par *reda* n'a pas laissé indifférents les amateurs d'ésotérisme et d'astrologie, et le Razès est devenu très facilement le « Pays du Chariot », c'est-à-dire de la constellation de l'Ourse. Et de là à voir dans le Razès une région centrale, une sorte de pôle terrestre à l'image de l'Étoile polaire, de la grande et de la petite Ourse, avec tous les commen-taires qui y affèrent, il n'y avait pas loin...

Quoi qu'il en soit, il n'est pas douteux que les noms Razès,

Reddae et Rennes proviennent de celui des *Redones*. L'évolution française a fini par donner «Rennes», comme en Ille-et-Vilaine. Quant à «Razès», c'est le résultat de l'évolution phonétique occitane du mot, de façon analogue à ce qui s'est passé en Bretagne, puisque la forme bretonne moderne de Rennes est *Roazhon*, ce qui correspond assez bien au terme Razès. Les formes Rhedae ou Reddae ne sont que différentes variations du thème initial aux époques qui ont suivi la colonisation celtique, dans un pays où le mélange de langues résultant des invasions a été considérable. Conformément à ce qui s'est passé dans la Gaule soumise aux Romains, les territoires des anciens peuples gaulois ont été intégrés dans la nouvelle administration, aux tendances très centralisatrices. Les territoires assez vastes sont devenus des *civitates*, des «cités», dont l'établissement principal a pris, bien souvent, le nom du peuple lui-même au lieu de garder son nom primitif. Ainsi la Rennes d'Ille-et-Vilaine a-t-elle pris le nom des *Redones*, alors que, primitivement, l'endroit s'appelait *Condate*, le «Confluent». Plus tard, dans la structure impériale, ces «cités» deviendront des «diocèses», groupés eux-mêmes en «provinces», divisions qui, on le sait, persisteront dans le découpage administratif de l'Église chrétienne. Mais les territoires plus petits demeureront des *pagi*, des «pays», et leurs habitants, généralement laissés à l'écart de la romanisation, puis de la christianisation, deviendront des *pagani* au sens actuel du mot, des «païens». Le Razès correspond tout à fait à un «pays».

Cependant, étant donné que cette partie du Languedoc a été le domaine du peuple gaulois des Volques Tectosages, on est en droit de se demander ce que viennent faire là les *Redones*, apparemment fixés en Armorique. La distance est importante entre les deux groupes. Mais ce n'est pas une exception, car les peuples gaulois venaient tous d'outre-Rhin, de la région du Harz; et, dans leur marche vers l'ouest, un même peuple s'est parfois scindé en deux ou plusieurs groupes ayant gardé le nom générique primitif. Il faut aussi parler de migrations ultérieures; l'exemple des Helvètes demandant le passage à travers la Gaule pour atteindre l'océan est là pour le prouver, et ce fut le prétexte de l'intervention de César, donc le début de la conquête romaine. Mais un groupe d'Helvètes, les *Vivisci*, qui ont d'ailleurs laissé leur nom à Vevey, au bord du lac Léman, s'est retrouvé finalement dans le Médoc, où ils sont devenus les «clients» des peuples dominants qui se trouvaient là. On pourrait également citer les Atrébates, à la fois dans le Pas-de-Calais (Arras) et en Angleterre, les Osismes de l'ouest de la péninsule armoricaine qu'on retrouve dans l'actuel département de l'Orne, à Exmes, les Boïens, à la fois en Bohême (d'où vient d'ailleurs le nom de Bohême) et dans la région d'Arcachon où ils ont laissé leur nom à la Teste-de-*Buch*. Quant aux Gabales, établis dans les Cévennes, on les retrouve à Gavaudun (Lot-et-Garonne), dans le pays des Nitiobriges. Ces petits groupes étaient soit absorbés par les habitants du pays d'accueil, soit tolérés par eux en tant qu'entité ethnique, mais soumis à des rapports de vassalité. Il a dû en être ainsi pour les *Redones* venus s'installer dans la partie occidentale des Corbières, dans le vaste domaine des Volques Tectosages.

On ne sait presque rien sur cette période celtique du Razès. Sans doute y avait-il une forteresse au Casteillas, sous Rennes-le-Château, pour surveiller le plateau, et surtout la route préhistorique qui venait du nord et se dirigeait vers la péninsule ibérique en passant par le célèbre col de Saint-Louis. On peut également estimer que cette région quelque peu retirée, boisée et montagneuse, mais d'une altitude raisonnable, a été un lieu de prédilection pour le culte druidique. Mais comme les Celtes, avant la conquête romaine, n'ont jamais construit de temples, et qu'ils n'avaient guère l'habitude de sculpter la pierre, il est difficile de les situer avec précision. Mais le manque de trouvailles archéologiques ne veut pas dire que les Celtes, et particulièrement leurs prêtres, les druides, n'y aient pas exercé une intense activité. Après tout, les Celtes étaient d'excellents métallurgistes, et les mines, même d'importance actuellement non rentable, abondent dans tout le Razès. Il en est de même pour l'exploitation des «eaux médicinales», puisque les sources y sont toujours nombreuses. Les *Redones* de l'antique Reddae ont dû, dans la mesure de leurs moyens et de leurs talents, contribuer à la grandeur de cette vaste confédération des Volques Tectosages, assurément le peuple le plus puissant de toute l'Occitanie d'alors. Et puis, la légende s'en mêle : n'a-t-on pas raconté que certains rescapés de l'expédition du second Brennus en Grèce et à Delphes (les autres ayant constitué en Asie Mineure le royaume des Galates) seraient venus s'établir dans le pays et qu'ils y auraient enfoui les trésors pillés en Grèce, notamment le fameux « Or maudit » du sanctuaire de Delphes ?

C'est en 121 avant notre ère que les Romains firent leur apparition dans ce Languedoc encore très marqué par l'empreinte celtique. Les Romains, voulant se ménager la suprématie sur toutes les rives de la Méditerranée, longent les côtes à la rencontre des Phéniciens de Carthage qui leur disputent cette suprématie. C'est aussi l'époque où se manifestent les premières velléités d'invasion des Germains : les Cimbres et les Teutons, peuples incontestablement germains mais très celtisés (leurs noms génériques en font preuve), sont arrêtés par Marius dans la Provence actuelle. L'occupation du sud de la Gaule devient indispensable pour assurer la sécurité de l'État romain. Et peu à peu, en partant de la côte, les Romains gagnent l'intérieur des terres, soit pour réduire des îlots de résistance, soit pour surveiller des populations dont ils ne sont pas sûrs, soit pour exploiter à leur profit — ou plutôt pour les faire exploiter par des esclaves — les mines d'or et d'argent nombreuses dans le Midi occitan. Ainsi, sous l'impulsion du proconsul Domitius, se crée une *Provincia romana*, autrement dit un « territoire de conquête », puisque c'est le sens de *provincia*, dont la capitale sera Narbonne (*Narbo-Martius*). Et c'est pourquoi à partir du règne d'Auguste, cette partie de la Gaule, devenue *Gallia Togata*, sera nommée « Narbonnaise ».

Les Romains n'occupaient jamais entièrement un pays. Ils se contentaient d'établir des camps aux endroits stratégiques et d'aménager les chemins existants en routes carrossables permettant à une armée entière de se déplacer rapidement d'un lieu à un autre avec armes et bagages. Ils créaient aussi des centres de romanisation, notamment par la fondation d'écoles, de façon à réduire peu à peu l'influence des élites des peuples conquis (en l'occurrence les druides, qui furent interdits d'enseignement), en mettant en avant leur propre idéologie et en pratiquant le syncrétisme religieux. De cette époque datent les nombreux temples dits gaulois et qui ne sont que des temples romains ayant assimilé tant bien que mal les divinités celtiques en les incorporant à ce panthéon quelque peu disparate qui caractérise l'empire romain. Mais, ayant ainsi « quadrillé » le terrain, les Romains pouvaient se permettre d'aller plus loin et de faire que Rome, à la fois *civitas* et *urbs*, fût vraiment le centre du monde.

Cette tactique est bien visible dans le Razès. On ne rencontre pratiquement aucun vestige romain sur les plateaux. A Rennes-le-Château, rien n'est romain. Mais aux endroits les plus vulnérables, c'est-à-dire aux « verrous » des vallées, donc des voies de communication, comme à Alet, la présence romaine se fait sentir plus fortement. Il en est de même à Rennes-les-Bains, à cause des sources thermales dont les Romains appréciaient les bienfaits. Et le Razès devint un *pagus*, régi à la mode romaine, mais conservant malgré tout, sur les plateaux et dans les vallées écartées, son caractère archaïque et son propre mode de vie.

C'est à la fin de l'empire romain et dès les premières grandes invasions que le Razès sort de son anonymat. C'est d'ailleurs ce qui a fait dire à de nombreux historiens que la cité de Reddae était de fondation wisigothique. Car ce sont les Wisigoths qui ont effectivement marqué de façon indélébile le territoire, déclenchant du même coup toute une série de suppositions absolument invérifiables. Le Razès n'a pas été plus wisigothique que l'ensemble de la « Septimanie », ces sept pays occitans qui se distinguèrent pendant la période mérovingienne. Mais le fait est là : la « forteresse » de Reddae paraît bien avoir été, sinon fondée, du moins aménagée et agrandie par les Wisigoths.

Mais où était donc située cette « forteresse » de Reddae ? A Rennes-le-Château ? C'est ce qu'on s'acharne à croire, mais rien n'est moins certain. D'abord, on sait que l'emplacement primitif de la forteresse de Rennes était au Casteillas. Ensuite, l'état des lieux et sa superficie ne peuvent permettre d'imaginer une ville aussi peuplée que paraît l'avoir été Reddae. On prétend même, d'après des traditions locales incontrôlables, que Rennes avait une enceinte redoutable. On n'en a pas retrouvé de vestiges, en dehors de substructures fort modestes. On prétend encore que la ville possédait deux châteaux, ce qui est loin d'être prouvé. On dit aussi qu'elle comportait deux églises, l'une dédiée à saint Pierre, l'autre à saint Jean, cette dernière étant certainement la chapelle seigneuriale. Il n'est en tout cas pas question du vocable de Marie-Madeleine. On précise que le bourg comptait trente mille habitants, ce qui est rigoureusement impossible, et sept étals de boucherie. Si tout cela est vrai, la « forteresse » de Reddae se trouvait ailleurs, et Rennes-le-Château n'était qu'un poste de surveillance sur la voie de Carcassonne à l'Ibérie. Mais où était donc cette redoutable ville forte que des documents mettent sur un plan d'égalité avec cette authentique citadelle qu'est Carcassonne?

La logique voudrait que ce fût à Limoux. Le nom de Limoux indique une implantation ancienne, datant de l'époque celtique, au fond d'une vallée, en un lieu où il est facile de construire, facile d'agrandir et aussi de fortifier. A Limoux, il pouvait y avoir trente mille habitants, sans problème. Et cela ne veut pas dire qu'à l'emplacement de Rennes-le-Château il n'y ait point eu la résidence seigneuriale. A notre époque, on se place en pleine confusion du fait du glissement de sens du mot « cité ». Ce mot désigne maintenant un lieu précis — comme la Cité de Carcassonne. Mais sous l'empire romain, et bien après, le terme ne désignait qu'une *entité morale*, au sens étymologique qui est celui du latin *civitas*, « la communauté des citoyens ». Jamais, dans les temps anciens, on n'a confondu « cité », communauté de droit et de fait regroupant les citoyens d'une même ethnie, et la « ville », en latin *urbs*, parfaitement localisée en un endroit déterminé, « ville » qui est vraiment un lieu d'habitation et d'activité, voire de défense collective. De la même façon, il n'y avait aucune confusion possible entre la « cité », la « ville » et la « citadelle », en latin *arx*, qui était l'équivalent de ce qu'a été le château fort du Moyen Age, lequel château pouvait être situé aussi bien au-dedans qu'au-dehors de la ville.

Louis Fédié, dans son ouvrage sur *le Comté de Razès et le diocèse d'Alet*, met tout en œuvre pour prouver que Reddae était Rennes-le-Château. En fait, il l'imagine plus qu'il ne la voit, prétendant que « l'enceinte fortifiée occupait tout le plateau ». Mais, comme cela lui semble quand même bizarre, il ajoute : « Pourtant, dans son périmètre, de grands espaces restaient inoccupés. » Cela aurait pu être vrai à l'époque gauloise, mais, dans ce cas, le castrum n'était point une ville, seulement un lieu de réunion provisoire, un lieu d'assemblées, d'échanges, et aussi de protection en cas de guerre. « A l'exemple des villes romaines, les cités wisigothes, même quand elles étaient places de guerre, suivant leur affectation spéciale, constituaient alors souvent une ou deux villes dans l'enceinte de la ville, une ou deux citadelles dans la citadelle. Nous en trouvons l'exemple dans la cité de Carcassonne. » Et de poursuivre en affirmant que Reddae était partagée en trois quartiers, reconnaissables encore dans le village, et que « les fortifications qui entouraient la citadelle de Reddae n'ont pas complètement disparu ».

Étant donné que tout le plateau a dû comporter des postes de surveillance à diverses époques, le contraire serait étonnant. Et comment croire que Rennes-le-Château, qui n'avait que quelque deux cents habitants en 1709 (soit cinquante *feux*), ait pu en avoir trente mille à l'époque wisigothique, soit douze siècles auparavant ? En cette époque wisigothique, la population était peu nombreuse sur le territoire de l'ancienne Gaule, et généralement très dispersée. Seuls de grands centres urbains, aménagés et bénéficiant d'un ravitaillement aisé, pouvaient se permettre d'en contenir autant. Ce n'est assurément pas le cas du plateau desséché de Rennes-le-Château, incapable à lui seul de subvenir aux besoins d'une population réduite et néanmoins assez pauvre par rapport à d'autres localités situées dans des plaines ou des vallées fertiles et bien arrosées. Reddae a existé, c'est sûr. Sans aller jusqu'à trente mille habitants, chiffre certainement exagéré, elle a eu une population importante. Alors, ce ne peut être que Limoux, ou à la rigueur Alet ou Quillan.

Quoi qu'il en soit, les Wisigoths ont bel et bien envahi le Razès et s'y sont constitué une sorte de repaire. Ils ont organisé le pays, comme pour le mettre en réserve. Et lorsque le roi Reccared, qui avait abjuré l'arianisme (les Wisigoths étaient chrétiens, mais *ariens*, ne l'oublions pas), voulut réorganiser les évêchés de la Septimanie et proposa de faire nommer un évêque à Reddae, l'évêque de Carcassonne s'y opposa, parce que, jusqu'alors, Reddae dépendait de lui, et cette nomination aurait porté un coup fatal à l'abondance de ses revenus. Et, par ironie du sort, quelque temps après, sous le règne du roi Wamba, en 680, le siège épiscopal de Carcassonne fut occupé par un évêque arien, l'évêque orthodoxe devant s'enfuir et se réfugier à Reddae, où il eut la possibilité d'exercer ses fonctions sur l'ensemble de son diocèse. Il faut cependant dire que ces querelles entre Ariens et Chrétiens orthodoxes ont alimenté bien des suppositions, lesquelles se sont vite transformées en légendes. C'est aussi l'époque où l'on assiste à une forte immigration de Juifs fuyant les persécutions et qui sont, semble-t-il, bien accueillis dans le Razès, notamment à Alet, où ils laisseront quelques traces repérables, ne serait-ce que dans l'architecture et l'ornementation de l'abbatiale. Ce fut le point de départ d'un autre roman : celui de la lointaine origine juive des Mérovingiens, en particulier de la souche « légitime » occultée par les usurpateurs carolingiens et réfugiée, comme on le sait, dans le Razès !

Mais la présence incontestable et prolongée des Wisigoths à Rennes-le-Château a eu d'autres conséquences sur l'histoire légendaire — ou la légende historique de ce pays. On prétend en effet que les contingents qui accompagnaient Alaric dans la prise et le sac de Rome, rapportèrent une grande partie des trésors qu'ils avaient eus en partage et qu'ils les cachèrent soigneusement dans un emplacement secret du Razès. Et, de plus, ce trésor aurait été celui ramené par les Romains de Titus et Vespasien lors du sac de Jérusalem. La boucle est ainsi bouclée, on le voit, et Rennes-le-Château contient, en quelque grotte mystérieuse, un *trésor*, pas forcément de l'or ou des bijoux, bien plutôt des *documents* d'une importance primordiale puisqu'ils concernent la fin de l'indépendance juive et la « secte » des Chrétiens. On s'aperçoit que cette légende, qui n'est peut-être après tout qu'une déformation de certains faits (pourquoi des Wisigoths n'auraient-ils pas rapporté de Rome des objets de valeur et des documents ?), n'a pas été oubliée par ceux qui, durant la vie de l'abbé Saunière, mais surtout depuis 1956, ont exploité le thème de ce curieux « curé aux milliards », et qui aurait été, en plus, en contact avec les plus fervents occultistes de son temps, puisque détenteur de « secrets » que le Vatican aurait bien voulu lui acheter pour les mettre définitivement à l'abri de la curiosité malsaine du public. Ainsi se bâtissent les romans. Mais, encore une fois, il n'y a jamais de fumée sans feu. C'est pourquoi la tradition wisigothique, en particulier tout ce qui concerne l'éventuelle présence, dans le Razès, de trésors ou de documents dérobés plusieurs siècles auparavant à Jérusalem, ne doit pas être négligée, même si, en première analyse, l'hypothèse semble peu crédible. L'Histoire n'est-elle pas faite de trous d'ombre que l'on s'efforce de combler tant bien que mal ?

Néanmoins l'empire wisigoth est un danger pour les Francs, et pour Clovis en particulier. Celui-ci, converti de fraîche date, et pour des raisons d'opportunité évidentes, s'en prend à tout ce qui est arien. L'intérêt politique et l'intérêt religieux vont de pair, comme il en sera au XIIIᵉ siècle lors de la lutte contre les Albigeois. Les Croisades ne rapportent pas seulement le salut éternel ; elles contribuent au bonheur terrestre et provisoire de certains, plus entreprenants et surtout plus cyniques que les autres. Clovis, après avoir fait disparaître, par ruse ou par meurtriers interposés (qu'il faisait exécuter immédiatement après), les autres chefs francs qui auraient pu devenir gênants pour ses ambitions personnelles, après avoir conclu alliance avec la seule puissance d'ordre qui demeurât sur le sol de l'ex-empire romain, c'est-à-dire l'Église, s'attaque aux Wisigoths. Et il bat Alaric II près de Vouillé en 507. C'est la ruée des Francs vers le sud, pour s'emparer allégrement des domaines et des sinécures. Ils arrivent aux Pyrénées et établissent une sorte de protectorat sur toute l'Occitanie. Mais il semble que le Razès ait échappé à leur convoitise, sans doute parce que les Francs considéraient ce pays comme de peu d'importance. Bref, la présence wisigothique se maintint encore quelque temps à Rennes-le-Château et aux alentours.

C'est alors que, dans les troubles des temps mérovingiens, la « marginalité » du Razès va s'affirmer. Le pays reste en effet en dehors des guerres intestines incessantes auxquelles se livrent les descendants de Clovis, dignes héritiers de leur ancêtre, experts en crimes en tous genres et néanmoins statufiés par les manuels d'Histoire de France dont les auteurs n'ont jamais pu lire jusqu'au bout les chroniques de Grégoire de Tours. Arrivent les « Rois Fainéants » qui ont fait la joie de notre scolarité. On sait maintenant ce qu'il faut penser de cette stupide tradition des derniers rois mérovingiens se faisant véhiculer en dormant dans des chars aménagés pour qu'ils jouissent d'un repos bien mérité. On a quand même compris que ces rois ont surtout été *faits néant* par la grâce des maires du palais, la redoutable famille de Pipping d'Herstal, autres Francs, mais guère moins cruels que les précédents, et surtout encore plus cyniques. Et c'est là que se greffe la légende d'un descendant de Dagobert II, assassiné sur ordre de Pipping d'Herstal, et qui aurait trouvé refuge dans le Razès, y faisant souche et devenant ainsi l'ancêtre d'une lignée mérovingienne authentique dont les rejetons existent toujours. La légende a été montée de toutes pièces à l'aide de généalogies trafiquées et de prétendus « documents secrets » miraculeusement — et anonymement — déposés à la Bibliothèque Nationale de Paris. Cela appartient au mythe de Rennes-le-Château et à l'énigme de l'Or maudit. Toujours est-il que le Razès, sous la domination carolingienne, va continuer à être dans cette étrange marginalité qui le caractérise.

Contrairement à ses prédécesseurs, il semble que Charlemagne se soit vivement intéressé à la région. Pour se tenir au courant de ce qui s'y passait, il y envoya l'évêque d'Orléans, Théodulfe, et celui-ci lui fit son rapport sous forme d'un poème sur son voyage relatant ce qu'il y avait vu et citant, pour la première fois, les « cités » de Carcassonne et de Reddae. Mais, encore une fois, il s'agit de « cités » et non de villes. Cependant, on remarquera la quasi-égalité reconnue entre Carcassonne et Reddae, et l'on comprend l'insistance du clergé du Razès à demander que soit créé pour le Razès un évêché indépendant du siège de Carcassonne.

Charlemagne avait une bonne raison de surveiller le Razès. Les « Sarrasins » menaçaient constamment la Septimanie, après avoir débordé au-delà des Pyrénées. Bien sûr, contrairement à l'opinion reçue, il ne s'agit aucunement d'Arabes. Il n'y aurait jamais eu assez d'Arabes pour conquérir en deux siècles presque tout le bassin méditerranéen. Les Arabes musulmans pratiquaient, on le sait, la technique du « télescopage ». Ils avaient commencé par soumettre et convertir à l'Islam leurs plus proches voisins, et ils envoyaient ceux-ci plus loin pour suivre le travail. On peut être certain que les Arabes vaincus par Charles Martel à Poitiers étaient essentiellement des Ibériques, accessoirement des Maures, c'est-à-dire des Maghrébins. Il en était de même pour ceux qui s'infiltraient sans cesse en Occitanie et qui nécessitaient parfois une expédition guerrière de la part de l'empereur et de ses vassaux les plus concernés. C'est à partir de là qu'on a pu bâtir la grande épopée des Chansons de Geste, où l'on voit Charlemagne, en bon défenseur de la Chrétienté — qu'il était réellement —, engager une lutte sans merci contre des Sarrasins dont le moins qu'on puisse dire, c'est qu'ils ne ressemblent pas à des Arabes, mais qui symbolisent *tous les païens* qui s'opposent à la besogne de christianisation de l'Europe à laquelle se livre l'empereur franc, avec l'accord explicite de la papauté. Et Charlemagne, voulant faire du Razès une sorte de citadelle surveillant et écartant d'éventuelles incursions musulmanes, nomma un personnage de confiance à la tête du Razès, donnant à celui-ci le titre de comte. Le comté de Razès était né.

Ce personnage est d'ailleurs remarquable. Il s'agit de Guillaume de Gellone, chef militaire de premier plan et chrétien convaincu. Après avoir consacré une grande partie de sa vie à lutter victorieusement contre les Sarrasins, Guillaume de Gellone vint finir ses jours à Saint-Guilhem du Désert, une abbaye qu'il avait fait bâtir, et qui demeure l'un des plus beaux exemples des abbayes occitanes en partie carolingiennes, en partie romanes. Il y mourut en odeur de sainteté, d'où sa canonisation *voce populi*, et l'attribution de son nom au monastère.

On a prétendu que Guillaume de Gellone était un descendant des Mérovingiens authentiques, par le fils de Dagobert II qui se serait réfugié dans le Razès et qui y aurait épousé la fille du comte. C'est oublier que le premier comte de Razès est précisément Guillaume de Gellone. C'est oublier aussi que le fils de Dagobert II, s'il a vraiment échappé aux tueurs carolingiens, était un tout jeune enfant quand il est arrivé dans le Razès. Là encore, bien qu'on ne puisse rien trancher, il semble que l'arbre généalogique de Guillaume de Gellone soit quelque peu « arrangé » pour les besoins de la cause.

Il est vrai que ce Guillaume de Gellone n'est pas seulement un saint homme, c'est aussi un personnage de légende. Il est en effet devenu, dans ce qu'on appelle le cycle de Garin de Monglane des Chansons de Geste, l'extraordinaire personnage de Guillaume d'Orange, dit Guillaume au Court Nez (en fait, au *curb* nez, au « nez crochu »), protecteur de Louis le Pieux et grand pourfendeur de Sarrasins. Tout ce cycle de Garin de Monglane incorpore des éléments historiques parfaitement réels à un schéma mythologique de tradition nettement archaïque, notamment dans ses structures sociales indo-européennes. Ce Guillaume (Guilhelm) d'Orange, époux de l'ex-Sarrasine Orable, devenue Guibourc, forme, avec son neveu Vivien (Vezian), une sorte de duo fantastique comparable à celui que forme Charlemagne avec Roland, mais aussi Arthur avec Gauvain, et bien d'autres rois de la tradition celtique avec leur neveu, obligatoirement fils de leur sœur, caractéristique d'une filiation matrilinéaire.

Étonnante destinée, à la fois réelle et imaginaire ! De plus, Guillaume de Gellone a contribué à un événement considérable pour l'Occident chrétien : il a aidé tant qu'il a pu son ami saint Benoît d'Aniane à réformer la règle bénédictine primitive, établie trois siècles auparavant par saint Benoît de Nursie, en y intégrant d'ailleurs des éléments de la règle de saint Colomban, ce saint irlandais qui contribua à la restauration du Christianisme sur le continent. Et c'est ainsi qu'en 817, à Aix-la-Chapelle, Louis le Pieux, fils de Charlemagne, au cours d'un grand rassemblement de moines et d'abbés, obligea tous les monastères de l'empire à suivre la règle bénédictine réformée.

Peu avant, précisément, une abbaye avait été fondée à Alet, sous le vocable encore rare de Notre-Dame. Elle fut bénédictine, bien entendu. La charte de donation date de 813, et elle émane de Béra IV, comte de Razès. Mais, comme la plupart des chartes monastiques de l'époque, elle est fort suspecte, d'autant plus qu'il y est fait mention d'un anachronisme : le monastère est placé sous la protection directe du pape, ce qui ne s'est jamais fait avant la fin du Xe siècle. Néanmoins, l'abbaye commence à être construite, et les comtes du Razès prennent soin de lui assurer des moyens d'existence. Un siècle plus tard, l'abbaye d'Alet fait partie d'une sorte de fédération monastique sous l'égide de la célèbre abbaye de Saint-Michel de Cuxa, au pied du Canigou. D'ailleurs, en 993, l'abbé Garin a la haute main sur Saint-Michel de Cuxa, sur Saint-Pierre de Mas-Grenier, sur Saint-Hilaire, sur Pierre de Lézat et sur Notre-Dame d'Alet. En 998, cette fédération disparaît à la mort de Garin, au moment même où se développe l'ordre clunisien qui va contribuer à une autre réforme des monastères bénédictins, le plus important avant saint Bernard et le nouvel ordre cistercien.

Guillaume de Gellone avait donné le comté de Razès à l'un de ses fils. Ainsi se succédèrent plusieurs comtes du nom de Béra, qui gardèrent le Razès jusque vers 870. A cette date, en effet, par le jeu des successions, le Razès passa à la maison comtale de Carcassonne, puis, pendant de nombreuses années, fut disputé entre les comtes de Carcassonne et les comtes de Barcelone. Mais c'était encore un centre très important où se rencontraient tous les seigneurs des environs. Quant à l'abbaye d'Alet, elle se développait, prétendant même posséder un fragment de la Sainte Croix, ce qui augmenta considérablement son prestige, et aussi les fructueux pèlerinages. En 1090, l'abbaye Saint-Polycarpe tombe même sous la mouvance de l'abbé d'Alet. En 1096, le 16 juin précisément, l'abbaye Notre-Dame d'Alet reçoit la visite du pape Urbain II qui venait de Toulouse et de Carcassonne, ce qui était un geste prouvant qu'il prenait beaucoup d'intérêt au développement du monastère des bords de l'Aude. Et, en 1067, la comtesse Ermengarde avait vendu, pour une somme de mille onces d'or, sa souveraineté sur Carcassonne et le Razès à son parent Raymond-Béranger, comte de Barcelone. Cette appartenance à la Catalogne va avoir certaines conséquences sur le statut particulier de certains ordres monastiques, en particulier les Templiers, établis au Bézu, qui ne relèveront pas du roi de France Philippe le Bel, mais toujours du comte de Barcelone, et qui, de ce fait, échapperont aux persécutions royales.

Une période assez obscure s'ouvre pour le Razès. L'Occitanie vit à l'heure des Cathares. Les «hérétiques» se sont répandus avec une rapidité extraordinaire, bénéficiant de nombreux appuis de la part des seigneurs locaux. Les problèmes religieux se doublent de problèmes politiques, et les différents seigneurs occitans connaissent bien les ambitions des Français du nord, en particulier de la famille capétienne. Pays d'hérésie et de contestation, le Midi occitan l'a toujours été, comme si cette attitude faisait partie de la mentalité de ses habitants. En tout cas, il semble que le Catharisme, développé pour la première fois en France dans la région de Troyes, ait trouvé en Occitanie, et plus particulièrement dans les territoires de l'ancienne Septimanie (dont le Razès), un terrain propice à son épanouissement.

A ce moment, le Razès est tombé au rang de vicomté. En 1194, il est sous la bannière de Raymond Roger Trencavel, vicomte de Carcassonne et de Béziers, héros de la croisade des Albigeois, qui, trahi assez lâchement par Simon de Montfort, périt dans un sombre cachot de sa ville de Carcassonne, en 1209. Mais le flambeau de la révolte fut rapidement repris par son fils, qui avait été confié au comte de Foix et élevé à sa cour où, ce n'était un mystère pour personne, fourmillaient les hérétiques de tous bords qui n'avaient qu'une seule chose en commun : une haine profonde pour les Français et leur roi.

Car si l'hérésie dominante est à l'époque celle des Cathares, il y en a bien d'autres. Jamais aucune période n'a été, plus que les XIIᵉ et XIIIᵉ siècles, fertile en sectes, en églises dissidentes, en cultes étranges dont certains franchement diaboliques. Si l'Inquisition a été officiellement créée pour lutter — autant par la parole que par le feu — contre ceux qu'on appelait respectueusement dans les campagnes les *Bonshommes*, et dans les cours ecclésiastiques les *Dualistes*, c'est aussi pour enrayer la montée de cette vague de résurgences et de syncrétismes divers qui déferle sur l'Europe chrétienne. On n'en est pas à la tolérance, et l'on ignore en fait ce que c'est. Toute discussion devient impossible, car on ne peut pas, d'un point de vue de l'Église romaine, mettre en doute la parole des Écritures et celle des commentateurs officiels. Le principe de relativité n'a pas été mis en évidence, et, plus que jamais, on répète : « Hors de l'Église, point de salut ! » Mais que de détournements de la pensée officielle se remarquent dans les œuvres littéraires et artistiques, et combien d'hérétiques bizarres ont pourri dans les prisons ou ont été brûlés sur les bûchers ! La hargne de l'Église romaine s'explique : on mettait en doute, aussi bien dans certaines sectes que chez les Cathares, le rôle éminent et nécessaire du prêtre, situation intolérable dans un système qui reposait sur la division de la société en trois classes, ceux qui prient, ceux qui se battent et ceux qui travaillent. De plus, même si le clergé de l'époque était non seulement inculte, mais souvent réduit à la misère, du moins dans les campagnes les plus pauvres, jamais l'Église n'a possédé plus de biens temporels. Abonder dans le sens des Cathares qui prétendaient que les prêtres ne servaient à rien, c'était se couper des abondantes ressources procurées par l'exercice du culte et les dîmes obligatoires. Et cette peur qui saisissait le clergé orthodoxe occitan, en ce début de XIIIᵉ siècle, devant la montée des idées cathares, rejoignait l'ambition et l'âpreté des seigneurs du nord, prêts à se battre et à perdre la vie pour gagner des terres, le tout évidemment sous le couvert d'une croisade contre les dangers diaboliques que représentaient les hérétiques, quels qu'ils fussent, et les seigneurs occitans qui avaient le front de prendre parti pour ces mécréants. C'est au nom d'un Dieu qui ne se trompe jamais, et au nom de l'intérêt matériel du roi de France et de ses vassaux, qu'on a détruit l'Occitanie cathare.

Il est impossible d'ignorer les injustices et les atrocités de cette « Croisade contre les Albigeois », à la fois défi aux droits de l'Homme, contradiction avec la doctrine de la charité chrétienne, satisfaction des égoïsmes les plus monstrueux, génocide culturel et spirituel, et finalement pure hypocrisie bénie par la papauté qui y trouvait son compte. Il est impossible d'oublier les massacres de Béziers. Il est impossible d'excuser le «sadisme» d'un Simon de Montfort ou du moindre de ses sbires. Mais il est également impossible de refaire l'Histoire.

Or donc, Trencavel le Jeune, à la cour du comte de Foix, bercé par les refrains anti-français et anti-papistes de ses compagnons d'exil, et de plus victime de l'intolérance dans la personne de son propre père, ne pouvait rester indifférent. Malgré son jeune âge, il affirmait bien haut son désir de vengeance et jurait à qui voulait l'entendre que le but de sa vie serait la reconquête de l'héritage dont il avait été frustré, soit les comtés d'Albi et de Carcassonne, et le vicomté de Razès, ce dernier territoire lui tenant d'ailleurs très à cœur.

Ce Trencavel est un curieux personnage, non pas un aventurier type comme il y en a trop en cette période troublée, mais une sorte de «quêteur de Graal», un chevalier qui se bat contre les moulins. C'est d'ailleurs à cause de ces caractéristiques que certains n'ont pas hésité à prétendre qu'il était le modèle réel de Perceval, le découvreur et le roi du Graal selon la version allemande de Wolfram von Eschenbach. Le malheur est que le jeune Trencavel n'était pas né lorsque Chrétien de Troyes, vers 1190, introduisit, le premier en date, le personnage de Perceval dans l'épopée arthurienne, et dans la littérature européenne en général. Mais, après tout, peut-être est-ce le contraire qui s'est produit : pourquoi le jeune Trencavel n'aurait-il pas eu connaissance de l'ouvrage de Chrétien de Troyes, abondamment complété et prolongé par d'habiles écrivains du début du XIIIᵉ siècle, et n'ait point voulu prendre modèle sur un héros, orphelin de son père, accomplissant une vengeance contre les meurtriers de celui-ci et devenant roi d'un royaume idéal ?

Mais pendant que Trencavel se plongeait dans ses rêves, son tuteur officiel, qui résidait à Carcassonne, Bertrand de Saissac, lequel tentait désespérément de sauver ce qui restait à sauver, avait des difficultés dans le Razès, notamment à Alet. En effet, après la mort de Pons Amiel, qui fut abbé de 1167 à 1197, les moines de Notre-Dame d'Alet avaient élu, pour lui succéder, Bernard de Saint-Ferréol, qui était déjà abbé de Saint-Polycarpe. Bertrand de Saissac était accouru à Alet et s'était saisi du nouvel abbé. Puis il avait fait déterrer le corps de Pons Amiel et l'avait fait placer sur son trône abbatial, ordonnant aux moines qui se trouvaient là de procéder à une nouvelle élection. Les

96

moines, gagnés à sa cause ou ayant peur de lui, n'osèrent pas lui refuser. Ils choisirent un certain Bozon, lequel s'empressa de verser une forte somme à l'archevêque de Narbonne afin que celui-ci pût approuver le coup de force et même donner sa bénédiction. Cela fut fait. Mais l'abbé dépossédé passa son temps à intenter des procès ecclésiastiques, voulant faire constater qu'il y avait eu violence. En fait, Bertrand de Saissac, partisan lui-même des «Bonshommes», se méfiait de Bernard de Saint-Ferréol qu'il jugeait trop «orthodoxe» et trop dévoué à la papauté.

L'affaire dura longtemps. Le 21 juillet 1222, au concile du Puy-en-Velay, le légat du pape, le cardinal Conrad, infirma l'élection de Bozon et ordonna aux moines de quitter sans délai l'abbaye, laquelle devait être sécularisée et placée sous l'autorité directe de l'archevêque métropolitain de Narbonne. Mais les moines qui avaient subi le coup de force, et n'avaient pas soutenu Bozon, firent appel au pape. Grégoire IX nomma deux abbés pour examiner la requête, et finalement, l'abbaye fut restituée aux moines qui s'empressèrent d'élire un nouvel abbé. Trencavel avait alors autre chose à faire qu'à surveiller l'abbaye Notre-Dame d'Alet, puisqu'il ne pouvait pas même rentrer dans ses domaines. Mais l'abbaye ne se remit jamais de cette crise.

Cependant, Trencavel devient l'âme de la révolte des «faidits» : c'est ainsi que l'on appelle les seigneurs dépossédés de leurs terres pour cause d'hérésie. Il se prépare à la «reconquête». En 1239, et surtout en 1240, alors que la répression se fait très dure contre les Cathares, Trencavel et son vassal Olivier de Termes, qui tient encore les Corbières, le Termenès et les forteresses de Quéribus et de Peyrepertuse, se lancent dans des expéditions qui ressemblent plus à des guérillas qu'à des opérations militaires. Ils opèrent au coup par coup. Trencavel, accueilli partout comme un libérateur, obtient des succès immédiats qu'il n'exploite pas, laissant ainsi ses adversaires se regrouper et réagir. Il semble d'ailleurs que Trencavel ait reçu des promesses d'aide de la part de Raymond VII, le comte de Toulouse, qu'on savait du côté des hérétiques, mais qui était dans une passe très délicate. A force d'hésitations, Raymond VII n'intervint pas à temps, et la situation se retourna. Olivier de Termes fit sa soumission au roi de France, après une vigoureuse contre-offensive française, et, sans doute acheté par le

Capétien, il trahit franchement Trencavel. C'est l'échec. Trencavel doit faire officiellement, lui aussi, sa soumission au roi. Mais il ne rentre pas en possession de ses terres, et ruminant de sombres projets, il se résout à séjourner en Aragon où il espère trouver des oreilles compréhensives, et aussi de l'argent pour recommencer le combat.

Mais le Razès est occupé par les troupes du roi de France qui se livrent à une chasse en règle des hérétiques. Et Dieu sait s'il y en avait dans ces montagnes isolées ! D'ailleurs, en 1225, on avait assisté à la création d'un véritable diocèse cathare du Razès, séparé du diocèse de Toulouse et confié à Benoît de Termes, un des parents d'Olivier. On sait que les Cathares ne reconnaissaient pas la prêtrise, sauf en ce qui concernait les « diacres », en quelque sorte des « frères prêcheurs » (les « Parfaits » étant des croyants parvenus au plus haut point et disposant seulement du *consolamentum*), ni la valeur d'une quelconque organisation ecclésiale : mais pour les besoins de la cause, et surtout pour s'opposer à la répression, il leur avait fallu établir une sorte de contre-église clandestine, avec une hiérarchie et des chefs placés au rang d'évêques. Il y a donc un « diocèse » cathare dans le Razès, et comme ses fidèles sont nombreux, ils parviennent à limiter les arrestations et se réfugier dans des endroits inaccessibles. Et là, très curieusement, il semble que les Templiers aient fait alliance avec les Cathares.

Les Templiers étaient, on le sait, fortement établis dans la région de Rennes-le-Château. Les uns se trouvaient à Campagne-sur-Aude et à Lavaldieu, et dépendaient de France. Les autres, sans doute plus puissants, avaient une forteresse au Bézu, et ils dépendaient d'Aragon. D'après des documents qui ne sont peut-être pas très fiables, mais qui témoignent d'un état de fait, les Templiers du Bézu auraient conclu, en 1209, un accord avec la famille d'Aniort qui possédait presque toute la région de Rennes-le-Château. Cet accord aurait consisté en une cession fictive aux Templiers de biens de la famille d'Aniort, susceptibles d'être saisis par l'autorité royale. Cela voudrait dire clairement que les Templiers avaient accepté d'aider des hérétiques, en l'occurrence les Cathares du Razès. Il faut dire qu'ils avaient agi à peu près de la même façon au siècle précédent vis-à-vis des Juifs, car un document précise qu'en 1142, ceux des Juifs du Razès — assez nombreux, d'ailleurs — qui possédaient des terres les avaient données en fermage aux Templiers. Ces allian-ces apparemment contre nature ont de quoi étonner. Mais il faut se rendre compte que, dans cette affaire de la croisade contre les Albigeois, les Templiers ont toujours joué un rôle pour le moins ambigu : ils n'ont jamais participé à cette guerre, ni de près, ni de loin. Ce n'est certes pas sans raison qu'on a parfois suggéré que les Templiers ont été le bras séculier des Catha-res, lesquels s'interdisaient de porter les armes. Pourquoi pas ? En tout cas, dans le Razès, cette collusion semble avoir joué à plein.

De plus, dans cette même région de Rennes, les Templiers ont conduit des opérations sur lesquelles rôde le mystère le plus complet. En 1156, les Templiers avaient élu comme grand maî-tre de l'Ordre un certain Bertrand de Blanchefort. Mais contrai-rement à ce que certains affirment sans vérifier leurs sources, il ne s'agissait aucunement d'un membre de la famille des Blan-chefort du Razès. Bertrand de Blanchefort, grand maître de l'Ordre du Temple, était d'une famille de Guyenne bien connue. Aucun doute n'est permis là-dessus.

Cela ne l'a pas empêché de s'occuper du Razès et d'une façon très spéciale. C'est à cette époque en effet que les Templiers du Bézu ont fait venir une véritable colonie de travailleurs alle-mands, des fondeurs plus précisément, pour travailler dans les mines des environs. Ces mines, de plomb, d'argent, de cuivre et d'or, sont très nombreuses mais peu fournies, et surtout elles ont été exploitées à outrance du temps des Romains. Mais ce qui est plutôt surprenant, c'est que les Templiers du Bézu aient appelé des *fondeurs* et non pas des *mineurs*, comme cela aurait paru normal. On est donc obligé de se poser des questions sur le «travail» qui était demandé à ces Allemands. Et d'ailleurs, pourquoi des travailleurs étrangers, qui ne connaissaient pas un mot de français, ni surtout d'occitan ? Tout s'est passé comme si on avait voulu utiliser une main-d'œuvre étrangère incapa-ble de se faire comprendre des gens du pays. Dans ces condi-tions, on comprend pourquoi tant de légendes se sont répandues autour de Rennes-le-Château, à propos de «trésors enfouis», de «mines secrètes» et d'or magique gardé par le diable, sans parler du trésor de Delphes, du trésor du Temple de Jérusa-lem, et même du trésor des Templiers ou des Cathares. Pour-quoi ne pas aller jusqu'à parler du Saint-Graal ?

Ce mystérieux travail des Allemands employés par les Templiers du Bézu, la collusion évidente entre les Templiers et les Cathares, nous ramènent évidemment à la croisade contre les Albigeois et à ce qu'elle sous-tend d'énigmes non résolues. Il est maintenant établi que les tractations entre les inquisiteurs et les derniers défenseurs de Montségur, Pierre-Roger de Mirepoix et Ramon de Perella, ont été menées sous la garantie de Ramon d'Aniort, seigneur de Rennes-le-Château et de Rennes-les-Bains. On admet également qu'après l'évasion des quatre « Parfaits » chargés de convoyer le fameux « Trésor » (quel que soit celui-ci), quelques jours avant la reddition de Montségur, un feu fut allumé sur la montagne de Bidorta pour avertir les assiégés que l'opération s'était bien déroulée et que le précieux dépôt cathare était en sécurité. Or, ce feu a été allumé par un nommé Escot de Belcaire, envoyé spécial de Ramon d'Aniort. Dans ces conditions, il est raisonnable de penser que le « Trésor » cathare a été caché, du moins dans un premier temps, dans les profondeurs du Razès.

Les familles seigneuriales de ce Razès ont eu des destinées parfois étranges, et elles ont toutes plus ou moins pactisé avec ceux qu'on appelait les hérétiques. A partir de 1231, Limoux et le Razès avaient été confiés par le roi de France au sénéchal Pierre de Voisins, un petit seigneur d'Ile-de-France, compagnon de Simon de Montfort. Il n'avait rien eu de plus pressé que de démanteler toutes les forteresses du pays. Mais curieusement, plus tard, le petit-fils du sénéchal, Pierre II, s'acharna à les faire reconstruire, et il fit même élever le château de Rennes (modifié depuis). D'ailleurs, après la disparition des Cathares, la plupart des seigneurs rentrèrent en possession de leurs biens, et s'empressèrent de fortifier à nouveau tout ce qui avait été démantelé, prévoyant d'autres troubles, et probablement d'autres hérésies. C'était ne pas compter avec les bandits de toute espèce qui rôdaient dans les environs. Ainsi, en 1362, une troupe de ruffians catalans investit Rennes-le-Château et pilla le château, l'église et de nombreuses maisons, achevant ainsi la ruine du village.

Mais il y avait bien longtemps que la famille de Trencavel avait renoncé à toute possession dans le Razès. Harcelé par les Français du nord, trahi par les siens, abandonné par ses fidèles quand ceux-ci s'aperçurent qu'il poursuivait la proie pour l'ombre, le malheureux Trencavel se décida à abandonner la lutte. Il céda, en 1247, tous les droits qu'il avait sur le Razès au roi de France, Louis IX. Encore s'en était-il tiré à bon compte. On prétend que saint Louis était fort monté contre Trencavel et qu'il voulait le faire emprisonner. C'est Blanche de Castille qui le défendit avec beaucoup d'ardeur et qui exigea pour ce rebelle impénitent une indulgence que le roi de France, tout bon chrétien qu'il était, ne manifestait pas à l'encontre de ses ennemis. Certes, Blanche de Castille a tout fait pour déposséder Trencavel du Razès, et elle y a réussi. Mais on peut se demander quelle a été la monnaie d'échange dans ce compromis. Trencavel était-il en possession sinon d'un secret, du moins d'une piste permettant d'accéder à la connaissance d'un secret? N'oublions pas que le nom de Blanche de Castille est lié à une des sources de Rennes-les-Bains. Mais même si l'on tient compte de la légende bien connue de la «Dame Blanche» gardienne et protectrice des sources, on peut quand même hésiter à nier toute authenticité à cette affaire, dans laquelle Trencavel a joué un rôle non négligeable. Trencavel n'était pas cathare lui-même. Que cherchait-il au juste? Que cherchaient les Templiers du Bézu? Que fera chercher plus tard Colbert en ces mêmes endroits? Et qu'a donc trouvé l'abbé Saunière dans son église, ou ailleurs? C'est sans doute en posant ces questions qu'on peut bâtir des romans à épisodes multiples. Mais poser des questions, c'est aussi s'interroger sur certaines zones d'ombre.

En tout cas, la famille d'Aniort paraît s'être très compromise dans l'affaire cathare. De toute évidence, ils se trouvaient du côté des «hérétiques» lors de la croisade de 1209. Les quatre frères d'Aniort, Géraud, Othon, Bertrand et Ramon, auxquels s'étaient joints deux de leurs cousins, s'étaient violemment opposés à Simon de Montfort. Ils furent bien entendu excommuniés et on leur confisqua leurs châteaux, mais curieusement, peu après, l'excommunication fut levée et on leur rendit une partie de leurs domaines. Le château d'Aniort devait être rasé, mais au dernier moment, Louis IX envoya un messager pour décommander l'opération. Un peu plus tard, Ramon d'Aniort fut même reçu par saint Louis qui lui manifesta des égards tout à fait exceptionnels et quelque peu surprenants si l'on considère le rôle qu'il avait joué en tant que rebelle et allié des hérétiques. Pourquoi cette mansuétude, ou tout au moins ces reculs de la part du roi ? Était-ce seulement par souci de pardonner au coupable ? On peut se demander à quel prix Ramon d'Aniort a pu acheter son pardon, car tout se paie en politique, même sous les rois qu'on canonise par la suite. Et comme Trencavel, que savait Ramon d'Aniort ?

Tous les mystères du Razès semblent cristallisés autour de cette famille d'Aniort, et aussi autour des descendants de Pierre de Voisins à qui avait été confiée la surveillance du territoire, au détriment de Trencavel. Les Voisins furent en effet, eux aussi, en très bons termes avec les Templiers, et plus tard, lors de l'affaire déclenchée par Philippe le Bel, l'un des membres de la famille s'arrangea pour faire passer en Espagne un bon nombre de proscrits. Et, précisément, on retrouve Philippe le Bel dans le Razès en 1283. Il n'était pas encore roi. Il accompagnait seulement son père Philippe le Hardi, fils de saint Louis, au cours d'un voyage dans le Languedoc. Le roi s'arrêta chez Pierre II de Voisins, seigneur de Rennes, et qui tenait donc l'ensemble du Razès pour le compte du royaume. Philippe le Hardi avait pour but d'obtenir la neutralité bienveillante des seigneurs locaux dont, en vertu des ramifications complexes de la féodalité, certains étaient vassaux du roi d'Aragon. Comme il se préparait à une guerre contre l'Aragon, il désirait prendre quelques précautions de ce côté. La visite à Pierre de Voisins s'explique donc fort bien. Mais il en profita pour se rendre également chez Ramon d'Aniort, et il y fut fort bien reçu, tant par Ramon que par sa femme Alix de Blanchefort, et par son jeune frère, Udaut d'Aniort. Il semble même qu'une solide amitié lia dès ce moment le futur roi et Udaut, puisque Philippe proposa à celui-ci de devenir son compagnon d'armes. Mais Udaut avait d'autres idées en tête : il voulait se faire templier.

Cette visite à une famille, ô combien suspecte, est assez étrange. Deux des oncles de Ramon avaient été des Cathares convaincus, et les d'Aniort s'étaient toujours dressés pour protéger les « hérétiques ». Alix de Blanchefort était la fille d'un seigneur « faidit », ennemi juré de Simon de Montfort. Mais les desseins d'un roi sont souvent impénétrables. Il est possible que cette visite ait eu pour but d'arranger un mariage. En effet, par la suite, Pierre III de Voisins, qui était veuf de sa femme, épousa Jordane d'Aniort, cousine de Ramon. Ainsi les deux familles se trouvaient-elles unies. Dans quel but ? Surveiller les d'Aniort par le biais des Voisins, ou réhabiliter les d'Aniort ?

Arriva l'affaire des Templiers. Pourchassés, comme on le sait, dans toute la France, par la volonté de Philippe le Bel, les Templiers furent déférés devant les tribunaux ecclésiastiques, et finalement, après d'étranges aveux — qui ne furent pas tous extorqués par la violence —, ils furent condamnés[1] et l'Ordre du Temple disparut, absorbé par les Hospitaliers de Saint-Jean de Jérusalem. Mais la poursuite des sbires de Philippe le Bel et de son âme damnée Nogaret s'arrêtait aux frontières du royaume. Les Templiers furent, sinon épargnés totalement, du moins ménagés dans les autres royaumes, et l'on sait que beaucoup de Templiers français, prévenus à temps, purent s'échapper, tandis que d'autres, comme ceux du Bézu, bénéficiaient d'un statut particulier qui les mettait à l'abri momentanément de toute poursuite.

Mais, dans cette Occitanie toujours prête à adhérer aux doctrines les moins orthodoxes, il fallait assurer, en plus de l'épuration des corps et des esprits, une surveillance accrue des âmes et des consciences. C'est pourquoi, en 1317, le pape français d'Avignon, Jean XXII, sur les conseils du roi de France dont il était évidemment l'obligé, prit la décision de créer de nouveaux diocèses. De cette façon, on pouvait mieux cerner les problèmes, et aussi mettre un léger frein à la toute-puissance de l'archevêque métropolitain de Narbonne et de l'évêque de Toulouse. Les nouveaux évêchés furent donc établis à Limoux, à Saint-Pons de Thomières et à Saint-Papoul. Mais aussitôt, le pape eut droit à une violente protestation des religieuses de Prouilhe qui, depuis plus d'un siècle, percevaient des droits importants sur les établissements religieux de Limoux et des environs. Une telle décision risquait de les ruiner. Elles firent tant et si bien auprès de l'archevêque de Narbonne que celui-ci obtint du pape la révocation de la bulle qui avait érigé le siège de Limoux. Cependant, il ne renonça pas à son désir d'implanter un nouvel évêché dans le Razès : en 1318, il créa le siège épiscopal d'Alet. Et c'est ainsi que l'abbatiale de Notre-Dame

---

1. Voir sur ce sujet, dans la même collection, J. Markale, *Gisors et l'énigme des Templiers*, Pygmalion, 1986.

d'Alet devint église cathédrale. Le dernier abbé bénédictin, Barthélémy, devint évêque d'Alet peu de temps après.

Ce fut le début d'une nouvelle vie pour la vieille abbaye romane. L'abbatiale étant trop petite pour être une vraie cathédrale, on l'agrandit vers l'est en y adjoignant un chœur gothique dont il reste quelques vestiges. Et, par la même occasion, le village d'Alet se transforme et devient une véritable petite ville, entourée de remparts, et munie d'une nouvelle église, paroissiale celle-ci, Saint-André, qui existe toujours, sur le flanc sud de l'abbaye. L'évêché d'Alet durera ainsi jusqu'à la Révolution, connaissant bien sûr des moments difficiles, notamment pendant les guerres de Religion, lorsque la cathédrale est pillée. Au XVIe siècle, le siège épiscopal est aux mains de la famille de Joyeuse, et l'évêché, qui était alors une abbaye-évêché — l'évêque étant à la fois évêque et abbé — est définitivement sécularisé. Au XVIIe siècle, l'évêque Étienne de Polverel décidera de créer une nouvelle église cathédrale, orientée du nord au sud, dans les anciens bâtiments des moines, et qui, en souvenir des Bénédictins, portera le nom de cathédrale Saint-Benoît. Et, en 1637, c'est un jeune évêque qui prend possession du diocèse d'Alet, un certain Nicolas Pavillon.

Ce personnage a joué un rôle important. Avec saint Vincent de Paul et l'abbé Jean Ollier, fondateur de l'église et du séminaire de Saint-Sulpice, à Paris, il a été l'élément moteur de cette fameuse « Confrérie du Saint-Sacrement » sur laquelle toute la lumière est loin d'avoir été faite. On sait, par ailleurs, les liens qui unissaient la Confrérie du Saint-Sacrement à la famille de Nicolas Foucquet, surintendant des Finances, jugé de façon inique et emprisonné par Louis XIV dans des conditions pour le moins obscures. Nicolas Foucquet possédait non seulement une mégalomanie délirante, mais aussi certains moyens de pression dont il ne put faire usage et qui se retournèrent contre lui. Et, peu après l'emprisonnement de Foucquet, son vainqueur, Colbert, fit entreprendre des fouilles et des recherches de documents dans le Razès. Pourquoi ? L'opinion la plus réaliste consisterait à admettre que Colbert cherchait à exploiter les quelques mines d'or qui pouvaient être encore valables à l'époque sur le plateau de Rennes-le-Château. Mais il y a trop de coïncidences dans cette affaire, et ces recherches discrètes semblent en relations directes avec « les secrets que connaissait M. Fouc-

quet », pour reprendre une expression de l'époque. Cela, joint
à la mystérieuse lettre du frère de Nicolas Foucquet à propos
de Nicolas Poussin, auteur des fameux *Bergers d'Arcadie*, ne fait
qu'épaissir la zone d'ombre qui stagne sur le Razès. Mais quoi
qu'il en soit, Nicolas Pavillon, évêque d'Alet, comme tous les
confrères du Saint-Sacrement, s'efforça d'aider Foucquet, ce qui
lui évita d'ailleurs une condamnation à mort pure et simple que
désirait le roi de France. Mais cela n'empêcha pas Nicolas Pavillon d'œuvrer dans son diocèse. Suivant en cela les conseils de
saint Vincent de Paul, lequel, prenant conscience de la pauvreté
intellectuelle du clergé de son époque, affichait le plus ardent
désir d'y remédier, Pavillon créa à Alet un séminaire pour la
formation des jeunes prêtres. Et pendant tout son épiscopat,
il eut de fréquents contacts avec l'abbé Ollier, lui-même fondateur du séminaire de Saint-Sulpice. Dans ces conditions,
comment s'étonner de rencontrer tant de spéculations sur les
rapports subtils qui existent entre l'église de Rennes-le-Château
et l'église Saint-Sulpice de Paris? Et qu'on le veuille ou non,
l'affaire Nicolas Foucquet déborde sur le Razès[1].

Mais les temps changent. Le Razès s'endort dans une sorte
de torpeur, comme enveloppé d'une brume de soleil. Il s'y passe
pourtant certaines choses, mais de façon discrète. Les quelques
familles dominantes semblent veiller sur ce territoire avec une
sorte d'acharnement, mais dans une situation financière qui va
en s'amenuisant. L'aristocratie n'est plus ce qu'elle était, et la
terre, surtout celle de ce pays calciné, rapporte de moins en
moins. En 1422, l'héritière des Voisins (et donc des d'Aniort),
Marcafava, épouse Pierre-Raymond d'Hautpoul, héritier d'une
des plus anciennes et des plus illustres familles d'Occitanie. On
avait nommé ses fondateurs les « Rois de la Montagne Noire »,
ce qui indique quelque peu leur propension à « prendre le
maquis » et à narguer, du haut de leurs forteresses perchées sur
les montagnes, les autorités légales qui prétendaient les soumettre
à leurs lois. Au moment de la Croisade contre les Albigeois,
ils avaient évidemment pris parti pour les « hérétiques » et

_____

1. Voir, dans la même collection, J. Markale, *la Bastille et l'énigme du Masque
de Fer*, Pygmalion, 1989. J'y développe l'hypothèse que Nicolas Foucquet a été
le Masque de Fer, ou tout au moins « l'un des Masques de Fer ».

s'étaient retrouvés dépouillés de leurs châteaux et de leurs terres. Bref, les d'Hautpoul sont encore, au XVe siècle, les dignes représentants de ces seigneurs «faidits» qui ont tant marqué le pays cathare et ses alentours immédiats. Et ce sont les d'Hautpoul qui vont devenir les seigneurs de Rennes-le-Château.

Or, en 1732, bien après les affaires troubles du règne de Louis XIV, François d'Hautpoul épousa Marie de Négri d'Ables, qui, elle aussi, avait des droits sur l'héritage de la famille d'Aniort, et qui possédait, semble-t-il, les archives de cette famille. François d'Hautpoul et Marie de Négri d'Ables eurent trois filles. L'une, Élisabeth, vécut et mourut, célibataire, à Rennes-les-Bains. La seconde, Marie, épousa son cousin d'Hautpoul-Félines, et la troisième, Gabrielle, se maria avec le marquis de Fleury, lequel semble avoir été membre de diverses sociétés secrètes, Franc-Maçonnerie et Rose+Croix, en particulier.

Lorsque la succession de leurs parents dut être réglée, Élisabeth d'Hautpoul eut des différends avec ses sœurs à propos du partage des biens. Et, à cette occasion, elle refusa de leur communiquer les papiers et les titres de la famille, sous le prétexte qu'il était dangereux (on se demande pourquoi!) de compulser ces documents, et qu'il convenait de «faire déchiffrer et distinguer ce qui était "titre de famille et ce qui ne l'était point"». Qu'est-ce que cela signifie? Les d'Hautpoul, héritiers à part entière des d'Aniort, possédaient-ils dans leurs archives des documents *qui n'étaient pas de famille,* dont ils avaient le dépôt, et dont ils n'avaient sans doute pas le droit de disposer à leur guise? Il est bien évident que nous ne saurons jamais quels étaient ces papiers, mais nous pouvons convenir qu'ils pouvaient se révéler compromettants. Pour qui? Là est toute la question.

On raconta ensuite une bien étrange histoire qui se situe un siècle plus tard, en 1870. Le notaire, auprès duquel étaient déposés les papiers de la famille d'Hautpoul-d'Aniort, refusa, paraît-il, de les communiquer à Pierre d'Hautpoul, descendant de cette illustre lignée, sous prétexte qu'il ne pouvait se dessaisir de documents aussi importants sans commettre une grave imprudence. Que faut-il penser de cette anecdote, évidemment invérifiable? A cette occasion, on a imaginé que, parmi ces documents, figuraient des généalogies marquées du sceau de

Blanche de Castille, prouvant la permanence de la dynastie mérovingienne. Blanche de Castille aurait signé ces généalogies lors de son séjour dans le Razès en échange de la soumission des principaux seigneurs de la région, ce qui expliquerait son extrême indulgence pour Trencavel et la famille d'Aniort. Mais comment peut-on affirmer une telle chose, puisque le notaire n'a jamais communiqué ces documents et que *personne ne les a jamais vus*? D'ailleurs, on verra que la thèse de la permanence de la dynastie mérovingienne relève de l'imaginaire sinon de l'escroquerie la plus pure. Mais tout cela est bien irritant : de coïncidence en coïncidence, on s'enfonce toujours plus profondément dans la zone d'ombre, et l'on aboutit à *ce qu'a découvert l'abbé Saunière* dans son église lorsqu'il y a entrepris des travaux de restauration. Et il a effectivement *trouvé quelque chose*. On a prétendu alors, et ensuite beaucoup plus tard, que c'était le « Trésor » de Blanche de Castille. Mais quel « Trésor » ?

Cependant, à l'époque des différends entre Élisabeth d'Hautpoul et ses sœurs, quelqu'un était au courant de l'existence et peut-être du contenu de ces mystérieux documents. C'était l'abbé Bigou, curé de Rennes-le-Château juste avant la Révolution. Antoine Bigou était le neveu d'un prêtre qui avait déjà été curé de Rennes. Et, parvenu à la prêtrise, il succéda à son oncle en 1776, en tant que titulaire de la cure de Rennes-le-Château, jouissant, comme le dit René Descadeillas, « de l'estime et du respect de ses paroissiens ». A ce moment, Marie de Négri d'Ables vivait pauvrement avec sa fille Élisabeth d'Hautpoul dans le château de Rennes, et elle mourut en 1781. Elle fut enterrée dans le petit cimetière, derrière l'église, dans une tombe qui portait une inscription qui a été, ces derniers temps surtout, fort étudiée parce qu'elle a été vraisemblablement profanée par l'abbé Saunière. Pourquoi ? L'inscription présente des fautes qui ont attiré l'attention des amateurs de cryptogrammes. Mais, comme le dit encore René Descadeillas dans son ouvrage sur *Rennes et ses derniers seigneurs* et dans sa *Mythologie de Rennes-le-Château*, il n'y a rien d'étonnant à cela : « Dans ces villages reculés, au XVIIIᵉ siècle, l'instruction était peu répandue et la plupart du temps celui qui savait manier le ciseau était ignorant des lettres et des mots qu'il gravait... Il n'était pas question de graver une autre épitaphe, de tailler une autre dalle. Cette tâche n'était pas gratuite, et nous savons que les d'Hautpoul de Rennes étaient peu fortunés. » Il n'empêche qu'on a la preuve que l'abbé Saunière inventoria cette tombe de Marie de Négri d'Ables, et qu'il en fit disparaître la dalle en 1906. Qu'était-il allé faire en cette galère ?

Marie de Négri d'Ables disparue, l'abbé Bigou continua à s'occuper activement des affaires de sa famille. Déjà son oncle avait été en quelque sorte le fondé de pouvoirs des d'Hautpoul : il n'y avait aucune raison que cela ne continuât pas ainsi. C'est pourquoi on peut affirmer en toute honnêteté que l'abbé Antoine Bigou connaissait effectivement le contenu des documents de cette étrange famille. Mais la Révolution arriva, et avec elle les troubles les plus divers, y compris ceux qui furent déclenchés par la Constitution civile du clergé. « Le 29 novembre 1791, un décret de l'Assemblée Législative déclare suspects de révolte tous les prêtres insermentés, leur enlève la pension, les éloigne ou les punit de deux années de détention. Pourtant, dès avant, le 20 février 1791, l'abbé Bigou prêta serment, mais il était assorti de telles restrictions qu'on le lui refusa. Considéré dès lors comme un prêtre réfractaire, l'abbé Bigou se vit sur le point d'être déporté vu la loi du 26 août 1792. Mais, dans les premiers jours de septembre 1792, à l'exemple de la plus grande partie du clergé réfractaire de la région, il passa clandestinement la frontière espagnole. Antoine Bigou avait alors soixante-treize ans. Et c'est à Sabadell (province de Barcelone) ou dans les environs immédiats qu'il prit logement avec plusieurs prêtres de son diocèse. C'est dans cette situation que la mort vint le prendre le 21 mars 1794[1]. »

En somme, l'abbé Antoine Bigou qui, selon toute vraisemblance, connaissait beaucoup de choses au sujet des documents détenus par la famille d'Hautpoul, est mort en exil, emportant ses secrets dans la tombe. Est-ce vraiment sûr ? « Des événements survenus près d'un siècle plus tard montreront que l'abbé Bigou avait pris soin de cacher dans l'église de Rennes, avant de s'expatrier, des objets précieux cultuels et du numéraire lui appartenant, et qu'il ne pouvait pas emporter en exil[2]. » C'est incontestablement ce qu'a découvert l'abbé Saunière en restau-

1. Pierre Jarnac, *Histoire du trésor de Rennes-le-Château*, pp. 114-115.
2. Pierre Jarnac, p. 115.

rant son église en ruine. Mais le problème demeure en ce qui concerne d'éventuels manuscrits qui se seraient trouvés dans un pilier creux soutenant l'autel. De toute façon, les inventaires opérés en 1793 démontrent qu'on ne trouva rien de ce qui avait été caché. Le résultat de ces inventaires fut très décevant, et la vente des objets du culte ne rapporta presque rien. Il faut avouer qu'il en fut ainsi dans la plupart des paroisses et si, à notre époque, les «trésors» de nombreuses églises peuvent s'enorgueillir d'objets précieux de toute beauté, c'est à ces pratiques de cachette qu'ils le doivent, et pour le plus grand bien de notre patrimoine culturel.

Après la Révolution et les guerres de l'Empire, le Razès retombe dans sa torpeur. Le temps n'est plus où la richesse se mesurait en surfaces de terres. L'ère industrielle commence, et le Razès échappe à cette furieuse flambée d'activités qui caractérisent le XIXᵉ siècle. On oublie les pays qui sont restés à l'écart des nouveaux centres d'activités. Les plateaux des Corbières, les vallées, qui commencent à être envahies par une végétation incontrôlée, les bourgs dans lesquels les maisons s'effondrent lentement parce que les propriétaires sont incapables de payer le prix des réparations qui s'imposent, tout cela s'endort paisiblement dans la brume du passé.

Les régimes politiques se succèdent, chaque fois remis en cause. Les idées nouvelles se répandent, mais comme elles sont automatiquement déformées par les multiples canaux de transmission, elles ne changent rien en profondeur. Le Razès devient seulement l'une de ces régions dont on ne parle plus et qui sert à parquer une espèce humaine en voie de disparition. D'où le délabrement, la grande dissolution au sein d'une société qui ne sait pas encore ce qu'elle deviendra. Les vieilles familles tentent de survivre, plus souvent mal que bien, à cette mutation de l'espèce, sachant très bien que cela ne durera plus longtemps, et qu'il faudra tout vendre aux roturiers qui se sont enrichis lors de la vente des biens nationaux.

Il y a une exception pourtant, cette famille d'Hautpoul, héritière des d'Aniort sur lesquels rôdait l'ombre de Trencavel. Il faut rappeler que Gabrielle d'Hautpoul de Blanchefort avait épousé le marquis Paul François Vincent de Fleury, personnage conforme au siècle des Lumières, et membre de sociétés dites philosophiques. De cette union naquirent plusieurs enfants, dont l'un, Paul Urbain de Fleury, eut assez de chance non seulement pour survivre à la chasse aux ci-devant, mais pour gagner, dans des conditions bizarres, une fortune assez considérable. C'est ainsi que ce personnage, né en 1778, trouva le moyen de racheter les propriétés qui appartenaient à sa famille et à la famille de sa femme, et qui avaient été mises en vente comme biens nationaux, en particulier le château de Rennes. Il épousa ensuite une représentante de cette noblesse déchue, émigrée et néanmoins parfaitement incorporée à la nouvelle société. Puis il mourut le 7 août 1836, à l'âge de cinquante-huit ans, à Rennes-les-Bains. C'est dans le cimetière de Rennes-les-Bains qu'il fut inhumé. Et c'est lui qui a deux tombes, dont l'une porte l'inscription : «Il a vécu en faisant le bien», symbole évident de son appartenance à une obédience rosicrucienne. Deux tombes pour un seul homme, c'est beaucoup. Surtout quand on constate que les dates sont délibérément fausses.

Décidément, le Razès est un pays surprenant. Rien ne s'y passe jamais comme ailleurs. Jusqu'alors, c'était plutôt au roi Arthur et à l'enchanteur Merlin d'avoir eu l'honneur de multiples tombeaux. Paul Urbain de Fleury serait-il donc de la lignée de ces personnages mythologiques qui ont envahi l'Europe occidentale, et surtout l'inconscient collectif des hommes ? On serait tenté de le croire. Mais il ne faut pas négliger le fait que, dans tous ces pays perdus, au fur et à mesure que les générations se succèdent, les traditions demeurent comme si elles constituaient la structure essentielle du réel. Si on pouvait se livrer à une nomenclature détaillée des anomalies, des bizarreries et des anachronismes tels qu'ils se trouvent à portée du regard dans la plupart des pays perdus sur la carte du monde, le travail risquerait d'être très long. Alors, pourquoi s'intéresser au Razès, et plus particulièrement à Rennes-le-Château et à Rennes-les-Bains ? L'histoire du Razès n'a rien qui puisse apparemment se différencier de l'histoire d'autres pays de ce genre. Et personne ne devrait plus parler de tout cela.

Seulement, en 1885, un ecclésiastique originaire de la région, l'abbé Bérenger Saunière, est nommé curé de Rennes-le-Château. Et c'est par lui que le scandale arrive.

DEUXIÈME PARTIE

Celui par qui le scandale arrive

I

LE ROMAN DE L'ABBÉ SAUNIÈRE

C'est l'été de 1885. La chaleur est vive dans cette partie des Corbières qui surplombe la vallée de l'Aude. A Paris, le gouvernement de la République expédie les affaires courantes, dans un état de torpeur et d'attente. Les ministres n'ont qu'une idée en tête : regagner leurs circonscriptions, non seulement pour y prendre des vacances, mais parce qu'il y a des élections en octobre suivant et qu'il faut bien préparer les électeurs à les réélire avec une confortable majorité.

La vie est belle pour les serviteurs de la République. Le seul problème, c'est de se faire réélire. Et là, l'avenir n'est pas toujours certain, en particulier à cause de l'Église catholique et romaine. Non seulement les membres du clergé, en vertu du Concordat, perçoivent 75 francs-or par mois, mais ils se permettent de critiquer tant qu'ils peuvent la politique de leurs gouvernants. C'est vraiment «cracher dans la soupe»! Ah! Si Napoléon, le premier, le grand, n'avait pas eu la malencontreuse idée de conclure ce pacte stupide avec le pape, on n'en serait pas là. Il faut donc supporter les ecclésiastiques, réparer leurs églises et leurs presbytères, et leur faire mille amabilités, du moins par-devant. Car on ne se prive pas de tracer des plans très subtils pour en arriver à la séparation des Églises et de l'État. On envisage même de saisir les biens du clergé, ce que bon nombre de souverains légitimes ont déjà fait, avec plus ou moins de réussite d'ailleurs. C'est dire qu'en cette année 1885, les campagnes anticléricales se multiplient chez les Républicains, et que ces campagnes trouvent souvent un écho favorable dans

113

l'Aude qui, comme chacun sait, est un département *de gauche*, un département *rouge*, toujours prêt à emboîter le pas à une révolte ou à une hérésie. N'est-ce point le pays des Cathares ?

A cette époque, le siège épiscopal de Carcassonne est tenu par Mgr Félix Billard, que tous les témoins décrivent comme un homme bon, épris de justice, et très discret. Et il vient de nommer un nouveau curé à Rennes-le-Château, cette paroisse pourrie qui n'arrive pas à disparaître malgré la pauvreté de ses habitants et la rigueur du soleil, et qui ne rapporte rien à l'évêché. Les habitants de Rennes n'ont pas la réputation d'être de fervents chrétiens, et l'on murmure même que certains d'entre eux se livrent à des pratiques de sorcellerie, chose qui n'est d'ailleurs pas rare dans l'ensemble du diocèse de Carcassonne. Mais comme il faut bien un prêtre à Rennes-le-Château, Mgr Billard vient d'y nommer un prêtre de trente-trois ans, encore plein d'illusions, natif de la région, qui en connaît bien la mentalité, et qui, depuis quelques mois, tombait en mélancolie dans une infime paroisse sans intérêt. Ce prêtre, c'est Bérenger Saunière, natif de Montazels, membre d'une honorable famille assez aisée, et dont le frère cadet est prêtre, mais d'un genre à inquiéter les autorités religieuses. Cela fera le plus grand bien à l'abbé Saunière de se retrouver dans ses montagnes natales, et le mettra à l'abri des mauvaises influences qu'il pourrait subir de la part de ce frère sur lequel il vaut mieux faire silence, car on pressent que sa vie quotidienne n'est pas conforme à ce qu'on attend d'un ecclésiastique.

C'est ainsi que, plein de joie, et confiant dans son destin, l'abbé Bérenger Saunière arrive à Rennes-le-Château, une chaude journée de juin 1885. Le village lui semble familier, car il ressemble à tous les villages qu'il connaît dans la région, avec des maisons appuyées les unes sur les autres pour essayer de trouver la fraîcheur, avec des toits de tuiles romanes aux couleurs qui dérivent selon leur ancienneté du rouge vif au brun mêlé de mousses desséchées. « Ce village, écrit Louis Fédié, un témoin de cette époque, offre de grands espaces déserts comprenant presque les deux tiers de la superficie du plateau. Ni le temps, ni la main des hommes n'ont rien changé à la forme de cette masse rocheuse qui, coupée et taillée en forme de cône tronqué, domine la plaine de tous côtés. »

En parvenant sur le faîte, l'abbé Saunière se sent fier. De ce nid d'aigle, il peut dominer la situation. Il sera l'observateur de l'univers et le maître des éléments. N'est-il pas fait pour cela, lui, le prêtre, au service de Dieu et des hommes ? Certes, il se connaît quelques petites faiblesses. Il a quelques ennuis de santé et sait qu'il souffre d'une insuffisance cardiaque. Mais il est jeune, et cela ne l'empêche pas de porter son regard un peu trop longuement sur les femmes, les jeunes surtout, qui passent près de lui. Il est sensible au charme féminin, et il sait très bien que ce n'est pas seulement pour des raisons esthétiques. Le corps a des exigences. La preuve : pourrait-on se passer de manger et de boire ?

Il va rapidement déchanter. La première visite est pour l'église dont il va être le desservant. C'est un spectacle de désolation. Décidément, l'évêque ne lui a pas fait un beau cadeau en lui confiant cette paroisse isolée sur le plateau. La toiture menace ruine. Les verrières ne comportent plus de vitres. La voûte est prête à s'effondrer — du moins le croit-il — et le délabrement intérieur est conforme à l'état du gros œuvre. Bérenger Saunière se demande si son évêque ne l'a pas envoyé ici en pénitence plutôt que pour lui donner une promotion. Le cas est fréquent dans la sainte Église romaine où l'on sait aussi bien punir que récompenser. Mais quelle faute grave a donc commise Bérenger Saunière ? Il a une foi certaine. Il l'a prouvée en maintes occasions. Il s'est dévoué à sa tâche, le plus scrupuleusement du monde. Est-ce qu'il paierait pour son frère ? En tout cas, il se pose la question. Et il s'en va jusqu'au presbytère qui lui est attribué et qui constituera son logement. Même déception... Le presbytère menace ruine, lui aussi. C'est à croire que la commune de Rennes-le-Château, qui a l'obligation d'en assurer l'entretien, est vouée au diable, en l'occurrence aux anticléricaux qui voudraient bien voir la République abandonner la sainte Église à son triste sort, et même tirer à boulets rouges sur l'ambulance.

Du coup, Bérenger Saunière sent se réveiller ses pulsions monarchistes. Républicain, il ne l'a été que dans la mesure où il fallait bien se résoudre à accepter le fait accompli. Mais, dans sa famille, on est pour la Tradition. Et la Tradition, c'est avant tout l'Église. Et qui défend le mieux l'Église sinon la monarchie, seul régime qui puisse encore sauvegarder l'alliance du Sacerdoce et de l'Empire, harmoniser les rapports entre le Sacré et le Profane. Mais l'abbé Saunière se dit en lui-même qu'il changera cet état de choses. C'est un lutteur. Malgré ses faiblesses, il a des ressources physiques et une certaine intelligence. Il *veut* que tout cela change et prend l'engagement, devant Dieu comme devant lui-même, de contribuer à faire de la paroisse qu'on lui a confiée la plus belle paroisse du diocèse. Il s'en sent parfaitement capable. Avec un peu de temps et beaucoup d'énergie, il prouvera à tous ces paysans, et aussi à son évêque, qu'il n'a pas l'âme d'un esclave. Patience... Dans sa famille, il le sait bien, on ne reste jamais sur un échec et on ne se laisse jamais abattre par l'adversité, qu'elle vienne des hommes ou du Diable. En l'occurrence, le Diable est là. Mais qu'on se rassure, Bérenger Saunière saura conjurer le Diable. Il imagine même que c'est le Diable qui accueillera les fidèles à la porte de l'église, mais dans une terrible position d'infériorité, supportant un bénitier rempli bien entendu d'eau bénite, ce que, chacun le sait, le Diable ne peut assumer sans souffrances atroces. Le Diable le cherche ? Eh bien, lui, l'abbé Bérenger Saunière, il saura lui faire plier le genou. N'y a-t-il pas, un peu partout, des contes populaires dans lesquels on prétend que les grands saints de ce monde ont fait construire au Diable des édifices, des ponts et même des cathédrales[1] sans rien donner en échange, parce que le Diable se fait toujours « rouler » par ceux qui ont le cœur pur ? Ainsi est prise la décision de Bérenger Saunière. On lui a donné un roc inhospitalier. Il s'y accrochera. Et il en fera le plus beau de tous les rocs. Le tout est maintenant de trouver les moyens d'arriver à ce but.

La première chose à faire, c'est de régulariser la situation. Saunière va donc trouver le maire, se faire enregistrer par lui (son traitement est à ce prix) et aussi assommer celui-ci de doléances concernant l'état de l'église et du presbytère. Le maire ne peut que lui répondre que la commune n'est pas riche, qu'elle n'a pas les moyens de faire les réparations nécessaires, et qu'on verra plus tard ce qu'il convient de faire. Et il conseille au nou-

---

1. C'est notamment le cas à Tréguier (Côtes-du-Nord), où une légende locale fait état d'un pacte entre saint Tugdual et le Diable. Le Diable devait construire la magnifique cathédrale en une nuit, moyennant la possession des âmes de ceux qui mourraient entre la grand-messe et les vêpres, le dimanche suivant. Mais saint Tugdual, après avoir terminé la grand-messe, entonna immédiatement le premier chant des vêpres. Les variantes de ce thème sont innombrables.

veau curé de se loger provisoirement chez un habitant de la paroisse. C'est ainsi que Saunière va prendre pension chez une femme du village, pour une somme modeste, et qu'il fera des dettes chez l'épicier, parce qu'il n'a pas encore reçu son traitement et que ses économies sont maigres [1].

L'été se passe calmement. Saunière essaie de parer au plus pressé, c'est-à-dire de débarrasser l'église des décombres qui s'y sont accumulés. Il demande à des paroissiennes dévouées d'y faire le ménage et parvient ainsi à présenter un lieu de culte honorable. Et puis, un beau jour, il reçoit la visite de son confrère le plus proche, l'abbé Boudet, curé de Rennes-les-Bains. Boudet vient vers Saunière en personnage condescendant. Boudet est sûr de lui, légèrement infatué de sa personne, comme s'il disposait lui-même d'informations confidentielles, et il réussit à convaincre Saunière que certaines de ces informations lui sont destinées, mais que lui, Boudet, les lui distribuera une par une, à condition que Saunière se montre coopératif.

De quelle coopération s'agit-il ? Voilà bien le mystère. En bon matou rusé qu'il est, Boudet se garde bien d'affirmer quoi que ce soit. Il se contente de suggérer, de donner des conseils à son confrère. Saunière, qui est plus jeune que Boudet, se sent impressionné. D'ailleurs, la réputation de Boudet est là, et qui s'impose : c'est un savant, qui a publié des articles dans des revues, et même des livres, et qui, en plus, est en relation avec des gens très influents, lesquels, soit dit en passant, sont susceptibles de fournir des fonds à une entreprise de restauration de l'église Sainte-Madeleine de Rennes-le-Château. Saunière commence à rêver. Se peut-il que ce modeste curé de Rennes-les-Bains ait tant d'influence ? Il importe donc de se conformer à ce que lui dira son aîné, et *surtout d'essayer de comprendre ce que l'autre lui raconte en termes très sibyllins.* En somme, il s'agit là, bel et bien, de la « première tentation de l'abbé Saunière ». Ce ne sera pas la dernière.

Et l'abbé Boudet invite son jeune confrère à lui rendre visite à la cure de Rennes-les-Bains. A l'époque, on se déplaçait à pied, à dos de cheval ou en carriole. Il y a loin entre Rennes-le-Château

---

1. Je raconte ici le *roman* de l'abbé Saunière, roman tel qu'on l'a bâti depuis 1956. Il est inutile de dire que la réalité est tout autre.

et Rennes-les-Bains, et tout le monde n'a pas la chance d'avoir une carriole comme l'abbé Boudet. Néanmoins, l'abbé Saunière se débrouille pour descendre dans la vallée, grâce à un paysan des alentours. Le voici dans la cure de Rennes-les-Bains. Cela le change de la misère de son propre presbytère. De beaux meubles, des tableaux, un bureau rempli de livres, car l'abbé Boudet est un intellectuel distingué, et surtout un repas comme on n'en sert que dans les grandes occasions. La servante de M. l'abbé Boudet n'est peut-être pas très jolie, et elle a l'âge canonique depuis bien longtemps, mais c'est une cuisinière hors pair. Bérenger Saunière n'en revient pas. Se peut-il que l'abbé Boudet qui dispose à l'époque d'une population de 447 habitants (ce qui ne veut pas dire 447 fidèles) soit si à l'aise ? Comment se fait-il qu'il ait pu accumuler tant de livres, tant de beaux objets ? Certainement, l'abbé Boudet fait partie d'une famille très aisée. Or ce n'est pas le cas. Alors, que penser de cet étalage que Boudet, avec un certain cynisme, fait remarquer à son confrère ? Où se trouve-t-il ? Après tout, Boudet et lui ne sont que de modestes desservants de paroisses pauvres. Et le curé de Rennes-le-Château se demande d'où provient l'aisance de son confrère de la vallée.

Celui-ci se garde bien de le lui dire. Mais il fait tout pour exciter sa curiosité, et par conséquent son envie. Saunière se dit qu'après tout, il pourrait bien, lui aussi, traiter ses visiteurs avec autant de magnificence que Boudet. Il a le sentiment d'être le parent pauvre, qu'on le reçoit aimablement, certes, mais avec une certaine condescendance. Or Saunière est orgueilleux. C'est encore l'une de ses faiblesses. Il sait qu'un jour ou l'autre, il devra rendre à Boudet cette invitation, et qu'il devra la lui rendre au centuple. C'est la tempête sous le crâne d'un curé de campagne. Et Boudet qui prolonge à loisir son étalage de richesses... Boudet serait-il l'image, ou plutôt l'incarnation, du tentateur tel que le décrit Balzac dans *le Père Goriot*, sous les traits de Vautrin ? Saunière se souvient d'avoir lu cela au séminaire, en cachette bien entendu, parce que Balzac est à l'index, en tant qu'artisan de la perversion des âmes. On a dû oublier, dans les hautes sphères ecclésiastiques, qu'Honoré de Balzac, digne élève des Oratoriens du collège de Tours, a décrit, dans *Louis Lambert*, les états d'âme d'un jeune homme en proie aux démons de la spiritualité, pour ne pas dire du spiritisme. Enfin, Bérenger Saunière laisse de côté ses souvenirs littéraires : ils rejoignent trop ses émois d'adolescent devant la description de la beauté juive d'Esther Gobseck. Il écoute ce que lui raconte Boudet, lequel mêle à ses tentations des considérations fort bien venues sur les curiosités du pays, sur des roches curieuses, sur des grottes qui contiendraient des secrets ou des trésors. Et Boudet termine en disant que certaines personnes comptent fermement sur Saunière pour accomplir une mission qui pourrait lui être confiée. Saunière s'étonne. Comment un pauvre curé de campagne comme lui pourrait-il servir les desseins des grands de ce monde ? Boudet le rassure : dans l'existence, chacun a son rôle à jouer, et personne n'est inutile, et ce sont souvent les plus humbles qui sont promis aux plus hauts destins. Parole d'évangile : les premiers seront les derniers, et inversement.

Bérenger Saunière ne sait plus où il en est. La servante s'empresse, verse des liqueurs. La tête lui tourne. Il voudrait bien être là-haut, sur le plateau, à l'abri de ces délices un peu louches que lui propose Boudet. Après tout, il ne sait pas qui est Boudet. On raconte qu'il s'enferme pendant des journées dans son cabinet de travail et qu'il compulse des vieux grimoires. On raconte aussi qu'il parcourt la campagne, des cartes à la main, et qu'il cherche, Dieu sait quoi, mais sûrement pas le bon Dieu. Par ailleurs, c'est un prêtre irréprochable et l'on suit attentivement tous ses sermons sans être obligé d'aller boire un verre au bistrot le plus proche. Mais pourquoi Boudet insiste-t-il tant pour signifier à Bérenger Saunière qu'il lui est demandé d'accomplir une mystérieuse mission ? Et le jeune curé regagne Rennes-le-Château dans la carriole de son paysan qui l'a patiemment attendu. Le voici de nouveau dans le village. Il dort, du sommeil du juste, semble-t-il. Mais le Diable le guette.

L'été se passe. Les élections ont lieu, à deux tours, comme il se doit, les 4 et 18 octobre 1885. Mais avant l'ouverture des bureaux de vote, l'abbé Bérenger Saunière, le matin du 18 octobre, s'adresse à ses fidèles dans l'église Sainte-Madeleine de Rennes-le-Château. Et ce qu'il dit est assez surprenant. Il se félicite en effet que le premier tour ait donné des résultats satisfaisants, mais que la victoire n'est pas complète. En cette occasion, il invite les femmes de la paroisse — qui sont évidemment les seules à assister à la messe — à agir de toutes leurs forces sur leurs hommes pour que ceux-ci « fassent le bon choix », c'est-à-dire éclairer les électeurs peu instruits pour les convaincre de nommer les défenseurs de la religion. Et il prononce même des paroles qui ont été scrupuleusement rapportées : «Les Républicains, voilà le Diable à vaincre et qui doit plier le genou sous le poids de la religion et des baptisés. Le signe de la croix est victorieux et avec nous!» On croirait déjà voir l'ornementation de l'église de Rennes-le-Château, avec le diable Asmodée et aussi l'inscription bien connue : «Avec ce signe, tu le vaincras.» Quelle mouche a donc piqué le curé Saunière? Est-ce donc le bon vin que lui a fait boire l'abbé Boudet? Il y a là un mystère, un de plus dans ce Razès où la logique habituelle ne paraît pas tellement à l'honneur. En fait, Bérenger Saunière, par ce sermon intempestif, est en train de cracher franchement dans la soupe, sur son traitement mensuel, qui lui est octroyé par l'État français, tout républicain qu'il soit.

Car ce sermon, en fait un discours politique qu'il n'a pas le droit de prononcer, est une atteinte à la «réserve» qu'il est tenu d'observer en tant que «fonctionnaire». Sa hargne contre les Républicains, lesquels envisageaient sérieusement, dès 1885, une action contre le cléricalisme, n'a d'égale que son inconscience. Il prône le vote pour la droite conservatrice, pour ne pas dire réactionnaire. Or, le Midi occitan, l'Aude en particulier, est en train de virer à ce qu'on appelle le «rouge», et qui, de nos jours, serait plutôt considéré comme «rose pâle». Les Radicaux triomphent un peu partout, et Saunière, en tant que curé de paroisse émargeant au budget de l'État, est dénoncé au préfet de l'Aude pour incitation au désordre et pressions électorales. Il est certain que la loi et les règlements sont contre Saunière. Il s'est mis dans son tort. Le préfet de l'Aude ne peut que conclure à sa culpabilité et il décide une suspension de traitement, suspension entérinée aussitôt par le ministère des Cultes. Pauvre Bérenger Saunière! Plus tard il sera *suspens a divinis* par son propre évêque. Mais pour l'instant, il est «suspendu de traitement» par son préfet.

Cette situation est grave, car l'abbé n'a plus aucune ressource. Mgr Billard le comprend bien, et pour essayer de remédier à ce désagrément, il nomme l'abbé Saunière au poste de professeur au petit séminaire de Narbonne. Mais, surtout, il lui octroie, sur ses propres deniers, deux cents francs, une somme considérable pour l'époque. Faudrait-il donc croire que Bérenger Saunière est protégé par Mgr Félix Billard?

120

Là, le roman atteint des sommets, et les versions, qui divergent dans les appréciations et les détails, sont toutes d'accord sur un point : l'abbé Bérenger Saunière était manipulé par Mgr Billard, évêque de Carcassonne, mais surtout membre éminent d'une secte mystérieuse qui avait pour but de faire retrouver un trésor et des documents cachés à Rennes-le-Château, afin de contribuer au rétablissement sur le trône de France du représentant légitime de la dynastie primitive, sous-entendez les Mérovingiens, eux-mêmes héritiers d'une lignée encore plus prestigieuse puisqu'il ne s'agissait pas moins de celle de David en passant par Jésus et Marie-Madeleine [1]. Et c'est le pauvre abbé Bérenger Saunière, enfant du pays, qui avait été choisi pour cette mission délicate entre toutes. Mgr Billard ne pouvait décemment pas le laisser dans le besoin puisqu'il avait, en fait, obéi à ses ordres, ne fût-ce que par les paroles ambiguës de l'abbé Boudet, lui-même personnage influent de cette même secte.

Mais on sait que ces brouilles entre autorités divergentes ne durent guère. Après une période où l'intimidation se manifeste de part et d'autre, on en arrive finalement à un compromis. En juillet 1886, le préfet de l'Aude, estimant que la punition a assez duré (et sans doute excédé par les pressions qu'il subissait à ce sujet), rapporte la suspension et réintègre Bérenger Saunière dans ses fonctions administratives, avec rétablissement de son traitement mensuel. Celui-ci peut donc remonter triomphalement à Rennes-le-Château.

Triomphalement, c'est beaucoup dire. Les quelques femmes de la paroisse accoutumées à ses prêches se réjouissent, mais les maris, qui ont tous voté pour les Radicaux, beaucoup moins. Voici de nouveau dans leurs murs un empêcheur de danser en rond, un personnage qu'on sait profondément ennemi de la démocratie et qu'il convient de mettre au pas si l'on ne veut pas avoir de problèmes tant avec la préfecture qu'avec l'évêché. Les gens de Rennes-le-Château sont profondément anticléricaux. Ils l'ont démontré depuis l'époque cathare. On va donc surveiller le curé tout en faisant semblant de lui donner satisfaction sur des points qui ne font de tort à personne. Telle sera la politique de la municipalité durant le ministère de l'abbé Saunière.

_____

1. Encore une fois c'est le roman que je raconte ici, et non les faits historiques.

Cependant, Saunière ne revient pas les mains vides de Narbonne. Il a en effet, à sa disposition, une somme considérable de 3 000 francs-or qui lui a été généreusement attribuée par la comtesse de Chambord, veuve du comte de Chambord, prétendant légitimiste au trône de France et qui vit en exil en Autriche. Si Saunière se souvient des paroles de l'abbé Boudet, il lui semble qu'il y a là la preuve que des personnes haut placées attendent quelque chose de lui. Et, curieusement, d'après les documents dont on dispose, le coût total des réparations les plus urgentes à effectuer dans l'église de Rennes-le-Château se montait à 2 797 francs. La coïncidence est trop belle pour être fortuite. Par le biais de l'abbé Boudet, et avec la bénédiction évidente de Mgr Billard, l'abbé Saunière est missionné pour accomplir quelque chose qu'il ne comprend peut-être pas bien mais qui est essentiel. Et il se remémore certaines paroles de Boudet, alors qu'il était lui-même sous le charme du vieil armagnac de son confrère : « Il y aura aussi une fortune pour vous si vous savez vous y prendre. » Ce sont des paroles auxquelles on ne croit pas sur le coup, mais lorsque tombe un pactole de 3 000 francs, on commence à s'y intéresser. Alors, que faire d'autre que de commander de toute urgence des travaux de réfection pour l'église paroissiale de Rennes ? C'est ce que fait Saunière, qui n'oublie d'ailleurs pas son vœu de faire de Rennes-le-Château la plus belle paroisse du diocèse.

Bérenger Saunière a les mains libres pour cette restauration. Les lois sont en effet ainsi rédigées que lorsqu'on constate l'impossibilité d'action du Conseil de fabrique et de la commune, c'est au desservant de la paroisse d'agir. Or, à Rennes, la commune est trop pauvre pour entreprendre les moindres travaux, et le Conseil de fabrique ne dispose que d'une petite somme léguée par un ancien curé. Saunière va donc prendre en charge la presque totalité des frais de réparations, grâce au don que vient de lui faire parvenir la comtesse de Chambord. Et il va immédiatement se préoccuper des vitraux (qui manquaient), de la chaire (qui est délabrée) et de l'autel (qui menace ruine). Pour ce faire, il s'adresse à des artisans et convient avec eux du prix des travaux, des délais d'exécution.

Mais c'est à ce moment-là qu'il reçoit une visite. Une jeune fille se présente à lui, de la part de l'abbé Boudet. Elle lui déclare que le curé de Rennes-les-Bains lui a demandé de venir s'occuper de lui pour lui permettre d'accomplir son ministère dans les meilleures conditions possibles. Cette jeune fille, c'est une ouvrière en chapellerie, et elle se nomme Marie Dénarnaud[1]. Saunière, qui a emménagé dans le vieux presbytère après avoir « colmaté les brèches », accepte que Marie Dénarnaud soit sa servante. Mais la présence de cette jeune fille d'une assez agréable beauté lui cause certains tourments bien compréhensibles. Et, quelques jours plus tard, Marie Dénarnaud, de modeste servante qu'elle était, devient la maîtresse du sémillant et robuste curé de Rennes-le-Château. Elle le demeurera toute sa vie, faisant preuve d'une fidélité exemplaire envers l'homme auquel elle consacre son temps, et cela malgré les infidélités dont il se rendra coupable à son égard. Car, on le répète souvent dans le pays, Bérenger Saunière a « le sang chaud », et Marie Dénarnaud n'est pas la première à l'entraîner sur la voie du péché[2]... D'ailleurs, l'exemple de son frère, le Jésuite rejeté par sa confrérie et qui vivra bientôt en concubinage notoire, est en quelque sorte un encouragement pour lui. Et puis, quelle belle histoire d'amour que cette aventure passionnée entre un modeste curé de paroisse et sa jeune servante ! Évidemment, elle n'a pas l'âge canonique, c'est-à-dire l'âge requis par les règlements ecclésiastiques. Mais qui s'en soucie à Rennes-le-Château ? Après tout, comme l'on dit, « le curé, c'est un homme comme les autres » !

Voilà donc notre abbé Saunière en ménage, même si ce ménage dégage une odeur quelque peu sulfureuse. Et comme nul ne s'en plaint, pourquoi ne pas continuer, et même afficher cette liaison hors du commun ? Saunière est de plus en plus en contact avec l'abbé Boudet qui semble se montrer ravi de la bonne entente qui se manifeste entre Marie et Bérenger. Après tout, pourquoi Marie Dénarnaud ne serait-elle pas un pion, et un pion d'une grande importance, dans le jeu qu'on veut faire jouer

_____

1. Épisode totalement inventé. Cette liaison possible — plus tardivement, mais non prouvée — entre Saunière et Marie Dénarnaud ne doit strictement rien à une intervention de l'abbé Boudet, ce qui est fort regrettable pour nos faiseurs de romans. Mais c'est ainsi.

2. Les membres du clergé séculier, donc les prêtres de paroisse, font vœu de célibat, mais non vœu de chasteté. Ce sont les membres du clergé régulier, donc les moines et les religieuses, qui font ce vœu de chasteté.

au curé de Rennes-le-Château ? Dans l'imaginaire, les espionnes et les agents secrets du sexe féminin ont toujours un grand succès et provoquent une estime un peu trouble. Oui, effectivement, si Marie Dénarnaud est devenue la maîtresse de Saunière, c'est sur ordre supérieur. Elle s'est dévouée, la pauvre fille. Mais elle en a été bien récompensée, puisque Saunière, par la suite, mettra tout ce qu'il possède au nom de sa servante[1]. Voilà encore de quoi faire rêver quelques âmes sensibles.

Mais cet amour « imprévu » n'empêche pas Bérenger Saunière de poursuivre son œuvre. Il se met d'accord avec la municipalité, propriétaire du sanctuaire, ne l'oublions pas, et fait une première tranche de travaux. Les membres du conseil municipal comprennent d'ailleurs que l'intérêt général est de participer à cette réfection de l'église Sainte-Madeleine, et ils votent une modeste subvention qui est mise à la disposition du curé. Les rapports entre le maire et le curé, qui étaient tendus à l'origine, deviennent beaucoup plus aimables. Le maire s'efforce de faire plaisir au curé, et celui-ci s'efforce de ne pas être désagréable envers le maire. La nuance est d'ailleurs de taille, car Saunière n'abandonne pas pour autant ses idées réactionnaires et affiche toujours, devant tout le monde, son désir de voir la France redevenir une monarchie absolue de droit divin. Les sermons du curé sont nets : ils se réfèrent tous à la vieille distinction médiévale des trois classes, ce qui correspond d'ailleurs curieusement à la fameuse tripartition indo-européenne mise en évidence par les travaux de Georges Dumézil, tripartition que l'on retrouve chez tous les peuples de l'Europe occidentale et que le Christianisme médiéval a admirablement récupérée.

Pour mettre en œuvre ses projets, Bérenger Saunière n'hésite pas à porter la bonne parole auprès de certaines personnes de sa

---

1. Authentique. A sa mort, Saunière ne possédait rien. Tout était au nom de Marie Dénarnaud. Dans ces conditions, pourquoi imaginer une scène absurde où l'on voit Saunière léguer ses biens à sa servante bien-aimée ? La réalité est d'ailleurs assez prosaïque : après la saisie des biens du clergé et la séparation de l'Église et de l'État, aucun ecclésiastique n'avait intérêt à posséder des biens en son nom propre, et nombreux furent ceux qui utilisèrent des prête-noms, ou qui organisèrent des « associations loi de 1901 », pratiques qui sont toujours de mise aujourd'hui. Si, par hasard, de nos jours, l'État décidait de saisir les biens du clergé, il ne saisirait rien, puisque officiellement le clergé ne possède rien (en dehors des salaires et des biens familiaux personnels).

connaissance. Ainsi persuade-t-il un limonadier (*sic*) du nom d'Élie Bot[1], lequel réside à Luc-sur-Aude mais dispose d'abondants loisirs, de venir l'aider le samedi après-midi et le dimanche à entreprendre les travaux les plus urgents. Il s'assure également le concours d'un jeune homme de quatorze ans, un certain Pibouleau, originaire du Bézu. Avec cette main-d'œuvre non qualifiée mais dévouée, l'abbé Saunière se met à bouleverser l'intérieur de son église.

Pourquoi s'acharner sur l'intérieur de l'église alors que les travaux les plus urgents concernaient la toiture et les ouvertures ? La réponse est toute simple : l'abbé Boudet avait fait savoir à Saunière que *ceux qui s'intéressaient à Rennes-le-Château* désiraient que le curé s'occupât essentiellement de ce qu'il y avait à l'intérieur. C'est à partir de là que, selon ce qu'il découvrirait, il pourrait entreprendre d'autres recherches, beaucoup plus fructueuses et auxquelles on tenait essentiellement *en haut lieu*. Décidément, le maître d'œuvre était le curé de Rennes-les-Bains et non celui de Rennes-le-Château. Bérenger Saunière n'entreprend jamais rien sans le conseil — ou l'ordre, allez savoir — de son confrère d'en bas. C'est sans doute parce que Boudet lui a promis de grandes richesses qui lui permettront de transformer sa paroisse. A moins qu'il ne faille considérer les murmures plus discrets de Marie Dénarnaud. Les « dialogues sur l'oreiller » sont parfois très intéressants, et d'ailleurs, dans le pays, si l'on admet fort bien que le curé couche avec sa servante, on commence à prendre ombrage de l'importance exceptionnelle que prend la petite Marie. Chaque fois qu'on veut aller voir M. le Curé, il faut passer par Marie Dénarnaud, et elle semble se comporter en patronne non seulement du presbytère, mais encore de l'église. On jase. On se demande bien ce qu'ils trafiquent, ces deux-là, surtout avec Élie Bot et le jeune Pibouleau. On imagine des scènes curieuses. On rappelle à qui veut l'entendre que les curés, quels qu'ils soient, ont la réputation de faire « des tours de physique », c'est-à-dire, en bon français, de pratiquer la magie — blanche ou noire, mais plutôt noire que blan-

---

1. Dans certaines versions du « roman », Élie Bot est devenu un Juif détenteur des secrets de la Kabbale, et homme lige d'un mystérieux prieuré qui tire les ficelles de toute cette affaire.

che ! —, ce qui accroît d'une part l'admiration des paroissiens pour leur pasteur, mais aussi leurs craintes respectueuses. On ne sait jamais : il vaut mieux être bien avec lui plutôt que de subir des maléfices dont on n'explique pas l'origine.

Il est vrai que l'abbé demeure souvent seul dans son église. On se doute que ce n'est pas seulement pour prier. Que cherche-t-il ? On pense qu'il sonde les murs et le sol, qu'il gratte certaines couches de plâtre ou d'enduit pour essayer de savoir ce qu'il y a derrière. De toute évidence, Saunière sait que l'église Sainte-Madeleine renferme quelque chose d'intéressant et que s'il parvient à trouver, il pourra transformer le sanctuaire et l'orner à sa façon. Il espère ainsi, et c'est humain, laisser sa marque à ce lieu où le destin, aidé par l'autorité épiscopale, l'a conduit. Et il se dit que la meilleure façon de commencer la rénovation, c'est de remplacer le vieil autel. Il commande donc à la maison Monna, de Toulouse, un nouvel autel en terre cuite. Il s'agit maintenant de faire place nette et de déplacer l'ancien monument.

C'est alors le moment décisif. Un jour qu'il est en train de travailler avec ses deux aides à soulever la pierre de l'autel, il remarque que le pilier, ce fameux pilier pseudo-wisigothique, est creux, mais bourré de fougères. Saunière fouille l'intérieur et en ramène deux ou trois rouleaux de bois autour desquels sont enroulés des parchemins. Devant ses témoins, Saunière les déroule, mais ces documents demeurent incompréhensibles, car ils sont écrits dans une graphie illisible pour le commun des mortels. Il faudrait être archiviste-paléographe, ou tout au moins expert en écriture ancienne, pour pouvoir les déchiffrer. Mais cette découverte fait réfléchir Saunière. Il sait que, lors de son départ en exil, pendant la Révolution, son lointain prédécesseur l'abbé Bigou avait caché quelque chose dans l'église. Sûrement, il doit y avoir d'autres cachettes. Il poursuit donc son travail, essentiellement aux endroits qu'il a sondés et qui peuvent se révéler creux. Et il se fait aider par les garçons du village.

« Un dimanche, après la messe, l'abbé Saunière demanda à ses enfants de chœur, tout au moins ceux qui avaient 9 ou 10 ans, d'effectuer pour lui le jeudi suivant, après le catéchisme, un petit travail. En récompense, le curé leur promettait un bon goûter. Et, le jour prévu, après le catéchisme, Saunière ferma l'église de l'intérieur. Sur le sol de l'allée centrale, non loin de la marche du chœur, des barres de fer étaient disposées près d'une grande dalle unie. Tout le pourtour était dégagé. L'abbé et les enfants enfoncèrent les barres de fer sur les côtés de la dalle et faisant levier pressèrent pour soulever cette masse. Ce fut un travail véritablement pénible. Enfin, la bonne volonté et les efforts de tous donnèrent un résultat : la dalle se souleva peu à peu. Ils la décalèrent un peu, ce qui leur permit d'apercevoir quelques marches d'escalier. Malheureusement, il faisait sombre, malgré un rayon de soleil qui éclairait la nef. Comme il était midi, Saunière les remercia en leur disant : « Écoutez, nous arrêtons le travail ; vous pouvez aller vous amuser, mais à 4 heures, venez goûter... » Et tout se passa ainsi [1]. Mais les enfants ont eu le temps de voir qu'au fond de la cavité, il y avait une « oule », c'est-à-dire un grand pot, et que, dans ce pot, il y avait des objets brillants comme des pièces de monnaie en or.

Bien sûr, personne n'a su ce qu'avait fait l'abbé entre midi et quatre heures. Il est probable qu'il a consciencieusement exploré le souterrain. Il y a découvert le pot, et l'a emporté. Il a peut-être découvert d'autres objets, ou même des documents. Il ne l'a dit à personne. Quant à la dalle ainsi soulevée, c'est celle que l'on connaît aujourd'hui sous l'appellation de « Dalle du Chevalier », et qui est exposée au petit musée attenant à l'église de Rennes.

Maintenant, le bruit court que le curé a trouvé un trésor, et les langues vont bon train. Mais on ne cherche pas à lui demander quel est ce trésor. Depuis longtemps, les habitants de Rennes-le-Château savent que de nombreuses caches ont été aménagées au cours des siècles, et que certaines de ces caches contiennent des objets de valeur. Il y en a même qui en ont trouvé, et qui se sont bien gardés d'ameuter les foules, préférant conserver leurs découvertes pour eux, et les monnayer ensuite discrètement lorsqu'ils en avaient l'occasion. On ne va donc pas reprocher à Saunière ce que chacun est capable de faire. D'ailleurs, quelques jours plus tard, aidé d'Élie Bot et de quelques personnes, Saunière entreprend de débarrasser l'emplacement du

---

1. Témoignage recueilli par Pierre Jarnac et publié par lui dans son *Histoire du trésor de Rennes-le-Château*, pp. 140-145.

maître-autel. Et là, on découvre encore une «oule» remplie d'objets brillants. Et Saunière, prétextant l'heure du repas, renvoie ses ouvriers et reste seul dans l'église.

La vie de Bérenger Saunière va se trouver complètement bouleversée par ces découvertes, lesquelles ne sont d'ailleurs pas fortuites. Certes, il a longtemps tâtonné, mais il a toujours cherché aux bons endroits. Il faut qu'il ait reçu quelques indications. Et qui donc aurait pu les lui donner sinon son confrère l'abbé Boudet, au nom bien entendu de cette mystérieuse confrérie qui se cache derrière le curé de Rennes-les-Bains? Mais ce qui intrigue le plus Saunière, ce sont ces fameux manuscrits. Il est incapable de les lire et de les comprendre. Il va donc trouver Boudet, le met au courant de ses différentes trouvailles et lui demande conseil. C'est là que le roman prend son aspect le plus ténébreux et aussi le plus suspect.

L'abbé Boudet commence par féliciter son confrère de l'excellent travail qu'il vient d'accomplir. Il lui révèle que le «trésor» qu'il vient de mettre à jour est sa récompense, son «salaire» en quelque sorte, et qu'il peut le garder pour lui, quitte à en faire bénéficier le sanctuaire. Mais que Saunière prenne garde : il lui faut se mettre d'accord avec la municipalité pour que celle-ci ne puisse point lui reprocher des actes malhonnêtes. D'ailleurs, la municipalité ne pourra refuser puisqu'une partie du «trésor» servira à l'aménagement d'un bien communal. Quant aux manuscrits, Boudet demande à Saunière de les lui confier pour l'instant afin qu'il puisse essayer de les déchiffrer. Puis il renvoie son confrère dans sa paroisse, lui précisant qu'il lui donnera bientôt d'autres instructions[1].

Effectivement, Saunière prévient le maire de ses découvertes. Mais il semble qu'il en minimise l'importance. Il insiste surtout sur les manuscrits et obtient de la municipalité un accord

---

1. On constate ici de nombreuses incohérences dans le roman. La découverte a lieu en 1886, et ce n'est qu'en 1893 que Saunière aurait été à Paris avec les fameux manuscrits. Pourquoi attendre si longtemps? Il n'est aucunement prouvé que l'abbé Boudet ait eu connaissance des parchemins. Cependant, étant donné que Boudet avait la réputation d'un savant et qu'il se piquait d'archéologie, il n'est pas impossible que Saunière lui ait demandé de les étudier. Le problème, dans ce cas, est de savoir pourquoi Boudet a tant tardé à conseiller à Saunière de les faire déchiffrer à Paris.

128

de principe pour qu'ils puissent être vendus au cas où ils présenteraient un intérêt quelconque. En attendant, les aménagements intérieurs de l'église se poursuivent. En 1887, le nouveau maître-autel en terre cuite est mis en place, et deux mois plus tard, ce sont des vitraux qui sont installés aux fenêtres du chœur et de la nef. Puis Saunière fait consolider les murs. Enfin, il commande au statuaire Giscard, de Toulouse, un bas-relief qui devra être placé à la porte d'entrée, agrémenté d'une statue, en l'occurrence celle de Marie-Madeleine, patronne de l'église. Le travail est accompli en 1891, et cette même année, Saunière demande au conseil municipal l'autorisation de clôturer à ses frais la place publique jouxtant l'église afin d'y élever un monument religieux. Cette autorisation lui est accordée moyennant certaines conditions : la clé de la porte qui donnera accès à cette place devra être constamment tenue à la disposition de la municipalité, car il s'agit d'un terrain communal accessible à tous. L'autorisation précise également que cela ne confère au curé aucun droit de propriété sur les lieux ainsi aménagés.

Bérenger Saunière ne perd pas de temps. C'est alors qu'il fait déplacer et tailler la pierre dite wisigothique et qu'il en fait un support pour une statue de Notre-Dame de Lourdes, avec la mention « Mission 1891 », et un chapiteau sur lequel il fait graver « pénitence, pénitence ». C'est le 21 juin 1891 que Bérenger Saunière procède à l'inauguration et à la bénédiction des nouveaux aménagements extérieurs, en présence de tous les paroissiens, de nombreux ecclésiastiques des environs, et du père Ferrafiat, de Limoux, qui est venu prêcher la Mission pendant une semaine. Quoi de plus orthodoxe que cette pieuse manifestation ? Le curé de Rennes-le-Château commence à être connu dans la région pour son incessante activité en faveur de son sanctuaire, et nul ne s'en plaint.

Mais il y a les manuscrits. Saunière ne les a pas oubliés. Boudet lui a avoué son incompétence à les interpréter. Saunière les a repris, et comme le maire lui a demandé de les confier aux archives de la mairie, le curé se contente de lui en donner des copies, du moins, c'est ce qu'on raconte, car il est bien évident que Bérenger Saunière aurait été incapable d'en faire des reproductions convenables, puisqu'il ne savait pas les lire. Bref, toujours sur les conseils de Boudet, Saunière va trouver son évêque, Mgr Billard, et lui expose son problème. L'évêque considère les documents avec un grand intérêt. Il semble que trois d'entre eux soient des prières, mais que le quatrième soit une généalogie assez compliquée. Mais Mgr Billard n'est pas archiviste-paléographe, et lui non plus ne parvient pas à déchiffrer ces documents.

Alors, dans ce cas, il faut s'adresser à quelqu'un de compétent. La solution la plus simple serait d'aller aux Archives départementales de l'Aude : il s'y trouverait sûrement un spécialiste de cette écriture ancienne. Eh bien, non. Mgr Billard ne veut pas entendre parler des Archives de l'Aude. Elles sont tenues par des gens qui sont vraiment trop républicains, donc trop anticléricaux : il est impossible de leur confier des documents qui pourraient servir leur propagande en faveur de la laïcité. Et, qui sait ? Ces documents contiennent peut-être des secrets qu'il serait dangereux de divulguer. Il vaut mieux rester entre soi. Mgr Billard invite donc l'abbé Saunière à se rendre à Paris trouver des gens de confiance. Il remet au curé de Rennes-le-Château une lettre de recommandation pour un étrange libraire du nom d'Ané, qui édite des livres religieux et qui est en rapport avec l'abbé Bieil, directeur du séminaire de Saint-Sulpice. L'abbé Bieil pourra ainsi prendre en charge le curé de campagne, examiner à loisir les manuscrits et dire son opinion. De toute façon, le libraire Ané a un neveu qui poursuit ses études pour devenir prêtre et qui est un spécialiste des langues anciennes et de tout ce qui relève de la cryptographie. Ce neveu, Émile Hoffet, pourra être d'un grand secours pour l'abbé Saunière. Et Mgr Billard, décidément plein d'attentions envers Saunière, après l'avoir engagé à quitter sa cure pendant trois semaines, lui donne 1 400 francs pour payer non seulement son voyage et son séjour, mais également le travail d'investigation et de transcription qui pourra être fait sur les manuscrits.

Cette attitude de l'évêque de Carcassonne indique clairement qu'il porte un grand intérêt aux parchemins découverts par l'abbé Saunière [1]. Mais le curé de Rennes-le-Château sait très bien à quoi s'en tenir depuis que l'abbé Boudet lui a révélé l'existence de cette confrérie secrète à laquelle, soi-disant, appartient Mgr Billard. Saunière attendait des instructions : les voici. Et, sans plus tarder, il part pour Paris.

---

1. Il n'existe aucune preuve de cette entrevue entre Saunière et son évêque, pas plus que de documents concernant la mission confiée au curé de Rennes-le-Château.

On imagine mal l'abbé Bérenger Saunière débarquant du train en plein Paris, avec sa soutane démodée, ses hésitations bien compréhensibles. Paris, surtout à une époque où les provinciaux voyageaient très peu, était réellement un monde étranger, un monde à part, pour ce pauvre petit curé de campagne. Néanmoins, dès son arrivée, Saunière va trouver le libraire Ané, qui le loge chez lui, lui promettant de lui faire rencontrer l'abbé Bieil dès le lendemain, et lui annonçant que son neveu, Émile Hoffet, sera là dans quelques jours. Effectivement, Saunière voit l'abbé Bieil, lui présente les parchemins. Le directeur de Saint-Sulpice se montre enthousiaste devant ces précieux documents, et il remercie chaleureusement le curé d'être venu lui-même les montrer à des gens compétents et discrets. Il déclare aussi qu'il fait toute confiance au jeune Émile Hoffet pour venir à bout de ce travail délicat de transcription et d'interprétation, et il engage Saunière à confier à celui-ci les documents afin qu'il puisse les étudier en détail, soit seul, soit avec des spécialistes qu'Hoffet connaît fort bien.

L'abbé Bieil, ne l'oublions pas, est le directeur du séminaire de Saint-Sulpice, et donc le lointain successeur de l'abbé Jean Ollier, fondateur de Saint-Sulpice et membre influent de la toute-puissante «Confrérie du Saint-Sacrement» au XVIIᵉ siècle. Comme les rapports entre l'abbé Ollier et Nicolas Pavillon, évêque d'Alet, ont été constants, et que l'église Saint-Sulpice, dans sa décoration, n'est pas sans évoquer celle de Rennes-le-Château, nous voici de retour dans le Razès : la boucle est bouclée, et Bérenger Saunière se trouve en pays de connaissance.

D'ailleurs, Saint-Sulpice et la boutique du libraire Ané sont le centre d'une intense activité à la fois religieuse et *spirite*, en cette fin du XIXᵉ siècle où s'épanouissent, autour de personnages célèbres à Paris, divers groupements dont le moins qu'on puisse dire, c'est qu'ils ne sont pas très catholiques, ou si l'on préfère, plutôt de tendances occultistes. Voici Bérenger Saunière plongé dans une atmosphère qu'il n'avait peut-être pas prévue, mais qui va se révéler pour lui particulièrement favorable.

A vrai dire, au départ, tout cela est très inquiétant, car c'est là que commencent vraiment «les tentations de l'abbé Saunière». Et le diable qui se présente à lui revêt de multiples formes, dont certaines fort agréables et fort peu conformes à l'image médiévale qu'on se fait de l'ennemi. C'est Émile Hoffet, lequel ne fait pas ses études à Paris, à Saint-Sulpice, mais en Lorraine, qui passe pour être l'introducteur de Saunière dans les milieux occultistes de l'époque. Curieux personnage que ce « père » Émile Hoffet (qui n'est pas encore prêtre à ce moment-là). Il a passé toute sa vie à déchiffrer des vieux grimoires, à s'intéresser aux sciences plus ou moins secrètes, et surtout il s'est livré à des études approfondies sur de multiples « sociétés fraternelles », « sociétés angéliques » et autres associations dont on ne distingue jamais les buts réels, mais qui existent à travers le monde, « noyautant » les élites intellectuelles et répandant de curieux messages, la plupart du temps sous le sceau du secret. Lorsqu'il mourra en 1946, Émile Hoffet aura constitué une extraordinaire bibliothèque, qui sera très convoitée, mais qui, jusqu'à présent, n'est accessible qu'à quelques rares privilégiés, tous ecclésiastiques et donnant des preuves de leur honnêteté intellectuelle. Il y a un « mystère Hoffet » comme il y a un « mystère Saunière », on ne peut le nier, et le personnage d'Hoffet mériterait à plus d'un titre qu'on s'y intéresse en profondeur. Par qui était-il inspiré ? A quelle société secrète appartenait-il ? Avait-il réellement la vocation religieuse ? Autant de questions qui demeurent sans réponse. Mais Hoffet, on peut l'affirmer, avait ses entrées dans tous les cénacles de cette époque *décadente*, et, apparemment, il s'y trouvait parfaitement à l'aise.

En tout cas, d'après le roman qu'on a bâti sur l'affaire Saunière, celui-ci et Hoffet sympathisèrent vivement, compte tenu du fait que c'est Hoffet qui faisait office de « frère introducteur » au profit de Saunière dans les salons mondains et occultistes qu'il s'empressa de faire connaître au curé de campagne. « Sa conversation est pleine d'intérêt... Les discussions passionnantes et passionnées se prolongent bien après le pousse-café, avec un rien d'inquiétant qui dérange l'atmosphère compassée des salons bien-pensants[1]. » Ainsi, grâce au jeune homme, Béranger Saunière est introduit dans le cercle très fermé de Jules Bois, où il rencontre Claude Debussy et d'autres célébrités du moment.

Ce Jules Bois est aussi un cas, sur lequel toute la lumière n'a

---

1. Jean Robin, *la Colline envoûtée*, Paris, Trédaniel, 1982, p. 24.

pas été faite. Il était l'ami de tous les poètes symbolistes, et de ceux qui allaient devenir les « décadents ». Il fréquentait aussi bien les sectes des « Illuminés » que les Rose + Croix ou les Francs-Maçons des diverses obédiences, ce qui ne l'empêchait pas d'être le maître à penser d'un groupe dont les tendances étaient nettement « satanistes », mais pas forcément au sens « noir » et destructeur du terme[1]. Il était l'auteur de plusieurs ouvrages sur *le Monde invisible*, sur *l'Au-delà et les forces inconnues* et sur *le Satanisme et la Magie*. Les titres sont révélateurs. Et il fut célèbre par sa participation à plusieurs affaires qu'il est bon de raconter pour montrer quel était le monde rencontré par l'abbé Saunière durant ce séjour à Paris, du moins si l'on en croit ceux qui ont *inventé* le mythe Saunière.

L'une de ces affaires est particulièrement intéressante, celle du duel qui opposa Jules Bois à un autre occultiste, Stanislas de Guaïta, et qui avait pour motif la folle et sordide aventure de l'abbé Boullan. Ce prêtre, d'abord parfaitement orthodoxe, avait été perturbé par une religieuse de la Salette, avait fait d'elle sa disciple et sa maîtresse, et avait fondé une sorte de bizarre communauté où sexualité et magie faisaient bon ménage avec une théologie à faire frémir les moins puristes des Chrétiens orthodoxes. Voici comment Jean-Luc Chaumeil rend compte de cette « affaire » : « Occultiste, ami de Maurice Barrès, le marquis Stanislas de Guaïta avait accusé un autre occultiste, l'abbé Boullan, prêtre défroqué, ami de Huysmans, de s'adonner à la magie noire et avait réuni un « tribunal » pour le condamner. Il en résulta entre les deux hommes un « duel de magiciens »

---

1. On doit savoir que le « satanisme » n'est pas obligatoirement une profanation érotico-maniaque du rituel chrétien. Dans l'esprit des Satanistes authentiques, il ne s'agit pas de blasphémer pour le plaisir, comme un vulgaire athée. Il s'agit tout au contraire de glorifier l'Être de l'Ombre, autrement dit Satan, *injustement détrôné du ciel par Dieu*, et qui, dans les Ténèbres où il est enchaîné, représente, pour les adeptes, bien entendu, l'espoir d'un monde rédimé et renouvelé, parce que Satan est le Dieu originel et Dieu le Père le dieu usurpateur. En quelque sorte, il s'agit d'un catharisme inversé : la victime étant l'Ange déchu, tandis que le Mal (métaphysique ou autre) a pour cause l'usurpation divine. On voit d'ailleurs, à travers le Satanisme de Jules Bois, se dessiner les grandes lignes du mythe du « Roi du monde », actuellement soumis à la plus cruelle des détentions dans l'ombre, mais qui reviendra un jour pour rééquilibrer l'univers en folie. Les justifications mythologiques ne manquent pas aux doctrines satanistes.

que Barrès a rapporté en ces termes : « Un soir, Guaïta modela une figurine de cire qu'il perça d'une aiguille pour envoûter le prêtre de Lyon qui utilisait, dans de mauvais desseins, les secrets de la Kabbale. Le prêtre, en réponse, jeta un sort sur les yeux de l'adversaire pour le rendre aveugle. Guaïta prit ses dispositions et le sort, par un choc en retour, se retourna contre le prêtre dont la mort mit un terme à la lutte. » En effet, le 3 janvier 1893, l'abbé Boullan, foudroyé de manière inexplicable, mourut. Aussitôt Jules Bois prit sa plume de journaliste et écrivit : « On m'a assuré que M. le marquis de Guaïta vit seul et sauvage, qu'il manie les poisons avec une grande science et la plus merveilleuse sûreté, qu'il les volatilise et les dirige dans l'espace. Ce que je demande, sans incriminer qui que ce soit, c'est qu'on éclaircisse les causes de cette mort. » Sitôt l'article paru, Stanislas de Guaïta envoya ses témoins à Jules Bois[1]. » Il va sans dire que cela ne se passa pas dans la « normalité ». Jules Bois eut deux accidents avant d'arriver sur le lieu du duel, tout meurtri et sanglant. Mais deux balles furent échangées sans résultat. L'honneur était sauf. C'est dire que Bérenger Saunière se trouve tout à coup dans un milieu étrange. Mais après tout, ne se passe-t-il pas des choses du même ordre dans les lointaines Corbières, en plein cœur du département de l'Aude ?

De fait, l'abbé Saunière en tant que *prêtre* est nécessairement au courant de certaines pratiques de magie qui sont monnaie courante dans les montagnes ou les vallées. On ne sait pas s'il a été exorciste lui-même, cette fonction — au demeurant redoutable — étant réservée à certains clercs plus forts et plus résistants que d'autres, mais on ne peut nier qu'il ignorât ce qui se passait réellement dans les hameaux de sa paroisse et aux alentours. « L'Aude a toujours été terre accueillante aux magiciens et aux sorciers, et ce n'est pas l'évêché de Carcassonne qui nous démentira si nous affirmons que les *pratiques interdites* (du moins en était-il ainsi lorsque sévissait l'Inquisition) y ont plus qu'ailleurs droit de cité. L'abbé Saunière, enfant du pays et que l'on disait de surcroît si près du peuple, ne pouvait ignorer que la majorité des rites de sorcellerie ne sont que des

---

1. J.-L. Chaumeil, *le Trésor du Triangle d'Or*, Paris, Lefeuvre, 1979, pp. 104-105.

rites religieux effectués *à l'envers*, et tous les folkloristes, à défaut des exorcistes[1], ont dans leurs dossiers abondance de prières à rebours et d'histoires de vieilles femmes faisant leur chemin de croix à reculons en proférant d'inaudibles menaces. »[2] Oublie-t-on que l'abbé Saunière a placé son pilier soi-disant wisigothique et son chemin de croix à l'envers ? Sans doute n'a-t-il pas oublié lui-même ce qui unit la sorcellerie rustique du Razès et la magie distinguée des « Décadents », des « Symbolistes » et autres « initiés » du Tout-Paris de cette fin de siècle...

Même s'il se trouve quelque peu effarouché devant les mondanités parisiennes, l'abbé Saunière n'est pas naïf et comprend très bien que Jules Bois et ses amis s'efforcent de manipuler parfois dangereusement des forces psychiques, pour ne pas parler de ces forces subtiles et invisibles dont ils prétendent détenir les secrets. Autour de Claude Debussy, de Stéphane Mallarmé, de Maurice Maeterlinck et de Maurice Leblanc, se pressent une foule de littérateurs et d'*inspiratrices* plus ou moins influentes, comme Georgette Leblanc et la belle cantatrice Emma Calvé, la maîtresse de Jules Bois, pour le moment du moins. Ce beau monde très à la mode a des liens avec la Société de Théosophie, avec la Rose+Croix, avec la Franc-Maçonnerie (de rite écossais). On affiche des positions très hardies en matière de spiritualité. On a un faible pour les « hérétiques », pour tous ceux qui interprètent à leur façon les textes de l'Église officielle. Rémy de Gourmont et Huysmans en ont porté témoignage dans leurs œuvres : le dernier snobisme est d'aller assister à des séances de magie, de préférence noire, et même à d'authentiques messes noires. On vient de découvrir le wagnérisme et l'on rêve sur les liturgies ambiguës de Bayreuth. C'est *Parsifal* qui excite l'imagination, surtout celle des privilégiés qui ont eu la chance d'aller à Bayreuth, puisque, jusqu'en 1914, par la volonté expresse de Cosima Wagner, cet étrange opéra ne pourra être représenté nulle par ailleurs. Mais Vincent d'Indy composera un *Fervaal*, qui est une sorte de *remake* français de *Parsifal*, et Reyer un *Sigurd* qui sent sa *Tétralogie* à plein nez, tandis que

---

1. On peut lire à ce sujet le *Traité des Superstitions* de Jean-Baptiste Thiers, ecclésiastique du XVIIᵉ siècle, présenté par Jean-Marie Goulemot, Paris, éd. du Sycomore, 1984.
2. Jean Robin, *Rennes-le-Château*, p. 144.

Claude Debussy, hanté par la légende de Tristan, écoute complaisamment les premières ébauches du *Pelléas et Mélisande* de Maeterlinck. On redécouvre le Moyen Age, non pas à la façon grandiloquente des Romantiques mais à celle plus subtile du Symbolisme, décryptant les textes les plus ardus et imposant même au Paris architectural ce fameux style « nouille » qui n'est que du néo-gothique revu et corrigé par des spéculations ésotériques.

C'est donc dans ces salons très « fin de siècle » qu'Émile Hoffet entraîne Bérenger Saunière. Et le petit curé de Rennes-le-Château devient la vedette de ces soirées qui se prolongent interminablement. Pourquoi ? Confusément, il se demande ce qu'on attend de lui. Mais il n'oublie pas ce que lui a révélé Boudet : des gens haut placés lui conseilleront d'accomplir certaines choses, en échange de quoi il recevra une fortune. Ce n'est pas que Bérenger Saunière aime l'argent, mais il en a besoin, ne serait-ce que pour embellir Rennes-le-Château, non seulement l'église, mais l'ensemble du village. Alors, l'abbé Saunière écoute de toutes ses oreilles, cherchant à pénétrer plus avant dans les fines allusions faites devant lui.

Il écoute même si bien que la voix ensorceleuse d'Emma Calvé pénètre en lui plus loin que prévu. Emma Calvé est l'une des plus grandes cantatrices du moment. Au dire de ses contemporains, son talent est incontestable. Elle est la favorite des derniers salons où l'on cause. Elle est liée d'amitié avec Claude Debussy qui lui fait chanter certaines de ses mélodies. Elle est la maîtresse de Jules Bois. Or les intimes de Jules Bois ne sont jamais innocents en matière d'ésotérisme, d'hermétisme, pour ne pas parler de magie. Emma Calvé appartient-elle à cette mystérieuse confrérie dont l'ombre rôde toujours au-dessus de Bérenger Saunière ? Au fait, le véritable nom d'Emma est Calvat, qu'elle a modifié pour des raisons d'euphonie, et elle est une lointaine cousine de Mélanie Calvat, la Bergère de la Salette, l'héroïne de ces frauduleuses apparitions de la Vierge[1] qui ont

---

1. Au cours d'un procès retentissant, la mise en scène a été reconnue judiciairement, et Jean-Marie Vianney, le curé d'Ars, a reçu l'aveu du berger qui a déclaré ne rien avoir vu du tout. Écœuré par le tapage qu'on faisait autour de ces fausses apparitions, le saint curé d'Ars alla se plaindre auprès de l'évêque de Grenoble. On le pria poliment de rentrer chez lui et de se taire.

tant aidé politiquement les réactionnaires du milieu du XIXe siècle.

Et, rapidement, Bérenger Saunière devient l'amant d'Emma Calvé. A-t-elle eu le coup de foudre pour celui qu'elle appelle « son petit curé de province » ? A-t-elle agi sur ordre de Jules Bois pour mieux circonvenir et influencer Saunière ? Les deux solutions sont possibles et non contradictoires. Par la suite, Emma Calvé sera reçue à Rennes-le-Château. On prétendra même que la cantatrice pourra s'acheter le château dont elle rêvait, dans son pays, grâce à la générosité de l'abbé. On prétend enfin qu'elle eut un enfant de Saunière, mais il n'en existe évidemment aucune preuve.

Cependant, Emma Calvé ne fait pas oublier au curé de Rennes l'objet de sa mission. L'oublierait-il qu'elle serait la première à la lui rappeler. Les manuscrits ont été étudiés par l'abbé Bieil et par Émile Hoffet, et lorsque Saunière se présenta pour écouter les conclusions des deux experts, il s'entendit raconter que trois des manuscrits n'offraient guère d'intérêt, mais que, par contre, le quatrième, cette mystérieuse généalogie, était tout à fait exceptionnel. Et les interlocuteurs de Saunière en viennent à lui proposer un marché : ils garderont le manuscrit, et en compensation, ils lui donneront certaines indications pour qu'il puisse retrouver un trésor perdu. L'abbé accepte. Que peut-il faire d'autre ? Il se sent pris dans un engrenage dont il ne peut plus se dégager. D'ailleurs, il a choisi : qui veut la fin veut les moyens, et son but est toujours d'embellir et de magnifier sa paroisse de Rennes-le-Château.

Il est certain que les experts qu'il a eus devant lui lui ont expliqué certains passages des manuscrits et qu'ils lui ont donné une marche à suivre. Comment comprendre autrement l'engouement que manifeste Saunière, à la fin de son séjour à Paris, pour aller rôder au musée du Louvre ? Jusqu'alors, il n'avait guère manifesté de goût particulier pour la peinture. Or, on le retrouve dans la galerie qui contient le tableau de Nicolas Poussin, *les Bergers d'Arcadie*. Il ne cherche d'ailleurs pas que cette œuvre. Il est fasciné par un tableau de Teniers et voudrait bien trouver un portrait anonyme du pape Célestin V, qui régna brièvement à la fin du XIIIe siècle. On se demande pourquoi.

De plus, non content d'aller observer ces œuvres, il en acquiert des reproductions. C'est surtout *les Bergers d'Arcadie* qui motivent le plus sa recherche, comme si, dans ce tableau, existait quelque chose, une indication que ses initiateurs lui avaient recommandé de vérifier et d'examiner attentivement. Il ne sait pas alors que non loin de sa paroisse, sur la route d'Arques, sera bientôt construit un tombeau presque semblable à celui représenté par Poussin, dans un paysage sensiblement le même que celui qu'a reproduit — ou imaginé — le peintre du XVIIᵉ siècle. Mais sait-il que, lorsque Nicolas Foucquet, protecteur et admirateur de Poussin, fut condamné à la prison perpétuelle, Louis XIV fit rechercher ce tableau de Poussin et n'eut de cesse de le faire figurer à Versailles dans sa collection personnelle?

Après tout, on peut se dire que Bérenger Saunière, qui avait pour but d'ornementer son église le mieux possible, allait ainsi s'informer dans un des meilleurs musées du monde, y puiser une inspiration pour commander des œuvres d'art qui feraient la gloire du monument. Mais à voir les horreurs dont il a gratifié le sanctuaire de sainte Madeleine, il ne semble pas que cette visite au Louvre ait produit un quelconque effet sur l'esthétique de Saunière.

Le séjour du curé de Rennes-le-Château à Paris reste décidément étrange d'un bout à l'autre, tant par ses fréquentations que par les activités auxquelles il se livre. Désormais, il a la conviction que tous les célèbres personnages qu'il a connus le prennent au sérieux et le considèrent comme un homme important. Quoi de plus réconfortant?

Bérenger Saunière cependant prend congé de ses hôtes. La séparation avec Emma Calvé est mélancolique, et Bérenger mesure le bonheur incomparable d'avoir obtenu les faveurs, lui, pauvre curé de campagne, de l'une des femmes les plus en vue de la capitale. Mais on se reverra, c'est promis, et puis, Bérenger sait bien qu'à Rennes, Marie Dénarnaud l'attend, sa fidèle et tendre servante... Allons, « l'abbé pouvait retrouver sans regrets la solitude de son nid d'aigle écrasé de soleil, il n'avait pas fait un marché de dupes. Il restera à apaiser, au prix de quelques mensonges, les inquiétudes de Mgr Billard, qui s'étonne beaucoup de l'absence du parchemin et qui regrette déjà sa lettre de recommandation. Un gaillard comme Bérenger Saunière n'avait peut-être pas besoin qu'on lui mît le pied à l'étrier... Tout de même, échanger un arbre généalogique contre la clef d'un trésor... »[1].

Quoi qu'il en soit, voici Bérenger Saunière de retour à Rennes-le-Château, à la grande joie de ses paroissiens qui, tout en le trouvant original, commencent à l'aimer sincèrement, et bien entendu pour le plus grand bonheur de Marie Dénarnaud. Lui pose-t-elle des questions sur son séjour à Paris ? Certainement. Mais l'abbé doit se sentir gêné aux entournures, comme on dit, lorsqu'il doit évoquer la cantatrice Emma Calvé. Saunière ne se sent pas tout à fait la conscience tranquille, à tous les points de vue, vis-à-vis de son évêque, vis-à-vis de ses paroissiens, vis-à-vis de Marie, vis-à-vis de sa propre conscience. Car il n'oublie pas qu'il est prêtre, et à aucun moment de sa vie il n'a renié son sacerdoce. Or les prêtres, pour soulager leur conscience et obtenir un éventuel pardon de Dieu, font comme les autres fidèles. Ils vont se confesser à l'un de leurs confrères. Qui était le confesseur de l'abbé Saunière ? Certainement pas Boudet, qui avait partie liée avec lui dans de louches combinaisons. Alors, son frère, Alfred Saunière ? Sûrement pas : on ne se confesse pas entre membres de la même famille. D'ailleurs, si Alfred Saunière a pu être au courant de certaines choses, c'est parce qu'il était le frère de Bérenger et son complice dans ces fameuses affaires qui seront évoquées plus tard, celles des trafics de messes. Et puis, Alfred ne donnait précisément pas l'exemple d'un prêtre sans reproche...

Deux ecclésiastiques semblent avoir reçu les confidences et sans doute les confessions de Saunière. L'un est l'abbé Eugène Grassaud, professeur au lycée Louis de Gonzague, à Perpignan — où bientôt Saunière se rendra fréquemment, presque en cachette — et ensuite curé d'Amélie-les-Bains, puis de Saint-Paul de Fenouillet, dans le diocèse de Perpignan, mais assez proche du Razès. L'abbé Grassaud a laissé le souvenir d'un homme entreprenant, bon et très érudit, dont la bibliothèque était abondamment fournie en livres et en manuscrits de toutes sortes. Lui aussi s'efforça de réparer et d'embellir les églises dont il eut la charge. Et « l'amitié qui lia l'abbé Saunière au chanoine Grassaud ne se démentit jamais, même lorsque son aîné fut en butte à toutes les rumeurs que son procès avec l'évêché avait suscitées. Pourtant Saunière ne craignait pas

_____
1. J. Robin, *Rennes-le-Château*, p. 25.

de rendre parfois visite à son confrère à Amélie-les-Bains. Politesse qu'il lui rendait d'ailleurs très volontiers dès qu'il pouvait se libérer. Et même après la mort de son ami, le chanoine Grassaud ne ménagera pas sa peine pour aider Marie Dénarnaud dans les difficultés de la vie[1] ». C'est à Eugène Grassaud que, vers les années 1893, l'abbé Saunière fit don d'un calice en vermeil. D'où provenait ce calice? Probablement de ce qu'avait trouvé Saunière dans l'église de Rennes, le fameux trésor caché par l'abbé Bigou[2].

Un autre prêtre, beaucoup plus proche, peut avoir été le confesseur de Saunière, ainsi que son confident : il s'agit de l'abbé Gélis, curé de Coustaussa, homme âgé mais de bon sens, qui mourra quelques années plus tard, assassiné dans des circonstances très mystérieuses. Il est fort possible qu'en rentrant de Paris, Bérenger Saunière soit allé se confesser à son confrère de Coustaussa. Il avait certainement beaucoup à dire : l'atmosphère quelque peu «satanique» qui l'avait enveloppé durant son séjour parisien devait commencer à peser très lourd. Mais, à cette occasion, l'abbé Saunière aurait-il confié quelque chose, des documents, par exemple, en dépôt à l'abbé Gélis? En toute bonne foi, il semblerait bien que la réponse soit affirmative.

Mais à Rennes-le-Château, Bérenger Saunière se livre à de bien curieuses activités. Profitant de travaux entrepris par la municipalité dans le cimetière, notamment pour le clore et y ériger ce fameux portail qu'on y voit aujourd'hui, il s'enferme la nuit dans le cimetière. Que fait-il donc? De toute évidence, il déplace des pierres tombales; en fait, il profane des tombes. Qu'espère-t-il donc trouver? On peut supposer qu'il accomplit ce travail un peu macabre grâce aux indications qui lui ont été fournies à Paris en échange de la généalogie. Il s'acharne particulièrement sur la tombe de Marie de Négri d'Ables, dame d'Hautpoul et de Blanchefort, décédée en 1781. La tombe se composait de deux dalles, dont la verticale était due à l'abbé Antoine Bigou. Sur cette pierre, on avait écrit l'épitaphe de la

---

1. Pierre Jarnac, *Histoire du trésor de Rennes-le-Château*, pp. 334-335.
2. « Il s'agit d'une pièce sans grande valeur marchande. Elle est superbe, certes, ciselée et en parfait état, mais elle n'est qu'en métal doré. Au pied du calice, on remarque une Croix de Malte constituée par quatre émaux de couleur verte. Ce calice date tout au plus du XVIIIe siècle» (P. Jarnac, p. 336).

dame, avec un nombre incroyable de fautes, ce qui n'avait pas été sans provoquer quelques questions. Sur la pierre horizontale, on pouvait lire une inscription en latin, mais avec quelques caractères grecs, inscription au demeurant incompréhensible.

Il est incontestable que l'abbé Saunière s'attaque plus particulièrement à la tombe de la marquise d'Hautpoul, et surtout qu'il passe son temps à gratter les inscriptions qui s'y trouvent gravées. Il doit avoir une bonne raison pour cela. Mais il ignore que ces inscriptions ont déjà été relevées par un archéologue consciencieux, et qu'elles sont donc conservées. Elles seront d'ailleurs reproduites en 1903 dans le *Bulletin* de la très sérieuse Société archéologique de l'Aube. Saunière se donne beaucoup de mal pour rien, preuve que ces inscriptions représentent quelque chose de très important et même d'essentiel pour lui. Sans doute, est-ce même la clé qui permet d'orienter ses recherches nocturnes et quasi clandestines.

La dalle verticale présente le texte suivant :
« CT GIT NOBLe M
ARIE DE NEGRe
DABLES DAME
DHAUPOUL De
BLANCHEFORT
AGEE DE SOIX
ANTE SEpT ANS
DECEDEE LE
XVII JANVIER
MDCOLXXXI
REQUIES CATIN
PACE. »

Et, au-dessous, après les initiales P.S. entre parenthèses, on trouve « PRAECUM ». Tout cela est bien mystérieux et a prêté à bien des commentaires. On a beau admettre que l'ouvrier du XVIIIe siècle qui a gravé cette pierre était un maladroit ou un ignorant, c'est un peu gros, puisque même la date du décès est fausse. Or, en déchiffrant cette inscription, Bérenger Saunière ne sait pas qu'il aura une attaque fatale un 17 janvier. Curieux, non ? « Si l'on applique au texte formé par les anomalies une méthode de décryptage bien connue des spécialistes du chiffre (la méthode Vigenère), liée

141

à une clé contenue dans le texte même, et si l'on double ceci par le « saut du cavalier », autre méthode nécessitant un échiquier, on obtient un texte en clair quoique conservant un aspect sibyllin :

« *Bergère, pas de tentation, que Poussin, Teniers gardent la clé; pax DCLXXXI — par la croix et le cheval de Dieu j'achève ce daemon de gardien à midi. Pommes bleues*[1]. » On ne peut pas dire que ce soit très compréhensible, mais Bérenger Saunière, lorsqu'il a réussi à « déchiffrer » l'inscription, ne peut que se réjouir. En effet, c'est le même message qui se trouvait dans un des manuscrits qu'il a apportés à l'abbé Bieil et à Émile Hoffet, et qu'il a encore à sa disposition. Tout cela prouve que la recherche s'opère dans la bonne direction et qu'il est urgent de faire disparaître quelque chose qui pourrait mettre des indésirables sur une piste à laquelle ils n'ont pas droit. Puisqu'il a reçu mission d'aller jusqu'au bout, de la part de cette mystérieuse confrérie, Bérenger Saunière est prêt à tout pour éliminer *les autres*.

De plus, l'abbé Saunière possède la *clé* de ce texte. Il sait que pour venir à bout de la signification véritable du texte, il faut tirer une diagonale à partir de la première anomalie constatée. Or, la première anomalie est assurément le T à la place du I dans « ci gît ». Si on tire une diagonale à partir de là, on tombe inévitablement sur « catin », ce qui ne semble guère aimable pour la noble dame qui gît là. Heureusement, Saunière sait que le « T » ou le « Tau », dans la tradition ésotérique occidentale, est, dans certaines conditions, en particulier lorsqu'il apparaît où il ne devrait pas être, un code pour signifier « trésor », quelle que soit d'ailleurs la nature de ce trésor. Il sait aussi que le mot « catin » ne veut pas dire forcément « putain », mais « cavité », « caverne », « utérus ». Il peut donc comprendre que « le Trésor n'est plus chez les d'Hautpoul (puisqu'il n'y a plus de « T » dans le nom de la famille sur l'inscription), mais qu'il a été déplacé dans une « catin », c'est-à-dire une « caverne »[2]. Cette considération, jointe à la mention de Poussin et de la Bergère, lui rap-

---

1. M. Lamy, *Jules Verne, initié et initiateur*, p. 68.
2. Interprétation de Jean-Pierre Monteils, *le Dossier secret de Rennes-le-Château*, Paris, Belfond, 1981, p. 61.

pelle évidemment le tableau de Poussin, car, après tout, une tombe est aussi une « caverne », encore plus lorsqu'il s'agit d'un *cairn*, c'est-à-dire d'un tertre mégalithique. Le tout est maintenant de chercher quel est ce *cairn*.

Du reste, l'autre dalle comporte aussi une inscription, avec des caractères grecs illisibles, mais des caractères latins qui le sont. Au-dessus, on trouve encore les initiales P.S. Au-dessous, encore une fois, on lit *prae-cum*. Au milieu, une ligne verticale fléchée sépare deux groupes de deux mots. A gauche, on lit REDDIS puis CELLIS. A droite, on lit REGIS, puis ARCIS. C'est bien confus, puisqu'il ne peut y avoir de lecture continue. Mais le mot REDIS peut avoir un rapport avec Reddae, c'est-à-dire Rennes ou le Razès ; le mot REGIS est incontestablement le génitif de *rex*, « du roi », le mot CELLIS, l'ablatif pluriel, donc un ablatif locatif, de *cella*, « cave », « hutte souterraine », et le mot ARCIS est le génitif de *arx*, « de la citadelle »[1]. Comprenne qui pourra. Mais Saunière ne peut qu'y trouver une confirmation de ce qu'on lui a murmuré à Paris : « à Rennes, dans une cave de la citadelle du roi ». Le Trésor de Blanche de Castille n'est pas loin, à moins que ce ne soit celui du « Roi perdu », ce fabuleux descendant des Mérovingiens qu'on commence à voir pointer dans les aventures d'Arsène Lupin, ce personnage créé par Maurice Leblanc, ami de Jules Bois et frère de Georgette Leblanc, compagne de Maurice Maeterlinck. Bérenger Saunière ne comprend pas très bien cette histoire de Mérovingiens perdus, mais peu importe. Il a découvert quelque chose d'intéressant dans le cimetière.

Mais ces investigations et bouleversements nocturnes quasi clandestins lui valent des remontrances de la part des habitants de Rennes, et surtout de la part de la municipalité. Celle-ci admoneste le curé. Saunière se fâche. Il part en lutte ouverte et s'écrie : « Quand on marche sur mes plates-bandes, je me considère en état de légitime défense. » Finalement, il conclut un accord avec la municipalité. Il pourra continuer à fouiller dans le cimetière. Mais ce sont alors les habitants de Rennes qui sont furieux et qui envoient une pétition au préfet de l'Aude pour l'avertir des agissements de leur curé. Comme ils n'obtiennent pas de

_____

1. L'authenticité de cette pierre est très controversée.

réponse, ils en envoient une seconde : «Nous ne sommes pas du tout contents que le cimetière se travaille surtout dans les conditions qu'il en a été jusqu'ici ; s'il y a des croix, elles sont enlevées, des pierres sur les tombes aussi et en même temps ce dit travail ne consiste ni pour réparation.[1]» Rien n'y fait. Saunière poursuit longtemps ses explorations nocturnes et quelque peu macabres.

Mais ces activités de Saunière ne sont pas les seules qui attirent l'attention. Pendant des journées entières, en compagnie de Marie Dénarnaud, il arpente les environs du village et il parcourt la montagne. A ceux qui lui demandent ce qu'il cherche, il répond qu'il choisit des cailloux pour construire une grotte de Lourdes. Et, de fait, certains soirs, on le voit revenir, ployant sous le poids de sacs apparemment très pleins. Parfois, en allant vers Rennes-les-Bains, il rencontre, comme par hasard, l'abbé Boudet qui, lui, se livre à des explorations archéologiques, relevant la position de certains rochers, découvrant une inscription rupestre ou une ancienne croix enfouie dans la broussaille[2]. Bref, Saunière se livre à une activité débordante, ce qui ne l'empêche pas d'écrire un peu partout en France et à l'étranger.

Alors se produit un événement assez grave non loin de Rennes. On peut lire en effet dans *la Semaine religieuse de Carcassonne*, en date du 5 novembre 1897, l'article suivant : «Un crime horrible a été commis dans la nuit du dimanche à lundi, dans la paroisse de Coustaussa. M. l'abbé Gélis est tombé victime de blessures à la tête et étendu dans la cuisine du presbytère, baignant dans son sang... On se perd en conjectures sur le mobile qui a poussé le meurtrier. Le mystère plane encore sur ce douloureux événement bien que le parquet et la gendarmerie travaillent à établir, avec la plus louable activité, les responsabilités. L'abbé Gélis était un prêtre pieux qui reproduisait dans son activité toute la douceur de caractère qui convient à un Ministre de Jésus-Christ. »

Or l'abbé Jean Antoine Maurice Gélis, né en 1827, était, semble-t-il, le confesseur et aussi le confident de l'abbé Sau-

---

1. Document authentique présenté et publié par Pierre Jarnac, pp. 151-153.
2. En réalité, il semble que Saunière allait à la chasse. Il rapportait beaucoup de gibier et il faisait don de certaines pièces à des paroissiens.

nière. Celui-ci, bouleversé par la nouvelle, se rend aux obsèques de son malheureux confrère qui se déroulent en présence d'une foule nombreuse, du vicaire général et de nombreux ecclésiastiques. Que s'est-il donc passé ?

On peut lire dans *Le Midi libre* du 3 octobre 1975 un extrait du dossier de l'enquête de 1897 concernant les circonstances dans lesquelles le malheureux prêtre fut assassiné : « Les précautions prises démontrent une présence d'esprit incroyable. La cuisine, après un tel saccage, est retrouvée dans un ordre parfait, aucune empreinte de pas. Le meurtrier a su éviter les trois grandes flaques de sang. Aucune trace à l'extérieur. A l'étage, dans la chambre de l'abbé Gélis, deux gouttelettes minuscules attestent le passage de l'assassin qui a, sans laisser la moindre empreinte sanglante, forcé la serrure d'un sac de voyage qui contient divers papiers et documents appartenant au prêtre. L'assassin a ouvert le sac, non pour le voler, mais pour chercher quelque chose. En effet, dans le bureau du prêtre, on retrouve 683 F en or et en billets ; dans sa commode, on retrouve 106,90 F. Plus curieux encore, le cadavre a été rangé vers le centre de la pièce, sur le dos, la tête et la figure dans une position normale, les mains ramenées sur la poitrine. De ce drame sanglant, commis sans motif apparent, nous n'avons qu'un témoin muet : alors que l'abbé ne fume pas et déteste les odeurs de tabac, flotte, dans la deuxième flaque de sang, près de la fenêtre, un carnet entier de papier à cigarettes de marque *Tzar* avec sur une feuille, au crayon, la mention « *Viva Angelina* ».

Que pense Bérenger Saunière de tout cela ? Nul ne le saura jamais. Connaît-il, lui qui s'exerce au décryptage des messages, la signification exacte de ce *Viva Angelina* écrit sur une feuille de papier à cigarettes ? Bérenger Saunière fume, lui-même. Il ne le devrait pas, car il est cardiaque. Mais il en sait peut-être beaucoup plus sur cette affaire qu'il ne veut bien le dire. De toute façon, personne ne lui demandera jamais quoi que ce soit à son propos. Dans les jours suivant la découverte du crime, on arrêtera le neveu de la victime, un bon à rien toujours à court d'argent et qui harcelait le vieux prêtre de ses demandes incessantes. Mais on établit bien vite que, la nuit du crime, le personnage se trouvait bel et bien ailleurs. On ne retrouvera jamais l'assassin de l'abbé Gélis, un fumeur qui *cherchait quelque chose* et qui a laissé *un message*.

Mais pour qui, ce message?

C'est probablement ce que se demande l'abbé Bérenger Saunière en remontant vers Rennes-le-Château en ce triste mois de novembre 1897. Mais, après tout, l'abbé Saunière n'y est pour rien. A moins que...

De toute façon, il a, comme on dit, d'autres chats à fouetter. Ses projets sont grandioses et il les peaufine tous les jours sur le papier, commandant des travaux ici, supervisant telle ou telle chose quand il en a le temps. Il n'oublie pas non plus, grâce à l'obligeance de son frère, lequel a beaucoup de relations mondaines à cause des maîtresses qu'il collectionne, de réclamer des messes à des gens fortunés. Les donateurs lui répondent, et Bérenger Saunière en profite pour commencer une collection de timbres-poste, car c'est sa passion, son *hobby*, dirait-on aujourd'hui.

C'est l'époque où il commence sérieusement à s'occuper de ses affaires financières. Issu d'une famille paysanne, il sait très bien gérer ce qu'il possède. Il ouvre des comptes dans des banques qui ne sont pas toutes de la région, ce qui peut paraître surprenant pour un modeste curé de campagne. Mais les banquiers sont des gens discrets qui savent discerner quels sont les clients intéressants, c'est-à-dire ceux qui rapportent. Saunière a confiance dans les banques, mais il ne met pas «tous ses œufs dans le même panier». On prétend même qu'il a un compte en Autriche et qu'il serait allé deux fois en Angleterre. Mais, ce qui est sûr, c'est que sa banque principale se trouve à Perpignan, où il se rend très souvent, dans des conditions également bizarres.

En effet, il ne dit jamais où il va. Il descend jusqu'à Couiza, où il prend le train pour Carcassonne. Et après? On sait maintenant qu'il se rend fréquemment à Perpignan où il loge dans le modeste hôtel Eugène Castel. Mais chaque fois qu'il s'absente plusieurs jours, il s'arrange pour écrire des lettres datées à l'avance, notamment à destination de l'évêché, et qu'il fait poster les jours suivants par Marie Dénarnaud. Cette attitude déconcertante n'est pas sans provoquer des questions chez tous ceux qui le connaissent. Mais ses paroissiens ne disent rien : c'est un bon prêtre, très compréhensif, et, en plus des aménagements qu'il procure à l'église et au village, il se penche sur les misères les plus criardes et fait en sorte de soulager le plus possible ceux

146

qui sont dans le besoin. Autrement dit, il a fort bonne réputation auprès de ses ouailles, et malgré quelques différends passagers avec le maire sur des problèmes peu graves, il s'entend fort bien avec les élus municipaux. On s'en rend compte en 1897, quand il invite son évêque, Mgr Billard, à inaugurer sa nouvelle église.

Car il n'a pas perdu son temps. Fresques, chemin de croix, statue d'Asmodée, statues de saints, vitraux, autel neuf, sacristie rebâtie (avec une pièce secrète servant de débarras), chaire rénovée, beau confessionnal en bois, tout est en place. Au cours de cette journée mémorable, en présence de toute la population et des ecclésiastiques de la région, l'abbé Saunière prononce une homélie pour vanter les mérites de la charité. Et Mgr Billard ne peut que le féliciter pour ses réalisations. On se demande ce qu'il pensait vraiment de la bizarre décoration mise en place par les soins du curé de Rennes-le-Château. Il est vrai que, selon la légende, Mgr Billard fait partie de cette mystérieuse confrérie dont Saunière n'ose jamais prononcer le nom.

Saunière a bien rempli sa mission vis-à-vis de sa paroisse. Il l'a sûrement bien remplie vis-à-vis d'autres personnes. A partir de ce moment, il va se lancer dans des dépenses somptuaires qui ne seront pas toutes destinées aux bonnes œuvres. C'est comme si, tout à coup, le curé de Rennes-le-Château se trouvait à la tête d'une immense fortune.

Il commence par acheter les terrains qui se trouvent à l'ouest de l'église, ou plutôt, il les fait acheter par Marie Dénarnaud, puisque tout sera au nom de celle-ci, mais c'est lui qui paie. Sur ces terrains nouvellement acquis, il fait bâtir une villa en style néo-gothique qu'il appellera la villa Béthania, en l'honneur de Marie-Madeleine. Puis il fait prolonger les murs qui partent du presbytère jusqu'au bout du promontoire : là, il fait construire une étrange tour, en néo-gothique, qu'il va appeler la tour Magdala, toujours en l'honneur de la sainte patronne de la paroisse, et qui, selon lui, sera destinée à être sa bibliothèque et son bureau de travail. Mais en attendant, il réside toujours dans le vieux presbytère rénové, dans la seule compagnie de sa fidèle servante.

Ce n'est pourtant pas tout. Les constructions sont une chose, mais il faut aménager l'espace, en l'occurrence des « espaces verts ». Entre la villa Béthania et la tour Magdala, il fait composer un véritable parc, avec des bassins, des massifs de fleurs rares, des allées ombragées, des serres, une orangerie et même un petit jardin zoologique. Et comme c'est un homme pratique, il n'oublie pas non plus d'y développer un potager. Un véritable paradis... «Dans ce domaine, qui a coûté à sa servante, pauvre ouvrière-chapelière, la bagatelle de trois millions de francs-or, le curé, arrivé quinze ans plus tôt sans un traître sou, commence à mener très grand train.» Certes, il fait éditer des cartes postales représentant son domaine — photographies sur lesquelles il aime à figurer — qu'il vend à son profit; certes, il reçoit des messes et des dons, mais cela ne justifie en rien la somptuosité de la vie qu'il mène tous les jours. «Il acquiert une riche bibliothèque, une collection de 100 000 timbres, installe à demeure un relieur et un photographe, achète des meubles et de la vaisselle de grand prix. Tout est fabriqué à la commande et, souvent, révèle une soif de luxe qui atteint l'extravagance : nous avons vu, par exemple, un service de verres de cristal; Saunière l'avait fait fabriquer de telle sorte que, lorsqu'on frappe légèrement les verres les uns après les autres, on entend l'Ave Maria [1]!!»

M. le Curé de Rennes-le-Château reçoit beaucoup, également. Il tient table ouverte non seulement pour ses quelques confrères qui veulent bien monter sur le plateau pour pouvoir mieux dénigrer ses fantaisies architecturales et ornementales, mais pour des hôtes de marque qu'on ne verrait guère se déranger pour un modeste desservant de paroisse montagnarde. La population locale ne sait pas très bien qui vient, mais on se souvient avoir vu une très belle dame qui chantait magnifiquement. C'est bien entendu Emma Calvé. On y a vu aussi des «messieurs», sans doute des écrivains, pourquoi pas Maurice Leblanc, des artistes, des peintres, comme Dujardin-Baumetz, qui fut aussi député de l'Aude, franc-maçon, et temporairement sous-secrétaire d'État aux Beaux-Arts. On a remarqué aussi un étranger de belle prestance, qui se fait appeler Jean Orth, mais on ne sait pas que c'est en réalité Jean-Salvator de Habsbourg, cousin de l'empereur d'Autriche-Hongrie.

Celui-là, on le reconnaît bien. Il est venu très souvent, et

---

1. J.-L. Chaumeil, *le Trésor du Triangle d'or*, p. 109.

Saunière le traite avec des égards particuliers. Les deux hommes ont parfois des entretiens privés qui durent des heures. De toute évidence, leurs relations sont plus des relations d'affaires que d'amitié. Il n'empêche que « monsieur » Orth participe aux soirées mondaines qu'organise Saunière dans la villa Béthania.

Car c'est dans cette villa qu'il reçoit ses hôtes. C'est là que Marie Dénarnaud, fine cuisinière, commande à quelques servantes de second ordre embauchées pour la circonstance et prépare de savoureux festins qui font apprécier à chacun la bonne cuisine française, surtout celle d'Occitanie. On ne sait pas, cependant, si Marie Dénarnaud, les soirs où Emma Calvé se trouvait là, a pu être saisie de la tentation de lui ajouter de la mort-aux-rats dans son potage. Marie Dénarnaud est d'un esprit modeste, entièrement dévouée à l'homme de sa vie, et probablement complètement dominée par son autorité, sa prestance et sa générosité. Elle sait se taire quand il le faut, et ravaler certaines rancœurs qui risqueraient de compromettre une situation qui, après tout, n'est pas si désagréable. Marie sait bien que jamais la cantatrice ne viendra s'installer ici. Mais elle tient rigueur à Bérenger des cadeaux qu'il lui fait. A-t-elle entendu parler de ces sommes d'argent importantes que Saunière aurait versées à Emma Calvé pour lui permettre d'acheter le château de ses rêves, dans l'Aveyron, et, ajoutent les mauvaises langues, pour y élever l'enfant qu'elle aurait eu avec le curé de Rennes ? Mais les gens sont si méchants !

On ne prête qu'aux riches. Des banquiers viennent également trouver Bérenger Saunière. Est-ce pour des prêts qu'il demande qu'on lui accorde, ou pour faire fructifier ses « économies » ? Les mêmes mauvaises langues ajoutent qu'il nourrit ses canards avec des biscuits à la cuiller. Ce qui est sûr, c'est qu'il ne néglige rien quand il s'agit de nourriture et de boisson : « Témoin cette page du livre de comptes pour le 1er novembre 1900 : un fût rhum Martinique en caisse ABC n° 1031 : 45 litres à 2 francs = 90 francs. 50 litres de rhum à 2,35 francs (rhum parfait, presque historique). 33 litres de vin blanc Haut Barsac. 33 litres de Malvoisie, 17 litres de quinquina doré, 55 litres de Banyuls, 12 litres de muscat[1]. » Décidément, en cette

---

1. J.-L. Chaumeil, *ibid.*, p. 109.

«Belle Époque», il faisait bon être invité par M. l'abbé Saunière.

«Mais le luxe tapageur de leur hôte — qui apaisait peut-être sa conscience en pensant au nard précieux dont le Christ avait accepté, à Béthanie, que Marie-Madeleine lui oignît les pieds — n'avait-il pas un parfum de scandale pour l'évêque de Carcassonne, ce pauvre Mgr Billard, dont les largesses avaient naguère ouvert à Bérenger les portes de son royaume? Il se montra en tout cas fort discret, et laissa notre abbé à ses constructions et à ses réceptions. Pensait-il que Saunière avait acquitté son tribut à la gloire du Ciel en restaurant son église — son premier souci, rendons-lui cette justice — avant de se lancer dans des constructions profanes? On n'ose le croire, tant la manière, très "Renaissance italienne", dont le curé avait usé, en l'occurrence, entretenant à ses frais une pléiade d'artisans, manquait de discrétion et surtout de goût[1].» Comment un archiduc d'Autriche, une célèbre cantatrice de Paris et d'autres personnalités importantes peuvent-ils en effet supporter l'œuvre *visible* de Bérenger Saunière, cette œuvre étrange et disparate qu'on dirait frappée par l'Ange du Bizarre?

Mais les temps changent. Mgr Billard vieillit, et, dans les derniers mois de sa vie, il sera presque impotent. Il est remplacé, au siège de Carcassonne, par Mgr de Beauséjour, qui n'a pas la réputation d'être très tolérant. Assurément, doit penser Saunière, en 1902, lors de cette nomination, celui-ci ne fait pas partie de «notre» confrérie. Effectivement, et il va bientôt l'apprendre à ses dépens.

La première chose que fait un évêque lorsqu'il entre en fonction dans son diocèse, c'est d'en faire le tour et de se rendre compte par lui-même de ce qui va et de ce qui ne va pas. Le comportement de l'abbé Saunière ne lui semble pas très conforme à la pauvreté évangélique. Certes, Mgr de Beauséjour est habitué aux palais épiscopaux, infiniment plus confortables que les presbytères de campagne, mais tout de même, il y a des limites. Et la hiérarchie, cela existe. Si un desservant de campagne se met à avoir un train de vie supérieur à celui d'un évêque, jusqu'où ira-t-on?

Pourtant, Mgr de Beauséjour attend 1905 pour proposer à

---

1. J. Robin, *op. cit.*, pp. 27-28.

l'abbé Saunière une nouvelle paroisse. Saunière réplique par une fin de non-recevoir, prétextant qu'il ne peut quitter une paroisse où ses intérêts le retiennent. L'évêque insiste et convoque le prêtre pour l'entendre. Malgré plusieurs sommations, Saunière se dérobe, produisant à chaque fois des certificats médicaux de complaisance. Puis, constatant la mauvaise volonté de son subordonné, l'évêque le nomme, en 1909, curé de Coustouge, dans les Corbières, et pressent un abbé Marty pour le remplacer à Rennes-le-Château. C'est la catastrophe pour Bérenger. Il refuse évidemment sa nomination — qui est d'ailleurs une promotion, la paroisse nouvelle étant plus importante que l'ancienne. Alors commencent les réelles difficultés.

Jusqu'alors, tout a réussi à Bérenger Saunière. De pauvre prêtre qu'il était, il est parvenu à un haut degré d'aisance et aussi de *potentiel moral* à la fois sur ses paroissiens et sur des « étrangers » avec lesquels il a des relations hors du commun. Est-il heureux ? Nul ne le sait. Il coule en apparence des jours paisibles en compagnie de sa servante-maîtresse, et, de temps à autre, il rejoint Emma Calvé. Celle-ci s'arrange d'ailleurs pour le traiter comme il se doit, comme un amoureux transi, comme une Bête amoureuse d'une Belle. Emma Calvé ne s'appartient pas. Elle appartient à son public, et aussi à cette mystérieuse fraternité qui tire les ficelles. Comment pourrait-elle considérer Bérenger autrement que comme un pion, un pion certes fort sympathique, un pion qui a une force herculéenne ! Et les femmes aiment cela. Mais Bérenger Saunière n'est qu'un *pion* sur l'échiquier dont les maîtres du jeu sont absents de la scène visible. Voici M. le Curé de Rennes-le-Château en difficulté. Ni Emma, ni ceux qui sont derrière elle ne lèveront le petit doigt pour l'aider. C'est à lui de se débrouiller. Après tout, lorsqu'il a été ordonné prêtre, il a juré obéissance à son évêque.

Saunière est pourtant d'une autre trempe. Il n'a pas la vocation d'esclave. En plus, il le sait, il détient certains documents, certains *secrets*. Le problème, c'est qu'il ne sait pas comment s'en servir. Il a à sa disposition une véritable bombe nucléaire, mais il n'en connaît pas le mode d'emploi. A force de s'opposer à Mgr de Beauséjour qui veut le *vider* de Rennes-le-Château (sans doute l'évêque a-t-il ses raisons), il se met hors la loi. Et, comme chacun sait, « hors de l'Église, point de salut ». Saunière va en faire la triste expérience. Et ce ne sont pas ses prétendus amis, ceux qu'il reçoit à la villa Béthania à si grands frais, qui tenteront quelque chose pour lui. Au contraire : ils feront tout pour l'enfoncer, pour le réduire à néant. Ils n'ont plus besoin de lui, maintenant, parce qu'il a accompli la mission à laquelle on l'avait destiné. Il est hors service, hors jeu. On l'abandonne. Seul, le dévouement inconditionnel de Marie Dénarnaud le sauvera du désespoir.

Car Mgr de Beauséjour, évêque de Carcassonne, et représentant légal de l'autorité religieuse, ne pouvant le déloger de Rennes-le-Château, va essayer de l'abattre par ses faiblesses. Ces faiblesses, ce n'est même pas Marie Dénarnaud. Ces choses-là sont si courantes dans le clergé qu'on ne peut décemment pas lui en vouloir, d'autant plus que cette situation ne fait pas de scandale autour de lui. Notre sainte Mère l'Église n'en est pas éclaboussée. Non. L'évêque de Carcassonne l'attaque là où il est le plus faible, et il l'accuse ouvertement de pratiquer un trafic de messes, ce qui équivaut à ce qu'on appelait autrefois de la « simonie », du nom du fameux Simon le Magicien.

Le procédé est simple. Bérenger Saunière a procédé à des travaux qui ont coûté fort cher. Et c'est lui qui a assumé le coût de ces travaux. Qu'il dise donc *où* et *comment* il a pu disposer de sommes d'argent aussi importantes. On voit que l'attaque ne se fait pas de face. Mais cette attaque est incontournable. Il faut que l'abbé s'explique devant son supérieur hiérarchique.

Or, précisément, et c'est ce que l'évêque attendait, *il ne s'explique pas*. Il se contente d'aligner des chiffres qui ne veulent rien dire. Il est incapable de prouver l'origine des fonds que lui ont attribués de généreux donateurs. De plus, il s'est rendu coupable de prospection, non seulement dans le diocèse mais ailleurs, pour obtenir des honoraires de messes. Bérenger Saunière, au regard de l'autorité épiscopale, est, sinon coupable, du moins fortement compromis. Tout ce que lui demande Mgr de Beauséjour, c'est de justifier ses dépenses somptuaires. Or *jamais*, on le pense bien, Bérenger Saunière ne pourra les justifier. « Saunière établit alors un mémoire dont nous avons eu le brouillon entre les mains[1]. Pour les seuls travaux faits dans l'église, il

---

1. Depuis, les différents mémoires rédigés par Saunière, ainsi que les pièces comptables, en particulier les factures acquittées (ou non acquittées) ont été réunis et publiés en partie dans deux ouvrages importants et absolument parallèles,

152

avoue 193 000 francs-or. C'était déjà une somme considérable : à l'époque, un ambassadeur de France gagnait 40 000 francs par an. Mais Saunière triche : l'examen des pièces comptables (qu'il se garde bien de joindre à son mémoire) prouve qu'il a en réalité dépensé quinze fois plus[1], sans parler du prix des constructions civiles[2]. » La mauvaise foi du curé de Rennes-le-Château est plus qu'évidente.

Bérenger Saunière sera donc condamné. Une première fois, il est *suspens a divinis* temporairement. L'évêque veut simplement lui infliger un avertissement et lui faire accepter sa nouvelle nomination. Mais Saunière, comme il en a le droit, fait appel en cour de Rome, où ce genre d'affaires traîne pendant des années. De plus, Saunière prétend ne pas déloger du presbytère de Rennes-le-Château et la municipalité prend fait et cause pour lui, affirmant que la location joue pour Saunière et pour nul autre. Il est certain que le curé de Rennes-le-Château est aimé de ses paroissiens, même de ceux qui ne fréquentent pas l'église.

En 1913, Bérenger Saunière — par quels moyens occultes ? — obtient gain de cause en cour de Rome. Mais Mgr de Beauséjour revient à la charge et prétend le faire obéir. De plus, la guerre éclate, et l'atmosphère change du tout au tout. Subitement, Bérenger Saunière ne paie plus ses factures et il est obligé de faire des emprunts. Rien ne va plus. Les mauvaises langues s'en mêlent bien entendu, et le personnage de l'Autrichien refait surface, du moins dans les conversations. Les autorités civiles soupçonnent Saunière de se livrer à l'espionnage et d'entretenir des relations avec des ennemis. Il est évident que les relations de Saunière avec l'archiduc d'Autriche, qui sont aujourd'hui absolument prouvées, ont constitué alors une lourde charge contre lui. Saunière est considéré comme un agent de

le *Fabuleux Trésor de Rennes-le-Château*, de Jacques Rivière (Nice, éd. Bélisane, 1983) et *Histoire du Trésor de Rennes-le-Château*, de Pierre Jarnac (édité par l'auteur lui-même). Ces deux auteurs se sont livrés à de remarquables investigations, et les résultats sont concordants, compte tenu de divergences d'interprétation bien compréhensibles. Il est inutile de refaire leur travail qui est remarquable de patience et de précision. Les photos publiées dans ces deux ouvrages sont des documents qui parlent d'eux-mêmes.
1. Je laisse à Jean-Luc Chaumeil la responsabilité de son affirmation.
2. Jean-Luc Chaumeil, *le Trésor du Triangle d'or*, p. 110.

renseignement des Empires centraux. Bien entendu, on n'a jamais rien pu prouver (et on ne l'aurait certainement pas pu, car toute idée d'espionnage se trouve écartée d'emblée de l'affaire Saunière !), mais on raconte quand même que la tour Magdala sert d'observatoire pour les espions ennemis et que certains d'entre eux se cachent dans les « chambres secrètes » de la villa Béthania. Saunière est au banc des accusés. *Et il se défend avec une telle maladresse qu'il donne prise à toutes les calomnies.* En 1915, il est définitivement *suspens a divinis*, c'est-à-dire qu'il n'a plus le droit d'exercer son ministère paroissial, de célébrer la messe en public et de conférer les sacrements de l'Église. Rennes-le-Château a un nouveau curé, qui n'y réside d'ailleurs pas. Ce qui n'empêche aucunement les habitants d'aller assister aux offices que Saunière célèbre dans la chapelle qu'il s'est fait construire sous la villa Béthania. Car la villa Béthania, ses jardins, ainsi que la tour Magdala sont toujours propriété privée (appartenant à Marie Dénarnaud) et on ne peut l'en déloger. Quant au presbytère, par bail légal, et avec la complicité de la municipalité, il est toujours loué à M. Bérenger Saunière, et non au curé officiel. Curieuse situation.

Là, les versions du roman-feuilleton divergent. Pour certains, Bérenger Saunière et Marie Dénarnaud vont errer à travers l'Occitanie, en quête d'argent, vendant même des médailles bénies aux blessés de guerre qu'on soigne dans les hôpitaux. Pour d'autres, le curé et sa servante se terrent dans leur domaine et évitent de trop sortir. Pour d'autres encore, on montre Saunière essayant, par tous les moyens, de récupérer officiellement sa charge de desservant. Mais tout le monde s'accorde pour dire que Bérenger et Marie sont aux abois, financièrement parlant, et que les créanciers se manifestent de plus en plus autour d'eux. Heureusement, si l'on peut dire, c'est la guerre, et les recouvrements de créances ne sont pas le principal souci des tribunaux. L'ex-curé de Rennes et sa fidèle servante passent au travers des gouttes de l'orage.

Depuis 1914, l'angoisse saisit toutes les familles de France. Qui n'a pas, en effet, un parent ou un ami au front ? Qui n'a pas un « mort pour la patrie » dans son entourage immédiat ? A Rennes-les-Bains, l'abbé Henri Boudet se fait vieux. Les tumultes de la guerre ne l'atteignent pas. Mais ses forces déclinent. Il démissionne de sa charge et se retire à Axat, dans sa famille. En 1915, si la guerre continue, les Allemands sont momentanément arrêtés, mais on ne sait pas ce qui peut arriver. C'est toujours l'angoisse, même dans ces campagnes reculées de l'Aude où l'on ne connaît les horreurs de la guerre que par les journaux ou les récits des permissionnaires, généralement des blessés en convalescence. A Axat, non loin de Rennes-le-Château, l'abbé Boudet sent sa dernière heure venir. Alors, il fait appeler Bérenger Saunière, qui accourt immédiatement auprès de son confrère. Que se disent-ils tous les deux ? Personne n'a assisté à leur entretien, on s'en doute. Et le 30 mars 1915, Henri Boudet quitte doucement cette terre, apparemment en paix avec Dieu, et avec lui-même.

C'est alors que tout change pour Bérenger Saunière. Brusquement, le voici qui paie ses dettes les plus criardes, le voici qui indemnise ses fournisseurs. Il reprend goût à la vie. Plein d'espoir, le voici qui fait des projets ambitieux. Il veut doter Rennes-le-Château d'un système de canalisations qui amèneront l'eau potable dans toutes les maisons. Il veut assainir le village. Il veut construire, à l'est du bourg, une tour grandiose qui fera pendant à la tour Magdala, et du haut de laquelle il prêchera la bonne parole à tous ceux qui voudront venir l'écouter. Et ils seront nombreux, il n'en doute pas. Il passe des commandes, il paie des arrhes.

Que s'est-il donc passé ?

L'explication la plus simple de cette « résurrection » passe par l'abbé Boudet. Celui-ci, avant de mourir, lui a confié le « secret », le « grand secret », celui qui manquait encore à Saunière. Quel est ce secret ? Un trésor inépuisable ou bien la possession de documents ? Là, les supputations peuvent aller bon train. Toujours est-il qu'en 1916, Bérenger Saunière redevient ce qu'il était, un homme d'une ambition démesurée, prêt à accomplir des prouesses, prêt à construire encore plus beau qu'il n'a construit. Ainsi parlera-t-on encore longtemps de lui. Ce sera sa revanche sur l'autorité épiscopale. Car, s'il a des démêlés avec l'évêché, il ne renie aucunement sa foi et continue à célébrer la messe dans sa chapelle, la plupart du temps en présence des fidèles de Rennes qui préfèrent s'abstenir de la messe officielle dite par un curé qu'ils n'acceptent pas. Jusqu'au bout, Bérenger Saunière restera « curé de Rennes-le-Château ».

1917. La guerre s'éternise. La liste des morts pour la patrie s'allonge de jour en jour, et bientôt, sur la place de Rennes-le-Château, on construira un monument que n'avait pas souhaité l'abbé Saunière, un monument aux morts, comme dans toutes les communes de France. Bérenger Saunière a soixante-cinq ans. Il est encore très en forme. Sa puissante carrure impressionne ses visiteurs. Il bâtit ses projets en attendant de les faire réaliser concrètement. Mais le 17 janvier (souvenons-nous de la dalle du tombeau de la marquise d'Hautpoul), un malaise le terrasse, alors qu'il franchit la porte conduisant à la tour Magdala, un malaise dont il ne se relèvera pas. On le conduit à sa chambre, au presbytère qu'il occupe toujours. Marie Dénarnaud, pleine d'angoisse, envoie chercher un médecin. Bérenger connaît son mal.

Il le connaît depuis longtemps, mais il a toujours fait comme s'il n'était pas malade. Quelques jours passent. Il demande à Marie de faire venir un prêtre. C'est l'abbé Rivière, le curé de Couiza, qui monte jusqu'à Rennes. Il s'enferme dans la chambre de Saunière. La confession, ou plutôt l'entretien, dure longtemps. Lorsque le curé de Couiza redescend, il est pâle, livide. On prétend même qu'il demeurera prostré de longues semaines avant de retrouver la sérénité. Quel affreux secret a donc pu lui confier son confrère l'abbé Saunière? On prétend même qu'au moment de mourir, le curé de Rennes-le-Château aurait prononcé devant le docteur Courrent ce nom mystérieux : «Jean XXIII». On prétend également qu'il ne reçut l'extrême-onction que «sous condition» deux jours après sa mort, avant d'être inhumé dans le petit cimetière qui borde l'église, cette église qu'il a tant aimée...

On ne saura jamais. Les morts emportent leurs secrets, et le secret de la confession existe. L'abbé Rivière n'a jamais dit quoi que ce soit sur son dernier entretien avec l'abbé Saunière. Mais, après sa mort, en cette nuit du 22 janvier 1917, les langues vont aller bon train, ne serait-ce qu'à propos de ses funérailles. Par les soins de Marie Dénarnaud, il aurait été placé sur un trône, dans la grande salle de la villa, revêtu d'ornements somptueux qui comportent des glands cramoisis. Les visiteurs se pressent, très nombreux, venant de partout, pour rendre un dernier hommage à cet homme exceptionnel par qui le scandale est arrivé. On dit même qu'une calèche amène une belle dame dont le visage est caché par un voile de crêpe noir. Emma Calvé, bien sûr[1]... Et après cette cérémonie quelque peu païenne, pendant laquelle les visiteurs arrachent des glands au vêtement du défunt, les hommes du village emportent le cercueil de Bérenger Saunière dans l'église, dans son église, où va officier l'abbé Rivière. On creusera la tombe du curé contre le mur du sanctuaire.

A l'ouverture du testament du défunt, on s'aperçoit que Saunière ne possédait rien. Toutes ses propriétés étaient au nom de Marie Dénarnaud. Quant à ses comptes en banque, personne ne les a jamais retrouvés... Marie Dénarnaud, murée dans son chagrin, ne quittera jamais la villa Béthania. Elle mènera une existence triste, dans le souvenir de Bérenger Saunière, sans révéler quoi que ce soit des secrets de celui-ci. On a dit bien souvent qu'elle répétait aux gens du village qu'ils marchaient sur de l'or. Alors pourquoi cette vieille dame est-elle morte en 1953, non pas dans le dénuement, mais dans la gêne, obligée de vendre en viager le domaine à Noël Corbu? S'il y avait eu de l'or sous ses pas, elle aurait pu en profiter elle-même. Il faut croire que ce n'était pas le cas, et que le roman de Bérenger Saunière est un tissu d'inventions dont certaines sont si tenaces qu'elles passent maintenant pour des réalités historiques.

Pourtant, il y a l'église Sainte-Madeleine de Rennes-le-Château. Pourtant, il y a la villa Béthania et la tour Magdala. Pourtant, il y a l'ombre de Bérenger Saunière, présente partout. Où se trouve la frontière entre le roman et la réalité dans ce récit absurde et pourtant plein d'enseignements?

Il y a un «mythe» Saunière. Mais il n'y a pas de mythe qui ne se greffe sur une réalité intérieure, même si celle-ci a du mal à transparaître à travers les brouillards de l'imaginaire. Il y a un mystère Saunière, personne ne peut en douter. Qui donc était cet homme hors du commun?

---

1. Cet épisode a été remarquablement mis en scène par Jean-Louis Fournier dans son téléfilm de F.R.3, *l'Or du Diable* (1989), d'après deux romans de Jean-Michel Thibaux. Il s'agit bien entendu de fiction, mais cette fiction n'est pas plus absurde que tout ce qu'on a raconté ou écrit *sérieusement* sur Bérenger Saunière. Je dirai même que c'est plus honnête.

QUI ÉTAIT DONC L'ABBÉ SAUNIÈRE ?

Le 1er juin 1967, le vicaire général Georges Boyer publiait dans *la Semaine religieuse de Carcassonne* un assez long article dont le titre était « Mise au point et mise en garde ». On pouvait notamment y lire ceci : « Depuis quelques années, notre vieux Razès est périodiquement le théâtre de recherches décevantes, de fouilles passionnées, de publications à sensations. De ce raz de marée, l'épicentre se situe, comme il se doit, à Rennes-le-Château, pour s'étendre en zones concentriques à Coumesourde, à Rennes-les-Bains, au plateau des Fées (Las Brugos), à Blanchefort, à Campagne-sur-Aude, bref à ce haut lieu wisigothique chargé d'histoire sans doute, mais plus encore aujourd'hui de légendes et inondé de documents apocryphes. On affirme sans hésiter qu'un trésor est caché dans une ancienne nécropole, que l'évêché de Carcassonne connaît l'existence de cette nécropole, mais se refuse à en dévoiler le secret... L'explication de la fortune — et des dépenses — d'un ancien curé de Rennes-le-Château, l'abbé Saunière, mort en 1917, s'étend en une riche gamme de suppositions, des profits de l'espionnage de guerre à la découverte d'un trésor wisigoth, ou cathare, ou royal, ou des Templiers. » Après tout, la recherche des trésors est une saine distraction, même si elle n'est pas fructueuse. Et les œuvres d'imagination, même d'une imagination débridée, ne justifieraient pas une quelconque mise en garde dans une « Semaine religieuse » qui, par nature, se doit d'être pacifique.

« Jusque-là, il était permis de sourire. A partir de là, il n'est plus possible de se taire. Nous avons maintenant, après une longue enquête, tout un faisceau de preuves et de présomptions [1]. Et parce que la réputation de nos prêtres est chose sacrée, on voudra bien retenir de ce qui précède que nous ne les laisserons pas attaquer injustement, que nous ne permettrons pas que leurs noms soient utilisés à des fins douteuses ou commerciales... »

On comprendra que le sujet est délicat par sa nature même. Qu'on le veuille ou non, et tout prêtre qu'il était, l'abbé Bérenger Saunière appartient désormais à l'Histoire, et l'Histoire appartient à tout le monde. Le tout est de savoir ce que l'on veut prouver. On peut aussi bien faire dévier les faits et les documents dans la plus parfaite partialité, d'un côté comme de l'autre, qu'on ait choisi de « blanchir » l'abbé Saunière de certaines accusations, ou qu'au contraire, on ait voulu exploiter ce personnage de prêtre peu ordinaire jusqu'à aller prétendre qu'il avait « vendu son âme au diable ». Il faut bien avouer que la confusion règne en ce domaine, et qu'il est bien difficile de séparer la réalité des événements des interprétations parfois absurdes qui en ont été faites. Alors, puisqu'il y a bien un « mystère Saunière », il faut tenter, dans la mesure du possible, sinon de le résoudre, du moins de l'expliquer. Et la première chose à faire, c'est de savoir, d'après des documents fiables, *qui était donc l'abbé Saunière* avant que la légende ne s'emparât de lui.

Bérenger Saunière est un homme du pays. C'est une réalité qu'il ne faut pas négliger. Il est né à Montazels, près de Couiza, le 11 avril 1852. Les férus d'astrologie pourront — pourquoi ne l'ont-ils jamais fait? — en déduire que Saunière était du signe du Bélier, et que ce qui caractérise ce signe, c'est la volonté inconsciente de foncer tête baissée sur les obstacles, quitte à en payer durement les conséquences. Bref, Bérenger est l'aîné d'une honorable famille, et son père est alors régisseur du marquis de Cazemajou et le gérant de la minoterie du château. C'est dire qu'il occupe un poste important et que ce n'est pas n'importe

---

1. L'évêché de Carcassonne a livré une partie des documents de cette enquête, et ces documents ont été publiés et commentés dans l'ouvrage de Jacques Rivière, *le Fabuleux Trésor de Rennes-le-Château*, en 1983, et dans celui de Pierre Jarnac, *Histoire du trésor de Rennes-le-Château*, en 1985. Ces deux livres constituent la base essentielle de toute étude objective du cas de l'abbé Saunière.

Vue d'ensemble de Rennes-le-Château.
En bordure du village, en haut et au centre de la photo, se distinguent
nettement la tour Magdala et, immédiatement à sa droite,
la villa Béthanie.

L'abbé Bérenger Saunière.

Marie Denarnaud.

Le pilier wisigoth à l'intérieur duquel Saunière
découvrit les mystérieux parchemins.

Le bénitier soutenu par le diable
situé à l'entrée de l'église.

La tour Magdala.

Les Bergers d'Arcadie de Nicolas Poussin.

La tombe, proche d'Arques, supposée être celle
figurant sur la toile de Poussin.

qui, surtout à cette époque. La vallée de Couiza est riche et bien irriguée. On y trouve des pâturages et des vergers. Les Cazemajou sont apparentés aux plus anciennes familles de la région et sont cousins des Négri d'Ables. C'est une famille dévouée à la cause chrétienne et qui compte de nombreux prêtres et religieuses parmi ses membres. Par conséquent, on peut affirmer que la famille Saunière, des roturiers bien sûr, mais des roturiers au-dessus de l'ordinaire, a été conditionnée dans le même sens. Il y aura deux prêtres parmi les enfants de Joseph Saunière : Bérenger et son frère cadet Alfred.

Il faut examiner également l'époque où se déroule l'enfance de Bérenger. C'est le Second Empire. Les familles nobles d'Occitanie, et leurs «clients», ont voté massivement pour Louis-Napoléon par crainte des Républicains, et surtout des Socialistes. On est catholique par tradition, par principe et par conviction, et l'on ne peut se permettre de faire confiance à des individus prêts à trahir les intérêts de l'Église, sous l'influence des banquiers juifs et des Francs-Maçons de toutes catégories. Et, après le désastre de 1870, on sera bien entendu anti-communard, priant le Seigneur que la jeune République se transforme en monarchie, avec à sa tête un homme digne de son rang, Henri V, comte de Chambord, héritier incontestable de la lignée *légitime*. Car on est *légitimiste* à Montazels. On croit à la monarchie de droit divin, et l'on voue à l'enfer le prétendant orléaniste, ne lui pardonnant pas d'être le descendant de Philippe Égalité, régicide bien connu, et grand maître de la Franc-Maçonnerie dans les années qui précédèrent la Révolution. C'est pourquoi les accusations qui ont été faites concernant l'appartenance de Bérenger Saunière à une obédience maçonnique sont non seulement ridicules, mais complètement en dehors de la réalité : on sait que c'est le soi-disant damier qui couvre le sol de l'église de Rennes-le-Château qui a donné naissance à cette opinion. Et si l'on est monarchiste partisan de la lignée légitime, on est évidemment catholique *intégriste*, il ne peut en être autrement. Lorsque Napoléon III a chassé, par Italiens interposés, le pape de ses États pontificaux, on s'est bien rendu compte que l'ex-Badinguet avait partie liée avec ces diaboliques Francs-Maçons qui veulent pervertir le monde. Napoléon III a joué d'hypocrisie dans cette affaire, on le sait bien, puisqu'il était lui-même dépendant des *Carbonari*. C'est pour se concilier les Catholiques français qu'il a fait semblant d'aider le pape. Heureusement, après cela, il y aura le pape Pie X, qui condamnera sans ambages toute forme de démocratie comme contraire aux desseins de Dieu. Il y a les producteurs, les guerriers et ceux qui prient, c'est la fameuse tripartition indo-européenne remise à l'honneur au Moyen Age, et qui correspond au plan divin. Mais on peut toujours, de «producteur» qu'on est à l'origine, devenir membre de la classe sacerdotale. C'est ce que feront Bérenger et son frère Alfred.

C'est dire dans quelle ambiance a été élevé le jeune Bérenger Saunière. Et toute sa vie, il restera fidèle à ses convictions monarchistes, fussent-elles les plus réactionnaires mais aussi les plus *paternalistes* qui se pussent trouver. Cela explique d'ailleurs en grande partie l'œuvre qu'il voudra accomplir dans sa paroisse de Rennes-le-Château : un prêtre doit être l'élément moteur de la société, aussi bien sur le plan matériel que sur le plan spirituel. Qu'a donc voulu faire d'autre Bérenger Saunière?

En 1874, Bérenger entre au grand séminaire de Carcassonne. Il y poursuit des études correctes. Il est ordonné prêtre en juin 1879, alors que son frère Alfred avait été ordonné l'année précédente. Cela prouve que Bérenger avait eu quelques difficultés à aller jusqu'au bout, et montre avec clarté que ce n'était pas une intelligence exceptionnelle. Mais il est parvenu au but qu'il s'est fixé. Il a vingt-sept ans, et il est nommé vicaire à Alet, avec un traitement de 900 francs par an, selon la loi qui régit les rapports concordataires entre l'Église et l'État.

Il se montre un prêtre dévoué et ne manque aucune occasion d'accorder son œuvre sacerdotale à des actions humanitaires, veillant à donner ou faire donner quelque argent aux plus démunis des paroissiens. C'est une constante chez l'abbé Saunière : si on l'a accusé d'avoir accumulé une fortune, il faut reconnaître qu'il a toujours eu l'idée *d'en disposer aussi pour les autres*. Ce sont évidemment des tendances bien paternalistes, et bien conformes à celles de la classe aristocratique de l'époque. On voit tout de suite les implications du système : elles maintiennent la population française dans un état de dépendance vis-à-vis de l'Église et de ceux qui ont conclu une alliance avec celle-ci, autrement dit les monarchistes et les partis républicains de droite, toujours prêts à se rallier à une majorité royaliste. Mais cette attitude de Saunière, qu'il partage avec un bon nombre

162

de ses confrères, est évidemment une conséquence de son éducation à l'ombre d'une famille aristocratique.

Cependant, l'abbé, quand il a quelques loisirs, se promène dans les rues d'Alet. C'est un homme de la campagne, d'une forte taille, qui semble respirer la force et la santé. Il aime «prendre l'air» et s'intéresse toujours à ce qu'il voit. Une promenade qu'il affectionne, c'est d'aller rôder dans les ruines de la vieille cathédrale et des débris du monastère. Il regrette la splendeur passée du monument. Il déplore que Viollet-le-Duc, en 1862, n'ait pas cru bon de faire procéder à la restauration de cet édifice. On le voit aussi devant la tombe de l'ancien évêque d'Alet, Nicolas Pavillon, cet ami de saint Vincent de Paul qui pratiqua lui aussi la charité envers les pauvres et qui avait envisagé, chose très rare à l'époque, la participation active des femmes dans l'évangélisation et l'instruction du peuple des campagnes. Cet exemple donné par le vingt-neuvième évêque d'Alet, Saunière le méditera souvent, et lorsqu'il aura en charge la paroisse de Rennes-le-Château, il tentera le plus possible de le mettre en pratique. Se souvient-il des paroles ambiguës du troubadour occitan Uc de Saint-Circ qui disait — à propos de tout autre chose — que c'est à travers la Femme qu'on atteint Dieu? Et peut-être pense-t-il déjà à cette étrange figure de Marie de Magdala. Après tout, c'est à elle que Jésus ressuscité s'est adressé pour lui demander d'apporter la nouvelle à ses disciples.

Et puis, au cours de ces promenades «archéologiques», Bérenger Saunière rencontre un personnage, dont on a très peu parlé à propos de l'affaire de Rennes-le-Château, et qui pourtant a bouleversé la vie du prêtre. C'est peut-être l'élément essentiel de la vie de Saunière, tout au moins la justification d'une partie de l'œuvre qu'il a accomplie. Pourquoi ce silence? Pourquoi n'a-t-on pas remarqué l'importance des rencontres dans la vie d'un homme aussi mystérieux que l'abbé Saunière? Ce personnage, c'est un peintre, dont les œuvres ne sont guère passées à la postérité, mais qui a eu une influence décisive sur les activités de Saunière. Il s'agit de Henri Dujardin-Beaumetz, qu'on retrouvera par la suite comme hôte privilégié de la villa Béthania.

Henri Dujardin-Beaumetz, né en 1852, fait profession d'artiste peintre. Mais comme son art ne le nourrit pas, il s'est lancé dans la politique. Il devient conseiller général de l'Aude, puis, plus tard, à partir de 1889, il sera élu député. Il occupera d'actives fonctions à la Chambre des Députés, et il parviendra à occuper le poste de sous-secrétaire d'État aux Beaux-Arts. Dujardin-Beaumetz est membre du parti radical, et ce qui est essentiel à considérer, il est un franc-maçon convaincu. Curieuse amitié entre les deux hommes... L'un est monarchiste (et même légitimiste), prêt à se battre pour la Droite, croyant sincère et prêtre soucieux de ses devoirs, l'autre est anticlérical, pour ne pas dire athée, prêt à lutter pour le triomphe de la Gauche, partisan de la laïcité et du combisme. Et pourtant la sympathie qui unit les deux hommes ne se démentira pas : elle durera jusqu'à la mort de Dujardin-Beaumetz en 1910.

De quoi s'entretiennent les deux hommes ? De politique sûrement, car ni l'un ni l'autre ne cachent leurs opinions et ne sont prêts à les renier. Mais probablement aussi d'art et d'archéologie, puisqu'ils parcourent ensemble les ruines de l'abbaye d'Alet. Saunière est ignare en la matière : au séminaire, avant notre époque, on ne se préoccupait guère de développer le goût artistique des futurs prêtres. C'est d'ailleurs pourquoi de nombreux curés de village ont bradé des statues de toute beauté — et d'un bon prix — à des antiquaires de passage, et qu'ils les ont remplacées par ces horribles statues de plâtre saint-sulpiciennes qui font la désolation de bien des sanctuaires. C'est pourquoi, parfois, avant que l'édifice ne fût classé, ou inscrit à l'inventaire des Monuments historiques, de nombreux curés ont littéralement massacré leur église, transformant un sanctuaire de prière et de beauté en salle de conférence[1]. Bérenger Saunière écoute les discours du peintre, et sans doute ses explications sur l'ornementation très riche et *très symbolique* de ce vénérable sanctuaire délaissé et que des carriers continuent de dévaster avec l'accord de l'administration, malgré les réclamations de Dujardin-Beaumetz. Sans doute, Bérenger Saunière réfléchit-il sur l'extrême nécessité de donner au peuple des exemples concrets

---

1. Je pourrais citer de nombreux exemples de cette ignorance regrettable, en particulier celui de la très belle église paroissiale de Tiranges (Haute-Loire), où le curé (croyant bien faire) a fait disparaître les colonnes romanes ornées de chapiteaux, sous prétexte qu'il ne parvenait pas, le dimanche, à repérer qui était à la messe et qui ne l'était pas. Les témoins de cette transformation n'en sont pas encore revenus.

et imagés de la doctrine chrétienne, même si ces exemples revêtent un aspect déroutant. Dujardin-Beaumetz, en tant que francmaçon, connaît le symbolisme, et il en apprend au jeune vicaire certaines clés. Cela n'est pas douteux.

Mais on ne reste pas vicaire toute sa vie. Le 16 juin 1882, le nouvel évêque de Carcassonne, Mgr Félix Billard, nomme Bérenger Saunière curé desservant de la paroisse de Le Clat, dans le doyenné d'Axat. C'est un village de quelque 282 habitants, perché sur un rebord de plateau, d'où l'on découvre un paysage grandiose sur le pays de Sault. Les paroissiens sont très pauvres et ne vivent guère que de l'élevage des mulets. Ce n'est pas un poste enviable, mais Saunière s'y comporte comme il se doit, avec toujours en tête cette idée d'améliorer le sort des populations et de laisser derrière lui quelques traces architecturales de son passage. Il y restera trois ans, dans une très grande solitude.

On a dit que Saunière avait une passion pour les livres. Mais on s'est bien gardé de dire *pour quels livres*, et jamais personne n'a pu retrouver exactement ce que contenait sa bibliothèque. Des textes sacrés, bien sûr, puis des ouvrages en grec, en latin et en hébreu. Mais Saunière n'était quand même pas un intellectuel : c'était plus un homme d'action, un bâtisseur qu'un méditatif. Il est probable que, dans ce village d'Axat, il a pris son mal en patience, sachant qu'un jour ou l'autre, on lui donnerait une paroisse digne de lui. Mais les nouvelles parviennent jusqu'au Clat. Il apprend ainsi, en 1883, la mort du comte de Chambord, qui est aussi duc de Bordeaux, prétendant légitimiste à la couronne de France et que ses partisans appellent déjà Henri V. On sait que son intransigeance, son refus du drapeau tricolore, et un mépris évident pour le « peuple » lui aliénèrent une partie de ceux qui, après tout, auraient accepté son retour. Mais il était mort en exil, en Autriche, et sans héritier. Dès lors, le seul prétendant d'origine capétienne était le comte de Paris, un Orléans.

On sait cependant qu'en cette même année 1883, des comités royalistes, particulièrement actifs, et bénéficiant de largesses quelque peu anonymes, vont ériger des monuments à la mémoire du comte de Chambord. L'un de ces monuments existe toujours, à Sainte-Anne d'Auray (Morbihan), dans le prolongement exact de la basilique érigée en cette même date en l'hon-

neur de la patronne des Bretons, et qui est un exemple caractéristique de l'art — ou plutôt du pseudo-art — triomphaliste et
réactionnaire de l'Église catholique de la fin du XIXe siècle, dont
les témoignages les plus fameux — et les plus horribles
esthétiquement — sont, en dehors de Sainte-Anne, le Sacré-Cœur
de Paris, Notre-Dame de Fourvière de Lyon, la basilique (nouvelle) d'Ars-sur-Formans (Ain), la hideuse basilique de Notre-
Dame de la Salette (Isère), la pénible basilique de La Louvesc
(Ardèche), tournée dans le mauvais sens, mais néanmoins vouée
à l'intolérance, c'est-à-dire à saint François-Régis, « apôtre » des
Protestants « repentis » et, enfin, le summum, dénoncé par tous
les artistes et par le très croyant Grillot de Givry, la basilique
de Notre-Dame de Lourdes. Le christianisme intransigeant et
réactionnaire de Pie X (depuis canonisé pour les besoins de la
cause) est en passe de triompher. On en voit les traces dans
l'affaire Dreyfus et les machinations de Léo Taxil sur les Francs-
Maçons, ainsi que sur le trop célèbre « Protocole des Sages de
Sion », faux reconnu comme tel à présent, mais qui a fait des
ravages à l'époque dans les milieux intégristes et a provoqué
les premières manifestations d'un antisémitisme qui va conduire
aux fours crématoires du nazisme, aujourd'hui niés par des intellectuels qui confondent Histoire et idéologie.

Mais ce qui caractérise ces monuments et ces églises, c'est
non seulement le mauvais goût, mais encore le défi systémati-
que à la Beauté. Tout y est laid, informe, grandiloquent, avec,
en ombre chinoise, l'image d'une divinité croquemitaine qui
inspire le respect, et donc la terreur. Bérenger Saunière, il faut
insister là-dessus, est le pur produit de cette époque et de cette
tendance. C'est sa propre culture. Et comme il n'a pas le sens
artistique très développé, il s'efforcera de concilier ses vues idéo-
logiques avec les conseils qu'on lui donnera. C'est pourquoi il
est difficile de l'accuser entièrement du mauvais goût qui règne
à Rennes-le-Château : son manque de sensibilité artistique lui
a fait subir certaines influences, y compris celles qui étaient les
plus contradictoires avec son propre point de vue.

Quoi qu'il en soit de ces spéculations intellectuelles et artistiques, Bérenger Saunière rêve de quelque chose de grandiose.
Il se voit à la tête d'un nouveau Lourdes où des foules innombrables de fidèles viendront vénérer, non pas lui-même, mais
la religion dont il porte la responsabilité. Malheureusement,

Mgr Billard ne lui offre pas les moyens de réaliser ses desseins. Il le décharge de la paroisse de Le Clat, mais en guise de promotion, il lui offre Rennes-le-Château. La promotion est mince : de 282 habitants, il va passer à 298. Mgr Billard a-t-il voulu se débarrasser de lui ?

La promotion peut paraître en effet assez étrange. D'ordinaire, lorsqu'un desservant de paroisse donne satisfaction pendant un certain temps, on lui propose de prendre en charge une paroisse plus importante, où il pourra exercer ses talents auprès d'une population plus nombreuse. Mais il y a des cas où, «ayant déplu» dans une paroisse en tant que vicaire ou en tant que curé, l'ecclésiastique en question est nommé à une autre paroisse, sous forme de promotion, mais en réalité pour le punir de certaines initiatives malheureuses : car la paroisse promise se révèle à l'usage d'une grande pauvreté, ou est entachée d'un vice quelconque qui n'apparaît pas toujours très clairement [1]. La hiérarchie de l'Église catholique romaine veut que l'on poursuive un *cursus* conforme à ce qu'on attend d'un prêtre. Après l'apprentissage, après une épreuve dans un endroit difficile à gérer, on donne au nouveau promu une fonction qui convient tant à ses aspirations qu'au bien général. Or il ne semble pas que ce soit le cas pour Bérenger Saunière. Il se retrouve dans une paroisse

---

1. J'ai été personnellement témoin de cas de ce genre. L'exemple qui m'est le plus familier est celui de l'abbé Henri Gillard, que je considère à juste titre comme mon père spirituel. Ayant accompli ses fonctions de vicaire dans deux paroisses successives, et ayant déplu tant au titulaire de la paroisse qu'à l'évêque de Vannes dont il dépendait, et vu son âge, il fut nommé «recteur» de Tréhorenteuc (Morbihan). Mais ce qui était apparemment une promotion n'était qu'un piège, car la paroisse, comptant à peine plus de cent habitants, était non seulement la plus pauvre de tout le diocèse, mais aussi la plus difficile à gérer sur tous les plans, tant spirituel que temporel et politique. D'ailleurs, cette paroisse était nommée, dans le pays, «le pot de chambre du diocèse». Inutile de dire que l'abbé Gillard avait relevé le défi et qu'il a fait de cette modeste paroisse bretonne l'un des centres les plus importants de pèlerinage spirituel et temporel qui soient actuellement dans la péninsule. Mais, visiblement, et à la réflexion, cette promotion était en réalité une punition pour avoir eu trop d'indépendance et trop d'esprit d'initiative. Voir à ce sujet mon introduction à l'ouvrage de l'abbé Gillard, *les Mystères de Brocéliande*, Ploërmel, 1983. Il s'agit de la réédition de plusieurs fascicules édités de son vivant par l'abbé Gillard, par ses propres soins. Cette réédition comportait également des commentaires de Pierre-Jakez Hélias, de Yann Brékilien et de Charles Le Quintrec.

équivalente, et peut-être plus difficile à administrer que celle dont il avait antérieurement la charge, et qui n'a pas le mérite d'être plus prestigieuse. Cela pose le problème de Mgr Billard, évêque de Carcassonne, et supérieur hiérarchique de l'abbé Bérenger Saunière. Car il faut savoir qu'à l'origine, seuls les évêques étaient considérés comme les héritiers du Christ, et donc seuls habilités à distribuer les Sacrements. Ce n'est que par suite du développement de l'Église que les évêques ont délégué certains de leurs pouvoirs à des «chargés de mission» (c'est le sens du mot «curé») pour accomplir, au sein des populations rurales notamment, le travail apostolique qu'eux-mêmes, par faute de temps, n'eussent pu réaliser pleinement.

Bérenger Saunière arrive donc à Rennes-le-Château. Sa première impression doit être décevante : c'est un «trou» perdu au milieu d'une montagne aride. Que peut-il espérer de bon dans cette paroisse qui n'a pas la réputation d'être facile, ni d'être «enrichissante»? Dans chaque diocèse, il y a des «bonnes» paroisses, et des mauvaises. La réputation est faite depuis longtemps. A Rennes-le-Château, la population est pauvre et peu nombreuse. Le traitement chichement alloué par l'État suffira aux besoins vitaux du curé, mais pour ce qui est du reste, c'est-à-dire de la réparation de l'église et du presbytère, il vaut mieux compter sur soi-même. C'est ce que fera Saunière, tout en récupérant un legs transmis par son prédécesseur et en essayant de gagner à sa cause le Conseil de fabrique, chargé d'administrer les biens d'une paroisse, et la municipalité, qui est, en dernier ressort, la patronne locale d'un organisme d'État contrôlé par le ministère des Cultes.

Cette pauvreté de Rennes-le-Château, cet état de délabrement dans lequel il trouve l'église et le presbytère, déterminent Bérenger Saunière à agir. S'il faut faire quelque chose, il le fera, même si ce «quelque chose» sort de l'ordinaire et se place marginalement par rapport aux lois en vigueur. Pour juger sainement de l'abbé Saunière, il est bon de rappeler cette situation défavorable dans laquelle il est plongé dès son arrivée à Rennes-le-Château. Sa bruyante et intempestive prise de position, lors des élections, n'arrange rien. Mis à l'écart, mais néanmoins protégé par Mgr Billard, il retrouve pourtant son poste de curé avec rétablissement de son traitement qui, on le sait, avait été suspendu pour «manque au devoir de réserve»... A qui doit-il cette réintégration somme toute assez rapide, alors qu'il figure sur la liste noire du régime républicain ? A l'intervention de son ami, le franc-maçon Dujardin-Beaumetz, très bien en cour à Paris, ou à celle de Mgr Billard, son évêque qui, lui aussi, peut parfois avoir «le bras long»? Nul ne le sait, et aucun document ne peut répondre à cette question.

Ensuite, il y a la volonté farouche qu'il manifeste de restaurer l'église, puis la curieuse association avec Marie Dénarnaud, puis l'indulgence incompréhensible de son évêque, puis les fouilles dans l'église et la découverte de *quelque chose*, puis encore les profanations dans le cimetière, les errances sur le plateau rocailleux, les entretiens avec l'abbé Boudet, les confidences faites à l'abbé Gélis, la métamorphose du petit curé de campagne en grand seigneur féodal, ses réalisations effectives dans le village, ses rapports certains avec des personnalités étrangères au milieu régional, ses fréquents voyages parfaitement prouvés (sauf celui à Paris), son train de vie époustouflant, ses continuelles prises de position monarchistes, sa décoration de l'église, si déroutante et si controversée, ses échanges avec l'archiduc d'Autriche qui se faisait appeler Jean Orth (échanges indiscutables), sa querelle avec Mgr de Beauséjour, successeur de Mgr Billard au siège de Carcassonne, les accusations portées contre lui à propos de trafic de messes, sa défense maladroite, son refus permanent de s'expliquer sur l'origine réelle des fonds dont il dispose, sa disgrâce provisoire et sa première réhabilitation en cour de Rome, sa définitive mise à l'écart comme *suspens a divinis*, son acharnement à s'incruster à Rennes-le-Château, sa misère provisoire au début de la Première Guerre mondiale, son retour en force à la mort de l'abbé Boudet, suivi de l'exposition de projets grandioses et onéreux, sa mort enfin, très subite et le mystère qui plane sur ses derniers instants (a-t-il reçu l'absolution ou non?), l'attitude étrange de Marie Dénarnaud jusqu'en 1953; tout cela pose un certain nombre de problèmes qui sont autant de *zones d'ombres*, généralement de taille.

Bérenger Saunière était un homme secret, peu enclin aux confidences. Et il a su convaincre Marie Dénarnaud de se taire lorsqu'il aurait franchi le pas. Elle l'a fait, respectant ainsi les volontés du défunt auquel elle avait, d'une façon ou d'une autre, voué aveuglément sa propre vie. Bérenger Saunière aimait parader sur les photos qu'on prenait de lui et qu'il éditait ensuite en cartes postales dont il recueillait les bénéfices. Il se faisait toujours représenter devant la villa Béthania, devant la tour Magdala, dans ses jardins alambiqués (en compagnie de Marie Dénarnaud d'ailleurs). Il avait l'orgueil de son œuvre et l'assurance de ceux qui n'ont rien à perdre, même dans des affaires qui pouvaient se révéler néfastes pour lui. En un mot, l'abbé Bérenger Saunière fut toute sa vie un *homme secret* et *discret* qu'il est difficile de cerner dans sa réalité profonde. C'est pourquoi il importe de scruter avec le plus grand soin ces fameuses *zones d'ombre* : paradoxalement, elles peuvent éclairer la personnalité de Bérenger Saunière et le faire considérer comme tout autre qu'il n'apparaît dans le roman qu'on a bâti sur lui *trente ans après sa mort*.

L'ombre de Mgr Billard

On a trop insisté sur la « complicité » qui aurait uni l'évêque de Carcassonne et le curé de Rennes-le-Château. On en est venu à dire que si l'évêque l'avait nommé à ce poste, en fait peu glorieux, c'est parce qu'il l'avait chargé d'une mission secrète : retrouver, sinon un trésor, du moins des documents d'une valeur inestimable pour l'Église et qui auraient été cachés là, probablement par l'abbé Bigou avant son exil espagnol. Cette explication de l'attitude de Mgr Billard a l'avantage d'être logique. Ces choses-là peuvent arriver. Mais alors pourquoi avoir choisi Saunière plutôt qu'un autre ? On en vient à affirmer que l'évêque a agi sur ordre. Mais sur ordre de qui, de son archevêque ou du Vatican même ? Des esprits ingénieux mais fumeux ont suggéré que Mgr Billard agissait au nom d'une mystérieuse confrérie, qui supervisait l'opération Saunière. Point n'est pourtant besoin de recourir à cette explication. Il paraît normal que la hiérarchie ecclésiastique puisse s'intéresser à des documents qui concernent l'Église, quitte ensuite à mettre ces documents en lieu sûr, car toute chose n'est pas bonne à révéler. C'est en tout cas une hypothèse valable, et qui ne met aucunement en doute l'honnêteté, la bonne foi et le zèle chrétien de Mgr Billard, pas plus qu'elle ne jette l'opprobre sur son subordonné, l'abbé Saunière. Et pour récompenser Saunière d'avoir réussi dans sa mission, Mgr Billard l'aurait laissé agir à sa guise pour rénover son église et aménager les constructions originales qu'il avait imaginées. Et, pour ce faire, l'évêque aurait fermé les yeux sur les affaires financières de Saunière.

Il est exact que Mgr Billard a toujours laissé Saunière libre d'accomplir ce qu'il voulait entreprendre. Peut-être surpris de la bizarre ornementation de l'église et de ses alentours immédiats, Mgr Billard n'en a jamais laissé rien paraître : il semble qu'il n'ait vu dans cette décoration que la volonté du curé de présenter quelque chose qui se démarquât par rapport à ce qu'on pouvait trouver dans d'autres paroisses. C'est tout. La présence du diable à l'entrée n'a rien en soi qui puisse choquer, puisqu'il est représenté soumis à une fonction qu'il exècre : supporter le bénitier. Rien là d'hétérodoxe, et l'on se demande vraiment pourquoi Mgr Billard aurait pu reprocher à Saunière la mise en évidence d'un symbole aussi éloquent. Pour ce qui est du « bon goût », c'est autre chose. Mais peut-être que l'esthétique de Mgr Billard rejoignait celle de l'abbé Saunière.

On appuie l'argument selon lequel Mgr Billard aurait confié sa mission à Saunière sur ordre de la mystérieuse confrérie sur le fait que, dès son remplacement à la tête du diocèse par Mgr de Beauséjour, les choses ont changé et que l'abbé Saunière s'est vu placé au banc des accusés. De là à prétendre que Mgr de Beauséjour n'était pas au courant des tractations de son prédécesseur, il n'y a pas loin. Mais rien n'empêchait Mgr de Beauséjour de ne pas avoir les mêmes conceptions que Mgr Billard. Ce dernier ayant, dans ses dernières années de fonction, laissé aller les choses de façon trop laxiste, son successeur aura voulu reprendre tout en main, remettre de l'ordre dans le diocèse, sans doute profondément choqué de voir Saunière faire un étalage trop voyant de ce qu'on disait être sa fortune. Un prêtre, dans un diocèse, doit obéissance à son évêque, même s'il peut, dans certains cas, faire jouer des dispositions qui relèvent du droit canon.

L'attitude de Mgr Billard et celle de Mgr de Beauséjour paraissent parfaitement compréhensibles, parfaitement logiques. Il n'y a pas là de quoi accuser Mgr Billard de s'être prêté à un jeu étrange. Du reste, il n'existe aucune preuve de l'affiliation de Mgr Billard à une quelconque confrérie qui aurait œuvré dans l'ombre, et c'est une malhonnêteté de l'affirmer. Si Saunière a remis à son évêque les documents qu'il a découverts dans son église — car il est certain qu'il en a trouvé —, il n'a fait que son devoir de prêtre. De même Mgr Billard, en occultant ces documents, n'a accompli que son devoir de prélat. Tout le reste est littérature.

L'ombre de l'abbé Boudet

Il y a eu des rapports certains et nombreux, rapports de respect mutuel et d'amitié, entre les deux curés. Nul ne songerait à les nier. Mais, de là, on en vient à prétendre que l'abbé Saunière ne s'explique que par l'abbé Boudet, et que le curé de Rennes-le-Château était proprement manipulé par le curé de Rennes-les-Bains, lequel aurait évidemment fait partie de la mystérieuse confrérie secrète et aurait été, sur place, le véritable instigateur et surveillant des recherches et des réalisations de Saunière. On s'appuie sur deux éléments dont l'un est parfaitement concret, le goût de l'abbé Boudet pour l'archéologie et la linguistique et la publication de son livre sur *la Vraie Langue celtique*, et l'autre, une affirmation tirée de l'examen des livres de comptes de Boudet, affirmation qui n'a jamais été vérifiée. Pour ce qui est du premier élément, il est incontestable que l'abbé Boudet s'est occupé toute sa vie d'histoire locale et de recherches archéologiques : c'était sa passion, même s'il se comportait en amateur, au sens le plus péjoratif du terme. Il a malheureusement — pour lui comme pour tout le monde — composé et publié son ahurissante *Vraie Langue celtique* dont les inepties, ou plutôt les naïvetés, paraissent si énormes qu'on a cru que l'ouvrage était rédigé en langage codé, en «langage des oiseaux», pour reprendre une expression qui fait plaisir aux amateurs d'ésotérisme.

Le deuxième élément serait grave s'il était vérifié. En effet, les livres de comptes de l'abbé Boudet indiqueraient — le conditionnel est ici de rigueur — que le curé de Rennes-les-Bains, de 1885 à 1901, aurait versé à Marie Dénarnaud la somme fabuleuse de 3 679 431 francs-or, ce qui infirmerait toute découverte de trésors de la part de Saunière, ainsi que l'anéantissement des accusations de trafic de messes. Mais alors, pourquoi cette générosité ? A quelle mission secrète était destinée cette fortune ? On voit que cette affirmation accréditerait la «manipulation» dont a été victime l'abbé Saunière, et aussi la présence discrète mais efficace d'une mystérieuse confrérie derrière le personnage de Boudet, car on ne pourrait imaginer une seule seconde qu'une telle somme pût provenir de la caisse personnelle d'un pauvre curé de campagne. De quoi faire rebondir le roman.

Malheureusement, cet élément d'information ne nous est fourni qu'une seule fois et par un seul homme, Pierre Plantard de Saint-Clair, dans sa préface à l'une des rééditions de *la Vraie Langue celtique* de Boudet[1]. Or, Pierre Plantard de Saint-Clair semble bien être sinon le créateur, du moins l'inspirateur du roman qu'on a bâti depuis 1956 autour de l'abbé Saunière, et il est bien difficile de le croire sur parole, d'autant plus que les papiers de l'abbé Boudet existent toujours, à Axat, dans la famille du curé de Rennes-les-Bains, et que personne n'a, jusqu'à présent, pu vérifier l'authenticité de ces « dons » plutôt étranges.

Tout cela demande réflexion. Henri Boudet était né à Quillan le 16 novembre 1837. Remarqué pour son intelligence très vive par le vicaire de Quillan, il avait été envoyé au séminaire de Carcassonne. Il y fit d'excellentes études, obtint une licence d'anglais, fut ordonné prêtre et desservit deux paroisses avant d'être nommé, en 1872, à Rennes-les-Bains, où il restera jusqu'en 1914, avant de prendre sa retraite chez son frère, notaire à Axat. Sa vie fut simple et tranquille, et l'on a gardé de lui l'image d'un bon prêtre, ne négligeant jamais ses devoirs, même s'il utilisait ses loisirs (et il y en a dans une paroisse de campagne!) à des travaux archéologiques et linguistiques. Il avait le sens de la famille, et il a toujours vécu en contact avec sa mère et sa sœur. Aucune chronique scandaleuse n'a relevé la moindre faute de sa part, ni le moindre mystère. Certes, « l'abbé Boudet n'était pas aussi pauvre qu'on veut bien le dire... Il était issu d'une famille de petite bourgeoisie. Son frère, Edmond Boudet[2], son aîné, était à la même époque notaire à Axat (Aude). Par des actes que j'ai vus, et que possède toujours un de ses petits-neveux, on remarque que l'abbé Boudet touchait des reve-

---

1. Paris, éditions Belfond, 1978.

2. C'est ce frère, Edmond, qui sera l'auteur de la fameuse carte qui se trouve publiée à la fin de *la Vraie Langue celtique*. Cette signature d'Edmond Boudet, au bas de cette carte, a provoqué bien des commentaires sur d'éventuels jeux de mots qui masquaient un message.

nus — substantiels, certes — sur des terrains lui appartenant en copropriété avec sa sœur[1] ».

Mais la vie d'Henri Boudet paraissant trop simple et trop nette, il a fallu inventer, au prix parfois d'incroyables malhonnêtetés. C'est ainsi qu'on a fait intervenir un témoignage — faux, bien entendu — d'un certain abbé Courtauly à propos d'une édition — fausse bien entendu — des *Pierres gravées du Languedoc*, recueil attribué — faussement, bien entendu — à un certain Eugène Stublein, savant local de la fin du XIXe siècle, réputé — faussement, bien entendu — archéologue. L'abbé Courtauly avait en effet connu, dans sa jeunesse, Boudet et Saunière. Prêtre de grande conscience, mais très original et infatigable chercheur, il avait mené une existence irréprochable et était mort dans son village natal près de Limoux, en 1964, à l'âge de soixante et onze ans. Or, en 1966, soit deux ans après sa mort, on le fait préfacer le faux recueil des *Pierres gravées du Languedoc* et débiter des énormités. En voici quelques exemples : « En 1908, j'ai été passer deux mois chez Saunière, à Rennes-le-Château ; j'avais à peine dix-huit ans ; c'est admirable comme site, mais plein de courants d'air. Saunière était remarquable. Avec son aide, j'ai réalisé une petite peinture dans l'église de Rennes[2]... » Et puis on en vient à Boudet : « C'est toute une affaire, Boudet. Il quitta Rennes-les-Bains en mai 1914, il avait eu des ennuis avec l'évêché...[3] On a détruit devant lui ses manuscrits, son livre *Lazare* qui fut brûlé[4]. C'est l'abbé Rescanière, missionnaire diocésain, qui fut curé de Rennes-les-Bains en mai 1914. Il tenta de faire la lumière sur l'affaire Boudet-Saunière, mais un lundi, vers une ou deux heures du matin — c'était le 1er février 1915 — il devait recevoir deux visiteurs dont on n'a jamais retrouvé trace. Le matin, il était mort, tout habillé

---

1. Pierre Jarnac, *op. cit.*, p. 278. Si Pierre Jarnac, qui a consulté les archives de Boudet, avait repéré les fameux « dons » à Marie Dénarnaud, il n'aurait pas manqué de le faire savoir.

2. Courtauly aida en effet Saunière à retoucher la peinture représentant Marie-Madeleine, sous le maître-autel.

3. Faux. Agé et fatigué, l'abbé Boudet n'aspirait qu'à prendre sa retraite.

4. Faux. Boudet n'a jamais écrit de *Lazare* et ses manuscrits ne furent jamais ni détruits ni brûlés. Mais il fallait bien, pour que le roman devînt passionnant, faire une allusion à la sainte Inquisition, disparue depuis fort longtemps, mais immanquablement présente dans tous les esprits.

sur le parquet. L'origine de sa mort est encore un mystère[1]. »

Mais ce n'est pas fini. On en vient à la mort de Boudet lui-même. « Boudet, déprimé, est à Axat ; il se décide à écrire à l'évêché le 26 mars 1915 au sujet de Rescanière[2] ; mais lorsque le délégué de l'évêché arrive, le mardi 30 mars 1915, vers vingt heures, l'abbé Boudet est mort depuis peu dans d'atroces souffrances. Dans le courant de la journée, il avait reçu une visite de deux hommes. » Décidément, on est en plein roman noir, ou en plein « polar ». Voilà deux prêtres qui meurent dans des circonstances bizarres après avoir reçu la visite de deux hommes qu'on ne retrouve jamais. Au Moyen Age, on en aurait conclu que ces deux hommes, en noir évidemment, devaient être des « diables » envoyés par Satan. Ici, on préfère ne rien dire sur eux, ce qui sous-tend qu'ils appartiennent à cette mystérieuse confrérie, ou même à une confrérie adverse qui veut s'emparer des secrets que détiennent les ecclésiastiques. Il semble que l'on se soit inspiré de l'authentique assassinat de l'abbé Gélis, quelque vingt ans plus tôt, pour broder sur le thème, et accessoirement pour accuser Saunière d'avoir fait le coup. N'est-ce pas après la mort de Boudet que Saunière, jusqu'alors dans la gêne, a récupéré de l'argent et s'est lancé dans de nouveaux projets ? Tout se passe comme si l'on avait voulu *salir* Saunière et Boudet, dans le but évident d'accentuer le mystère qui plane sur cette affaire de Rennes-le-Château[3].

Qu'y a-t-il à retenir de tout cela ? *Rien.* L'abbé Henri Boudet et l'abbé Bérenger Saunière étaient deux confrères, voisins de surcroît, qui sympathisaient sur de nombreux points, en particulier sur l'amour bien légitime qu'ils ressentaient pour leur pays, pays qu'ils désiraient, chacun à sa façon, exalter et faire connaître le plus loin possible. Saunière penchait pour des monuments visibles, des constructions qui eussent pu amener là une grande foule de pèlerins. Boudet travaillait davantage dans le silence, aimant mieux faire un éloge livresque qui aurait contri-

---

1. En réalité, il est mort d'une attaque, mais un tel détail est vraiment trop prosaïque dans un roman à sensations.

2. On n'a aucune trace de cette lettre.

3. Pour tout ce qui concerne cette machination et le rôle qu'on a fait jouer — à son corps défendant — dans des conditions plutôt ignobles, à l'abbé Courtauly, voir l'ouvrage de Pierre Jarnac, pp. 268-278.

bué à magnifier le Razès auprès de lecteurs inconnus. Mais encore une fois, d'après les documents dont on dispose, et sous réserve de découvertes ultérieures, d'ailleurs bien improbables, *rien*, strictement *rien*, ne permet d'affirmer que l'abbé Henri Boudet a été l'inspirateur de l'abbé Bérenger Saunière, qu'il l'ait payé pour une quelconque mission, sur l'ordre d'une confrérie fantomatique qui tirerait les ficelles d'un jeu subtil où l'on ne sait plus qui est qui, et quelles sont les motivations profondes et réelles d'affabulations dignes des meilleurs romans noirs anglais de la fin du XVIII siècle. L'ombre de l'abbé Boudet, si elle existe au-dessus de Saunière et de l'affaire de Rennes-le-Château, n'a rien d'inquiétant, rien de diabolique. C'est dommage pour la fiction, mais c'est ainsi.

L'ombre du comte de Chambord

Quand, après son « exil » au petit séminaire de Narbonne, dans les circonstances que l'on sait, l'abbé Saunière reprend possession de la paroisse de Rennes-le-Château, le 1er juillet 1886, il a en poche, si l'on peut dire, 3 000 francs-or qui lui viennent d'une donation de la comtesse de Chambord, veuve du soi-disant Henri V, prétendant légitimiste à la couronne de France qui, par ses tergiversations et son intransigeance réactionnaire, a fait échouer toute tentative de restauration des Capétiens-Bourbons. Il est probable que ce pseudo-Henri V, dont la statue défraîchie rouille actuellement, au coude de la route de Sainte-Anne d'Auray à Brech, face à la basilique monstrueuse érigée à la gloire de la patronne des Bretons (qu'est-ce que vient faire un Capétien-Bourbon dans les affaires bretonnes ?), lequel roi sans couronne se faisait pompeusement appeler comte de Chambord et duc de Bordeaux, était un personnage falot, sans envergure. Néanmoins, le comte de Chambord, quel qu'il fût, représentait quelque chose pour l'abbé Saunière, pieusement et *monarchistement* élevé au sein d'une famille de paysans bourgeois inféodée au cléricalisme cafard des aristocrates de la fin du siècle dernier.

Cléricalisme cafard est le terme qui convient à ces circonstances. Après la débâcle de 1870, dont on tenait pour responsable l'usurpateur Badinguet, alias Napoléon III, il était nécessaire, dans les milieux qui prétendaient représenter l'élite française, de redorer le blason de cette pauvre France livrée aux «Rouges» et qui payait ainsi le régicide de Louis XVI et l'abandon aux Francs-Maçons que protégeait Napoléon Bonaparte, digne héritier de la Révolution [1]. La faction monarchiste qui espérait encore gouverner la France, appuyée sur une papauté qui n'a jamais été autant réactionnaire et autant antipopuliste, faisait tout ce qui était en son pouvoir pour redresser la situation d'une «Fille aînée de l'Église» qui avait lâchement trahi sa mission. Tout cela n'est pas que gouaille ou plaisanterie : c'est la réalité sociale, religieuse et politique de cette fin de XIXe siècle en France — celle-ci étant amputée, on s'en souvient, des territoires d'Alsace-Lorraine. Il y avait eu la défaite de Sedan. Il y avait eu la capitulation de l'empereur-usurpateur (mais qu'on avait été bien content de soutenir, il fut un temps!). Il y avait eu la Commune et sa menace effroyable sur la société française. Avertissements du Ciel. La Vierge Marie avait déjà prévenu les Français du sort épouvantable qui les attendait s'ils succombaient aux charmes sataniques du républicanisme et surtout de la démocratie considérée comme la pire ruse du Diable. C'est ainsi qu'en 1846, à la Salette-Fallavaux, commune du département de l'Isère, diocèse de Grenoble, la Vierge apparut à deux enfants, deux bergers, Maximin Giraud (qui se rétractera beaucoup plus tard devant le curé d'Ars et qui terminera sa vie dans l'éthylisme le plus complet) et Mélanie Calvat, cousine de la cantatrice Emma Calvé, la soi-disant maîtresse de Béranger Saunière, mais qui fut en tout cas la maîtresse réelle d'un certain nombre d'ésotéristes et de satanistes reconnus, dont le fameux Jules Bois. Le nom de Fallavaux signifie : «Fausse Vallée», ou encore «Vallée du Mensonge». Est-ce prémonitoire? Au cours d'un procès ultérieur, en 1855, où elle était défendue par l'avocat franc-maçon Camille Pelletan, futur ministre, une aristocrate exaltée, Constance de Lamerlière, reconnut être l'auteur des «apparitions». Mais elle n'avoua jamais rien de ses motivations profondes. Elles ne sont guères douteuses : Constance de Lamerlière avait agi sur ordre de cette frange monarchiste légitimiste

_____

1. Napoléon Bonaparte n'était pas franc-maçon lui-même, mais son frère Lucien l'était. Et l'on sait que c'est Lucien qui a «fait» l'empereur, le 18 Brumaire, aidé par toutes les loges de France et de Navarre, et avec la complicité des loges européennes.

et intégriste qui noyautait alors la société française et voulait restaurer l'Ancien Régime, et pour laquelle tous les moyens étaient bons, y compris la supercherie. D'ailleurs, un siècle plus tard, lorsqu'il prit connaissance du «troisième secret» de la Salette, lequel ne devait être divulgué qu'après un long délai, le pape Jean XXIII, qui était loin d'être un sot, s'écria qu'il s'agissait d'un monument de sottises.

Le but de l'opération de la Salette était de terroriser les fidèles, même au prix d'une machination et d'une mise en scène[1]. Cette frange monarchiste légitimiste et intégriste crut bon d'en rajouter en 1871 après les tristes événements de la guerre de 1870. Ce fut donc l'affaire de Paray-le-Monial (Saône-et-Loire), où, le 16 juin 1671, donc deux siècles avant, une religieuse, sœur Marie Marguerite Alacoque, aurait eu la vision du Christ s'avançant vers elle, le cœur tout sanglant et lui déclarant que la France ne pouvait être sauvée de ses ennemis qu'en se consacrant tout entière au Sacré-Cœur de Jésus. La défaite de la France, la montée du syndicalisme, les premières percées des doctrines marxistes, et surtout les tentations qui saisissent certains Chrétiens de bonne foi d'adhérer à la démocratie sociale[2], tout cela allait conduire à une réaction extraordinaire orchestrée par les représentants du prétendant légitimiste. Paray-le-Monial devint alors le centre absolu d'une nouvelle forme de religion, d'une religion *nationaliste*, dont le refrain se trouve dans le fameux cantique «Sauvez, sauvez la France, au nom du Sacré-Cœur...». Mais Paray-le-Monial, c'est la province[3], et il convient d'étendre ce culte du Sacré-Cœur, protecteur de la France (et de sa monarchie légitime), dans d'autre régions, à Paris en particulier, puisque la Providence a permis que la

---

1. Ce qui n'empêche nullement la Salette d'être actuellement un lieu de pèlerinage fréquenté, et *qui rapporte*, puisque c'est la qualité première d'un lieu de pèlerinage. Il semble que plus on dénonce les supercheries, plus celles-ci ont du succès.

2. Ce qui provoquera, en France, la naissance du mouvement «le Sillon», inspiré par Marc Sangnier, et qui sera évidemment condamné par le pape avant de devenir le noyau de la «démocratie chrétienne».

3. Actuellement, Paray-le-Monial connaît un regain d'activité non seulement du fait des pèlerinages traditionnels, mais encore à cause de la concentration qui s'y fait de groupements intégristes aux buts assez obscurs et des tenants du mouvement «charismatique», dont les motivations réelles et le financement plutôt occulte sont loin d'être très clairs non plus.

capitale française échappât, grâce aux tueries organisées par Adolphe Thiers, à l'odieuse Commune inspirée par le Diable, ou tout au moins par ses suppôts ordinaires, socialistes et communistes qui lisent l'évangile selon « saint » Marx de préférence aux quatre textes canoniques. En l'occurrence, il convient de dominer Paris par un monument. Ce sera le Sacré-Cœur, cette basilique en carton-pâte dressée comme une pâtisserie géante sur la colline de Montmartre. Et qui paiera cette basilique ? Les fidèles, bien sûr, par une souscription savamment organisée. Mais aussi par Mgr le comte de Chambord, duc de Bordeaux, qui octroie *cinq cent mille francs-or* à cette entreprise, tandis que ses partisans s'en vont répéter partout que « la France ne sera sauvée de ses ennemis qu'en se consacrant tout entière au Sacré-Cœur ».

Or, en 1885, deux ans après la mort du comte de Chambord, Bérenger Saunière revient à Rennes-le-Château avec 3 000 francs-or provenant d'un don de la comtesse de Chambord. C'est très peu par rapport aux 500 000 francs donnés pour le Sacré-Cœur de Paris, *mais c'est très révélateur des intentions de Saunière et de ce que, dans certains milieux intégristes, on attendait de lui.* D'ailleurs, il suffit de comparer, en y mettant les proportions voulues. La souscription pour le Sacré-Cœur sera couverte par la vente de cartes postales, cela pour les plus humbles, et par des appels directs aux riches particuliers et aux associations. Or, qu'a donc fait Bérenger Saunière ? « Nous avons ici le modèle des procédés utilisés, plus tard, mais de façon plus modeste, par le curé Bérenger Saunière pour édifier ses diverses constructions et réaliser ses restaurations.[1] » Il est bien certain que Saunière, sincèrement intégriste et légitimiste, s'est souvenu de tout cela. Il a voulu faire de Rennes-le-Château un lieu de pèlerinage, un lieu grandiose.

« A Rennes, le grand bas-relief de l'église, mis en place en 1897, est un Christ au Cœur sacré, comme la statue placée sur la villa Béthania en 1902. L'obsession de 1885 avait été de délivrer la France de la République mais on a vu le dénouement

---

1. Jacques Rivière, *le Fabuleux Trésor de Rennes-le-Château*, p. 57.

de ces élections dans l'Aude : délivrer la France par la pénitence[1] sera aussi le sens de *sa Mission*[2]. »

Au lieu de broder sur des thèmes ésotériques à propos de l'abbé Saunière, on ferait mieux de replacer le personnage et ses convictions dans le cadre même où il est possible de les comprendre : ce contexte si particulier des débuts de la IIIe République, avec les tendances monarchistes clairement exprimées à l'époque et l'intolérance de Rome à propos des innovations et des transformations de la société traditionnelle. Sans cela, Bérenger Saunière ne s'explique pas. Et plus que jamais, l'ombre du comte de Chambord plane sur Rennes-le-Château.

Le problème est de savoir comment Saunière a pu entrer en contact avec la veuve du prétendant au trône de France, et comment, ensuite, il a gardé des contacts étroits avec les milieux monarchistes et intégristes. Et là, on découvre une nouvelle ombre, celle de son frère, Alfred Saunière.

L'ombre d'Alfred Saunière

Le frère cadet de Bérenger, Alfred, avait certainement plus de facilités pour les études que son aîné. Il devint prêtre avant lui, et ce qui n'est pas une médiocre référence, chez les Jésuites, car on sait que les Jésuites font de l'élitisme et n'admettent parmi eux que des individus intellectuellement forts. Mais Alfred Saunière, s'il eut incontestablement des dons d'intellectuel, en eut beaucoup moins pour ce qui concerne le sacerdoce. Il défraya tout de suite la chronique par des liaisons scandaleuses qu'il semblait afficher avec arrogance, ce qui fait qu'on peut affirmer — comme Bérenger l'a reconnu dans une lettre à son évêque, lors de son procès — que bien souvent le curé de Rennes-le-Château a payé pour son frère, le jésuite.

Mais si Bérenger a payé pour son frère, c'est un prêté pour un rendu, car son frère lui a, semble-t-il, en maintes occasions facilité la tâche. Si Bérenger n'était qu'un modeste petit curé

---

1. N'oublions pas que Saunière a fait graver « pénitence, pénitence », sous la statue de Notre-Dame de Lourdes placée sur le pilier « wisigothique » à l'envers, et qui est un témoignage de la Mission de 1891.

2. J. Rivière, *ibid.*, p. 57.

de campagne, Alfred était un « monsieur », un honorable « révérend père », bien introduit dans la bonne société de l'époque, brillant causeur, brillant homme du monde, et qui, de plus, plaisait beaucoup aux femmes. Or, en cette fin de XIXe siècle, les femmes, si elles n'avaient pas le droit de vote, n'en jouaient pas moins, surtout dans les milieux intellectuels et aristocratiques, un rôle déterminant, par leurs conseils, et aussi par les liens qu'elles établissaient entre les membres de cette société mondaine où elles faisaient souvent figure d'égéries.

Alfred présenta en effet à son frère une certaine marquise de Bozas avec laquelle il était, selon la formule consacrée, « du dernier bien ». Celle-ci avait des relations parmi la bonne société de l'époque où il était fort bien vu de patronner (en l'occurrence de *matronner*) les bonnes œuvres, d'assister régulièrement aux offices religieux en grand apparat, et d'avoir un amant, choisi parmi les artistes, les intellectuels de bonne tenue, voire chez les ecclésiastiques dignes d'être fréquentés. Cela représente une certaine pourriture de la société, mais l'époque s'y prêtait magnifiquement, puisque les bons bourgeois catholiques de la fin du XIXe siècle et du début du XXe pleuraient à chaudes larmes lorsqu'un chanteur déplorait les malheurs des pauvres filles vouées à la prostitution tout en reléguant leurs « bonniches » au dernier étage de l'immeuble, sans eau courante et sans chauffage, exposées bien entendu à toutes les tentations et à tous les aventuriers.

Il n'empêche que Bérenger Saunière, tout en sachant que la « bonne » société de son époque était pourrie, en profite largement et demande à son frère de l'introduire dans des milieux que lui-même n'ose fréquenter. De cette période de la vie de Saunière datent les invitations qu'il lance à certaines familles aisées à propos des dons que certaines personnes pourraient lui faire pour l'aider à restaurer sa modeste église et faire de sa paroisse un sanctuaire où pourraient affluer des centaines de pèlerins. Il n'est pas question ici du Sacré-Cœur. D'autres s'en chargent. Pour Bérenger, il suffit d'exploiter sainte Madeleine, la Marie de Magdala que les Évangiles nous présentent si brièvement et qui constitue un mystère. Justement, un mystère... C'est ce qui attire les foules, qui remplit les troncs. Il est certain que l'alliance a joué à fond en ces années 1885-1905 entre Bérenger et son frère, celui-ci se montrant un excellent « fondé de pouvoirs ». Lorsque, plus tard, Bérenger Saunière devra rendre des comptes à son évêque sur les dons qu'il a reçus, il devra se taire sur certaines sources. La « bonne » société aime la discrétion.

On peut être sûr que c'est Alfred Saunière qui a servi d'intermédiaire entre Bérenger et la comtesse de Chambord. Il est infiniment probable que c'est également Alfred qui fut l'introducteur de Bérenger dans certains milieux qu'on qualifie volontiers d'ésotériques, pas forcément parisiens, mais néanmoins fort influents sur le plan politique comme sur le plan religieux. Ainsi s'expliqueraient d'ailleurs les prétendues relations entre Bérenger et les occultistes groupés autour de Jules Bois et Claude Debussy.

Un indice précieux est constitué par les fonctions occupées par Alfred Saunière dans la famille Chefdebien de Zagarriga. Il fut en effet précepteur dans cette noble famille, et il en fut chassé, à ce qu'on croit, à cause d'une indélicatesse sur laquelle on ne possède aucun renseignement. Mais ce passage d'Alfred dans la famille Chefdebien paraît bien avoir été la pierre angulaire de la construction du mythe Saunière.

En effet, quelle est donc cette famille Chefdebien ? Le nom provient sans aucun doute d'une francisation d'un nom breton. C'est la traduction de *Penmad* qui aurait été le nom d'une famille bretonne exilée au cours du XVIIIᵉ siècle à Narbonne pour des causes non précisées. Mais ce qui est certain, c'est que le chef de famille, le marquis de Chefdebien, fut à son époque un grand dignitaire de la Franc-Maçonnerie. « Le marquis, conseiller d'honneur du Directoire écossais de Septimanie, avait fréquenté assidûment les Loges d'outre-Rhin, alors qu'il était en garnison à Strasbourg, et avait publié en 1779 une *Histoire de la Maçonnerie*. Mais la littérature, fût-elle ésotérique, n'était pas le seul domaine où il eût fait œuvre de créateur. Avec son père, le vicomte de Chefdebien d'Aigrefeuille, il fonda en 1780 un rite nouveau, le Rite primitif de France, qui avait son siège dans la Loge des Philadelphes de Narbonne... Il défendit au célèbre couvent maçonnique de Wilhelmsbad la thèse selon laquelle l'Ordre du Temple existait toujours, secrètement, ses chefs n'étant autres que les fameux "Supérieurs inconnus" censés diriger les destinées de la Maçonnerie. Il espérait que ces dirigeants occultes, dépositaires des recettes alchimiques auxquelles les

Templiers avaient dû au Moyen Age leurs immenses richesses, consentiraient à entrer en rapport avec les Maçons qui tenteraient de faire revivre l'association dans le secret des Loges[1]. »

Nous y voilà. Il y avait longtemps qu'on n'avait point relié l'abbé Bérenger Saunière à une « mystérieuse confrérie » plus ou moins liée à l'Ordre du Temple. D'autres sauront s'en souvenir, surtout lorsque l'abbé Saunière sera mort et enterré, ce qui prouve qu'il faut prendre ces informations avec les réserves les plus expresses. Mais c'est un fait que, par derrière l'aventure de Bérenger Saunière, se profile l'ombre inquiétante de ces sociétés secrètes, héritées plus ou moins des « Illuminés de Bavière » et de la « Société Angélique », qui se sont développées au XVIIIe siècle, parallèlement (et en bonne entente) à la Franc-Maçonnerie, ont essaimé considérablement au cours du XIXe siècle, notamment chez les écrivains romantiques, et ont connu leur apogée vers 1900 avec le triomphe de la Rose+Croix, de la Société Théosophique et les multiples sectes dont Jules Bois, Stanislas de Guaïta, Claude Debussy et Maurice Maeterlinck étaient les hiérophantes, tandis que les Annie Besant, Renée Vivien et Emma Calvé en étaient les grandes prêtresses adulées, à la façon de Velléda et des Druidesses de l'île de Sein, revues et corrigées par les poètes symbolistes et les fameux Décadents, pour ne pas parler des peintres qui, comme Gustave Moreau et ceux de l'école de Vienne, redonnaient à la femme sa mission de « révélatrice » et d'*initiatrice*. Le personnage d'Emma Calvé sort tout droit de cette vision fantasmatique. Mais c'est Alfred Saunière qui en est le *démiurge*, dans ses rapports avec la famille Chefdebien, comme avec d'autres familles tout aussi engagées dans l'hermétisme, l'occultisme et l'ésotérisme, façon « fin de siècle ».

Alfred Saunière, qui voulait sans doute en savoir trop sur les secrets des familles qu'il fréquentait, fut chassé — et pourchassé — toute sa vie. Il encourut les foudres de ses supérieurs et fut exclu de la Compagnie de Jésus. Il finit par être également exclu des familles qu'il avait exploitées et pillées à son profit — intellectuel et financier — et il se retrouva, plus ou moins défroqué, à Montazels, vivant en concubinage avec

---

1. Jean Robin, *Rennes-le-Château*, pp. 60-61.

une certaine Marie-Émilie Salière. C'est là qu'il mourut en 1905, ne laissant guère de regrets derrière lui. Cela explique peut-être la lettre qu'enverra plus tard Bérenger Saunière à son évêque, Mgr de Beauséjour, lettre dans laquelle il se plaint qu'on lui fasse payer les erreurs de son frère : « Le curé de Rennes-le-Château devait s'attendre à expier les fautes de son frère l'abbé mort trop tôt. »

Bizarre. *Mort trop tôt.* L'expression est fort ambiguë. Alfred est-il mort avant d'avoir pu s'expliquer vraiment sur son attitude et ses motivations ? Ou bien alors, faut-il comprendre que Bérenger n'était rien sans son frère Alfred ? Il est bien difficile de répondre à ces questions, mais il faut avouer que cela ne contribue guère à éclairer cette ombre d'Alfred Saunière qui continue à planer sur son frère, le curé de Rennes-le-Château.

L'ombre d'Emma Calvé

Dans tout ce qu'on raconte sur l'abbé Saunière, sa « liaison » avec la grande cantatrice Emma Calvé n'est pas le moindre des éléments propices à la construction d'un beau roman d'amour sur fond d'espionnage ou de manipulation. Il faudrait quand même savoir à quoi il peut correspondre dans la vie réelle de Bérenger Saunière au lieu de s'avancer dans des spéculations certes fort romanesques, mais qui ont toutes les chances d'être inventées de toutes pièces.

En effet, *il n'existe pas une seule preuve concernant une liaison entre Emma Calvé et Bérenger Saunière.* Tout repose sur le fameux voyage à Paris qu'il aurait fait après la découverte des parchemins dans un pilier creux de l'autel. Personne n'est même capable de préciser en quelle année il aurait effectué ce voyage. Est-ce 1888, ou 1891, ou en 1893 ? La vérité, *c'est qu'il n'y a également aucune preuve du voyage de Bérenger Saunière à Paris.*

En soi, la thèse du voyage de Saunière à Paris pour faire examiner les parchemins qu'il a découverts et dont il ignore la teneur n'a rien d'absurde. Elle serait même logique si on ne prenait pas soin d'y ajouter l'anecdote de Mgr Billard engageant le curé à faire ce voyage, lui donnant un mot de recommandation pour l'abbé Bieil et payant les frais du voyage et de l'expertise de ses propres deniers. En tant qu'évêque de Carcassonne,

Mgr Billard avait d'autres moyens d'investigations à propos de ces parchemins. A moins d'accepter la thèse, tout aussi absurde, que l'évêque ait appartenu, de près ou de loin, à cette mystérieuse confrérie invisible dont on nous rebat les oreilles.

Admettons cependant que, par curiosité, l'évêque de Carcassonne ait autorisé son subordonné à présenter les parchemins à des spécialistes. Pourquoi au directeur du séminaire de Saint-Sulpice — et à tous ceux qui l'entourent — plutôt qu'à un archiviste-paléographe qui eût pu, sans difficulté, faire part de ses observations, transcrire et traduire le texte ? Mgr Billard *et Bérenger Saunière* n'auraient-ils pas eu confiance en un archiviste-paléographe, même d'opinions catholiques et monarchistes ? Dans ce cas, il faudrait également admettre qu'ils fussent tous deux au courant de ce que contenaient les manuscrits, du moins dans leurs grandes lignes : ils savaient. On voit que si l'on suit cette voie, on en vient fatalement à admettre l'existence d'une société secrète qui ne veut pas que certains documents se perdent dans la nature ou soient récupérés par des étrangers à leur confrérie.

Admettons cependant une certaine naïveté de la part de Mgr Billard et de l'abbé Saunière. Admettons que ce voyage ait réellement eu lieu et qu'il se soit soldé par le retour de Saunière avec *trois* parchemins au lieu de quatre. Il semble qu'un tel voyage eût dû laisser des traces, aussi bien à l'évêché de Carcassonne que dans les papiers personnels de Saunière et dans les œuvres des célébrités qu'on a fait rencontrer à Saunière. Or, il n'existe aucune trace nulle part.

On objectera que l'évêché de Carcassonne n'est pas obligé de sortir toutes les pièces du dossier, que Saunière n'avait pas besoin de mentionner ce voyage dans ses comptes (et pourtant, il les tenait fort bien, ses comptes !) et que les gens qu'il a rencontrés à Paris étant par nature voués au secret, il est normal qu'on ne retrouve aucune trace de ce voyage nulle part. *C'est aussi très pratique quand on veut affabuler.*

Les seuls éléments qui pourraient faire croire à ce voyage de Saunière à Paris et à ses rencontres avec le groupe d'intellectuels qui gravitaient autour de Jules Bois, ce sont certains romans de Maurice Leblanc et surtout le *Clovis Dardentor* de Jules Verne. Mais personne n'a jamais dit que Bérenger Saunière a rencontré Maurice Leblanc, pas plus que Georgette Leblanc

185

et Maurice Maeterlinck. Certes, *Pelléas et Mélisande* est un drame « mérovingien ». Certes, c'est une œuvre « symboliste » et « symbolique » extrêmement riche, et même fortement *initiatique*. Mais ce serait quand même aller très loin si l'on considérait cette œuvre majeure inspirée par l'affaire Saunière, même si on voyait Bérenger en Pelléas (c'est-à-dire, le Roi-Pêcheur des romans du Graal), Jules Bois en Golaud (le cocu) et Emma Calvé en Mélisande, rôle qu'elle aurait d'ailleurs pu fort bien interpréter. Maeterlinck et Debussy, tout imprégnés de cet hermétisme fin de siècle, ont donné là la pleine mesure de leur génie. Mais avaient-ils besoin du malheureux Saunière pour en arriver à ce point ?.

Certes, des romans comme *l'Aiguille creuse* et *l'Île aux trente cercueils*, de Maurice Leblanc, ont des sujets qui peuvent paraître troublants lorsqu'on connaît le mythe qu'on a bâti sur l'abbé Saunière. Dans *l'Aiguille creuse*, il est question du Trésor des Rois de France dissimulé quelque part du côté de Fécamp, dans une falaise, et, pour le retrouver, il faut accomplir tout un périple initiatique semé d'embûches. Dans *l'Île aux trente cercueils*, cela va même encore plus loin, puisqu'il est question du Secret des Secrets, une pierre qui devrait donner la puissance et la gloire, une sorte de Pierre philosophale léguée par les rois de Bohême, une sorte de Graal aussi, auquel un aventurier qui se prétend de sang royal s'intéresse vivement. Heureusement, Arsène Lupin qui, pour être gentleman cambrioleur, n'en est pas moins un bon Français et un galant homme, est là pour remettre un peu d'ordre et pour punir les audacieux. D'ailleurs, toutes les aventures d'Arsène Lupin tournent autour de ce même thème, lequel, si l'on y réfléchit bien, n'est autre que celui de la Quête du Saint-Graal, avec ses multiples variantes, y compris celle du *sangréal*, c'est-à-dire du « Sang royal ». Les cercles littéraires, artistiques et ésotéristes que fréquentait Maurice Leblanc étaient passionnés par Wagner et particulièrement obnubilés par *Parsifal*, ce n'est un secret pour personne.

Plus intrigantes sont les convergences entre l'affaire de Rennes-le-Château et le roman de Jules Verne, *Clovis Dardentor*. Là, il n'y a aucun doute : le pays soi-disant nord-africain décrit par Jules Verne est un camouflage du Razès, et le nom du capitaine Bugarach est à lui seul un aveu de taille. On sait que Jules Verne n'était pas innocent et qu'il faisait partie d'une « confrérie » plus ou moins secrète, parallèle à la Rose+Croix et à la Maçonnerie, et point forcément contraire à ces deux obédiences. Mais il n'est dit nulle part, même par les auteurs du roman sur l'abbé Saunière, que celui-ci ait rencontré Jules Verne au cours de son séjour parisien. Du reste, Jules Verne n'avait nul besoin de Bérenger Saunière pour connaître le Razès et Rennes-le-Château. Il y était déjà allé, et là, *il avait été mis au courant de certaines traditions locales concernant un trésort perdu.*

Tout cela pour dire que l'abbé Saunière, lui aussi, n'avait nul besoin d'aller à Paris pour savoir qu'à Rennes-le-Château et dans ses environs, tout le monde racontait des choses étonnantes sur un dépôt très ancien caché quelque part dans une grotte ou dans une tombe. C'était même le secret de Polichinelle.

Ni Jules Verne, ni Maurice Leblanc n'ont eu besoin de Bérenger Saunière pour construire leurs intrigues romanesques. Par contre, ce sont les auteurs — récents — du roman sur l'abbé Saunière qui ont eu besoin d'aller fouiller non seulement le sous-sol de Rennes-le-Château mais également les romans de Jules Verne et de Maurice Leblanc pour donner du corps — et des lettres de noblesse — à leur fiction romanesque. Et, après tout, pourquoi ne pas admettre que l'abbé Saunière ait lu — et apprécié dans tous les sens du terme — le *Clovis Dardentor* de Jules Verne ? C'est peut-être là qu'il a découvert la fameuse « clé » qui lui a permis de trouver, sinon le trésor, du moins *quelque chose*. On ne voit guère l'utilité de faire intervenir Émile Hoffet, l'abbé Bieil, Jules Bois, Claude Debussy ou Emma Calvé, cette dernière encore moins que les autres. Et, en définitive, personne n'a jamais reconnu la belle cantatrice à Rennes-le-Château, lorsque Bérenger Saunière traitait ses hôtes en grand seigneur. Il y avait assez de belles femmes de notaires ou de médecins dans la région autour de Dujardin-Beaumetz.

Décidément, l'ombre d'Emma Calvé sur la tête de Bérenger Saunière n'est qu'un fantôme vaporeux que le moindre vent dissipe et anéantit.

L'ombre de Jean Orth

Il y a un personnage assez mystérieux qui rôde auprès de l'abbé Saunière, celui qu'on appelait *l'Étranger*, et qui se disait *M. Guil-*

187

laume. Là, le doute n'est pas permis : il s'agit bel et bien de Jean-Salvator de Habsbourg, fils de Léopold II, prince impérial d'Autriche, prince royale de Bohême et de Hongrie, grandduc de Toscane. On en a la preuve par des documents de police, car, comme le fait remarquer Pierre Jarnac, dès son arrivée à Rennes-le-Château, l'abbé Saunière, le monarchiste intégriste, était devenu la bête noire du docteur Espézel, d'Espéraza, républicain farouche, franc-maçon et anticlérical, qui ne manquait jamais de dénoncer les activités du curé qui lui paraissaient bizarres. Or *l'Étranger* ayant excité la curiosité du docteur Espézel, les gendarmes firent une enquête et s'aperçurent très vite de l'identité du personnage, transmettant d'ailleurs comme il se doit en pareil cas le dossier au Deuxième Bureau. Cela dans les années 1888, 1889 et 1890. Mais jamais plus ensuite.

En effet, Jean-Salvator de Habsbourg, en profond désaccord avec l'empereur François-Joseph, avait fini par renoncer à ses titres et même à sa nationalité autrichienne. Il était devenu un simple citoyen du nom de Jean Orth, emprunté au nom d'un de ses châteaux. Il passait son temps à voyager. Et en 1890, il s'embarqua pour un long voyage duquel il ne revint pas, ce qui ne veut pas dire qu'il y perdit la vie. Mais il est certain qu'il vint à Rennes-le-Château trois ans de suite, et qu'il fréquenta l'abbé Saunière. Ici l'ombre de l'archiduc est parfaitement réelle.

Bien entendu, les autorités demandèrent fort poliment à Jean Orth les motifs de son séjour. On se doit de savoir en l'honneur de quoi un représentant — même déchu — d'une des plus illustres familles européennes vient se perdre dans le coin le plus déshérité du département de l'Aude. « Il prétendit que, venant d'Italie et d'Espagne, le hasard l'avait conduit à Couiza et s'étant trompé de route, il était monté à Rennes fortuitement. Là, il avait été mis en présence de l'abbé Saunière. Il voyageait incognito, disait-il, à la recherche d'un refuge pour lui et les siens [1]. » La réponse se tenait. On laissa donc Jean Orth aller et venir comme il l'entendait.

On peut pourtant s'interroger sur ce fameux hasard qui conduisit l'archiduc dans le presbytère de l'abbé Saunière. C'est

---

1. Pierre Jarnac, *op. cit.*, p. 355.

un peu comme si l'on se demandait comment la comtesse de Chambord — au fait, une Autrichienne! — avait eu connaissance de ce modeste curé de paroisse et lui avait envoyé 3 000 francs-or pour ses bonnes œuvres. Le hasard n'explique pas tout, et il est évident que si l'archiduc déchu est venu à Rennes-le-Château, c'est qu'il avait une raison valable pour le faire.

Mais poser ces questions, ce n'est pas forcément les résoudre. Cette ombre mystérieuse de Jean Orth a excité vivement les imaginations. D'abord, à l'époque même de l'abbé Saunière, où les gens du pays ne comprenaient pas trop ce qu'un grand *monsieur* venait faire là, puis un peu plus tard, au moment de la guerre de 1914. Il y avait certes bien longtemps que l'archiduc avait disparu[1], mais le souvenir qu'il avait laissé ne s'était pas estompé. On se remit à jaser sur les relations étranges qui avaient uni le curé et un prince autrichien, *donc un ennemi*. Il n'en fallut pas plus pour accuser Saunière d'être un espion à la solde des Empires centraux. Et l'on se doute que le docteur Espézel fut celui qui hurla le plus fort parmi les loups. On raconta que la tour Magdala avait été construite de telle manière qu'elle pouvait servir de support à des pièces d'artillerie. Mais pour tirer sur qui? On murmura que Saunière avait reçu d'énormes sommes d'argent — ce qui expliquait ses dépenses — en tant qu'agent de renseignement du Kaiser et de l'empereur d'Autriche. Par contre, il ne venait à l'idée de personne de se demander ce que pouvait bien espionner le curé dans ce coin perdu où ne se trouvait nul objectif militaire. On ajouta alors que Saunière servait simplement de relais, accueillant d'authentiques espions allemands ou autrichiens et les hébergeant en les faisant passer pour des artistes, des peintres en particulier. Décidément, on n'avait pas oublié les fastueux festins de la villa Béthania!

L'ombre de Jean Orth fait donc surgir les accusations d'espionnage lancées contre l'abbé Saunière. Car il faut bien admettre qu'avec ses voyages plus ou moins clandestins, Bérenger prêtait le flanc aux critiques et excitait les imaginations. Quand

---

1. Une tradition, qui n'a plus rien à voir avec Rennes-le-Château, prétend que Jean Orth profita d'un naufrage pour disparaître et se refaire une autre vie sous un autre nom en Amérique. Pourquoi pas? Voir à ce sujet Maurice Paléologue, *le Destin mystérieux d'un archiduc : Jean Orth*, Paris, 1959.

il prenait le train à Couiza, c'était pour Carcassonne, et de là pour Perpignan. Mais si l'on sait de source sûre qu'il avait sa banque — du moins l'une de ses banques, la principale — à Perpignan chez la *Veuve Auriol et ses fils*, on peut tout aussi bien penser qu'il mettait à profit ses visites à sa banque pour aller plus loin. Perpignan étant un nœud de communications important, il pouvait aller où bon lui semblait. En fait, grâce à des documents publiés par l'archiviste René Descadeillas, on sait que Saunière se rendait chez des personnes fortunées et charitables pour solliciter des dons. Et ces personnes résidaient principalement dans la région de Narbonne et de Béziers. Il n'y a guère de mystère là-dessus, bien que, selon certains témoignages, il se soit rendu, paraît-il, deux fois à Londres[1]. Mais si, actuellement, ces accusations d'espionnage font sourire, elles ont donné lieu à d'âpres commentaires lors de la Première Guerre mondiale, ce qui n'a certainement pas été sans effet sur la disgrâce qui a frappé le curé de Rennes-le-Château par ailleurs en procès canonique avec son évêque. De toute façon, le comportement de Bérenger Saunière, assez incompréhensible pour tout un chacun, pouvait facilement lui attirer des ennuis, surtout en période de guerre[2].

---

1. Détail provenant d'une confidence de Marie Dénarnaud. On pourra lire dans le livre de Pierre Jarnac, p. 356, la liste détaillée des périodes où Saunière n'a pas assuré son service paroissial, ce qui suppose bien entendu des absences, et cela jusqu'en 1909. Les périodes sont nombreuses. Mais Pierre Jarnac fait justement remarquer que ces périodes où il ne célèbre pas de services (baptême, mariage, enterrement) ne sont pas obligatoirement des périodes d'absence du curé. Cependant, s'il s'est absenté, ce ne peut être que pendant ces périodes.

2. Je dois signaler l'information que produit Pierre Jarnac, en note de la page 362, qui provient d'un article du *Midi libre* du 13 février 1973. Un certain M. Espeut, qui avait consulté, vers 1930, les papiers personnels de Saunière, se dit, à propos des accusations d'espionnage, autorisé à faire deux révélations. «La première : le baron von Kron, chef des services secrets allemands, a résidé à Barcelone, durant la guerre. Le Deuxième Bureau s'est demandé, après coup, si le domaine de l'abbé Saunière n'était pas un relais idéal pour les agents ennemis, entre l'Allemagne et l'Espagne. Mais, bien sûr, rien n'a pu être prouvé. La seconde touche certainement à un secret d'État : à cette époque, un couvent proche de Rennes-le-Château avait une religieuse allemande pour mère supérieure. C'était la propre sœur du Kaiser » ; et Pierre Jarnac de préciser : «Ce monastère, c'était celui de Prouilles. » Tout cela en dit long sur le mystère Saunière et les difficultés qu'il a rencontrées au début de la Première Guerre mondiale.

En tout cas, les rapports qu'eurent Jean Orth et le curé Saunière furent de toute évidence des rapports d'affaires. Les visites de l'ex-archiduc correspondent aux années où Saunière a fait ses premières découvertes dans l'église. Sans doute a-t-il vendu des objets à Jean Orth. *Mais, dans ce cas, ce ne pouvaient être que des objets ayant un lien avec l'Autriche.* Certes, on ne sait rien de ces objets. Étaient-ce des bijoux ? On a parlé d'une couronne. Était-ce une couronne royale ou impériale appartenant autrefois aux Habsbourg ? Pourquoi pas ? Ces objets retrouvés par Saunière avaient été cachés dans l'église par l'abbé Bigou avant son exil. Mais ce devaient sûrement être des objets appartenant à la famille d'Hautpoul. Or on sait que les Hautpoul avaient des relations avec l'Autriche. A moins que ce ne fussent des documents importants qui devaient être récupérés par la famille d'Autriche. On l'ignore, et l'on peut tout imaginer ; on est même allé jusqu'à parler d'une coupe précieuse qui serait le Saint-Graal ! Il est vrai que personne n'a jamais vu ce qu'a trouvé Bérenger Saunière, et il s'est bien gardé d'en parler à quiconque, sauf bien entendu à ceux à qui il pouvait vendre le résultat de ses recherches. Et Jean Orth était de ceux-là. Ainsi s'expliquerait le début de la fortune de l'abbé Saunière.

Décidément, l'ombre de l'archiduc est très pesante...

L'ombre des profanations

Quand Bérenger Saunière a procédé à des transformations dans son église, il a fait des découvertes. Peut-être étaient-elles fortuites, bien que tout paraisse prouver que Saunière savait de très longue date exactement ce qu'il cherchait. Mais cela n'était pas grave, après tout, et si c'étaient les objets que l'abbé Bigou avait prudemment cachés pendant la Révolution, il était de son devoir de les extraire de leur cachette. Le problème est de savoir s'il avait le droit de les vendre à son profit personnel. Mais, là encore, on peut lui pardonner puisqu'il a restauré l'église et construit des bâtiments qu'il destinait en réalité non seulement à son usage personnel mais à l'établissement d'une maison de retraite pour prêtres âgés (dont il aurait été, bien sûr). Quand il sera accusé de détournement de fonds par son évêque, il mettra bien en avant ses intentions charitables. Mais l'on sait qu'il y a des trous dans sa comptabilité, en tout cas un déséquilibre considérable entre les sommes énormes qu'il a dépensées et les recettes plutôt minces qu'il consent à reconnaître.

Beaucoup plus grave est l'ombre des profanations opérées par lui dans le cimetière paroissial. Car, on en a la preuve, ne serait-ce que par les pétitions envoyées au préfet de l'Aude, Bérenger Saunière a passé des nuits à bouleverser le cimetière et à *profaner des tombes*, sans parler du grattage des inscriptions qui se trouvaient sur les dalles de la marquise d'Hautpoul. Là, il ne s'agit plus de légendes ou de ragots malveillants : c'est une réalité. Cela pose évidemment certains problèmes, non pas tellement au point de vue de la morale (celle de Saunière était peut-être élastique), mais au point de vue du but exact qu'il recherchait et du choix de certaines tombes. En un mot, Saunière *savait* ce qu'il cherchait. Et il voulait trouver à n'importe quel prix.

Le sentiment qui prévaut aujourd'hui parmi ceux qui essaient objectivement d'y voir clair sur les activités clandestines de Saunière est qu'il avait découvert à l'intérieur de l'église les sépultures des anciens seigneurs de Rennes et que ce sont les produits de ces trouvailles qu'il vendit, en partie du moins, d'où l'origine de sa fortune. Il distribua d'ailleurs certains des bijoux qu'il avait mis à jour à quelques personnes, dont Marie Dénarnaud. Mais on pense également qu'il n'osa pas, ou ne put pas, vendre ce qu'il avait découvert dans le cimetière. Cela demande cependant réflexion.

Car l'acharnement que Saunière a mis dans la fouille du tombeau de la marquise d'Hautpoul et l'indélicatesse qui consistait à en faire disparaître les inscriptions sont beaucoup trop flagrants pour n'être qu'un simple épisode. Il semble au contraire que cette tombe soit au centre même du mystère, et que si l'on y fait très attention, elle puisse permettre de rassembler tous les éléments du puzzle.

Certes, les d'Hautpoul, étant les seigneurs de Rennes, étaient les dépositaires de tous les documents anciens concernant le pays, puisqu'ils avaient hérité des autres familles avec lesquelles ils s'étaient alliés. Et l'abbé Bigou, responsable de l'enfouissement des objets et des éventuels documents, avait été le confident de la famille. Les dépôts d'Hautpoul sont donc incontestablement au centre même de toutes les découvertes de Saunière, et par voie de conséquence normale, ils sont à l'origine de tout ce qu'on a pu imaginer sur la nature des objets ou des documents supposés, que Saunière aurait vendus, échangés ou même gardés à des fins inconnues, ne serait-ce que pour négocier quelque tractation secrète en vue de lui assurer l'impunité ou la tranquillité.

Or, la profanation de la tombe de Marie de Négri d'Ables, marquise d'Hautpoul, pouvait avoir une importance encore plus grande que l'on ne pense. En tout cas, cette profanation *est liée à la donation de la comtesse de Chambord.* Je m'étonne qu'on n'ait point parlé de ce lien, car il apparaît avec netteté, et il est essentiel dans l'affaire.

En effet, « cette singulière donation au curé d'un village perdu de la haute vallée de l'Aude a bien de quoi surprendre », remarque Jacques Rivière qui propose trois explications. La première consisterait en une demande faite par Saunière lui-même à la veuve du prétendant, dans un moment difficile, à savoir les élections de 1885, où les monarchistes allaient perdre leur majorité. La seconde serait que la donation est la reconnaissance de la comtesse de Chambord envers Saunière qui a manifesté hautement et même scandaleusement ses opinions légitimistes. Dans les deux cas, il aurait pu y avoir intervention d'Alfred Saunière qui, on le sait, jouissait de relations étendues dans l'aristocratie. Mais la troisième explication mérite qu'on s'y attarde.

On sait que la comtesse de Chambord était autrichienne et qu'elle ne portait guère dans son cœur les Français, qualifiés par elle de légers, d'inconstants et d'infidèles aux grandes valeurs du passé. Mais la comtesse « n'ignore pas que la cure de Rennes est un ancien fief des Hautpoul et les Hautpoul ne lui sont pas inconnus. En effet, un Hautpoul-Félines fut percepteur en 1834 du jeune roi Henri V, son époux. Le marquis Armand d'Hautpoul avait refusé toute gratification pour cette charge de gouverneur et avait à plusieurs reprises témoigné au duc de Bordeaux son estime. Il parcourut notamment avec lui toute l'Allemagne et le revit à Londres, en 1843 » [1].

Voilà donc les éléments du puzzle rassemblés autour des Hautpoul. Quelles confidences aurait pu faire Armand d'Hautpoul

1. Jacques Rivière, *op. cit.,* p. 47.

au prétendant ? N'y avait-il pas à Rennes-le-Château quelque chose d'important pour la monarchie française légitime ? Ainsi s'expliquerait, bien davantage que la reconnaissance d'une comtesse autrichienne qui méprisait la France, la donation attribuée à Saunière. N'était-ce pas pour permettre à celui-ci *de trouver quelque chose* ? Dans ce cas, la profanation de la tombe de la marquise d'Hautpoul n'en serait pas une. Ce serait tout simplement l'exécution d'une mission confiée au curé de Rennes par la famille royale. Et cela aurait aussi le mérite d'expliquer les visites à Rennes de Jean Orth, l'archiduc déchu, et les tractations qu'il a nécessairement engagées avec Saunière.

L'hypothèse est séduisante. Elle n'est point absurde et permettrait de comprendre un peu mieux le comportement bizarre de Bérenger Saunière, d'autant plus que celui-ci n'a jamais failli à ses opinions légitimistes. Alors, sans aller jusqu'à imaginer que ce qu'a découvert Saunière est le testament de Blanche de Castille, on peut quand même se demander s'il ne s'agissait pas de documents essentiels concernant la monarchie française, sur ses origines et sur son authentique légitimité. On peut se souvenir que Blanche de Castille manifesta en effet beaucoup d'acharnement à dépouiller Trencavel du Razès et qu'elle fit tout son possible pour placer à la tête du comté des hommes dont elle était sûre, tout en se montrant d'une grande mansuétude envers le titulaire dépossédé de ses droits. Il y a un mystère du Razès, de toute façon, et il n'y a pas besoin d'inventer de fausses généalogies concernant les Mérovingiens de la première lignée pour s'en persuader. Et ce mystère touche indubitablement à un secret d'État.

L'ombre des profanations opérées par l'abbé Saunière dans le cimetière de Rennes-le-Château recouvrirait-elle donc seulement un impératif de discrétion à propos d'une affaire de grande importance ?

L'ombre des trafics de messes

Il faut rappeler que tant que Mgr Billard fut évêque de Carcassonne, il ne demanda jamais aucun compte à l'abbé Saunière à propos de ses recettes et de ses dépenses. Lorsque Mgr de Beauséjour prit la succession, le train de vie du curé de Rennes-le-Château lui parut excessif par rapport à la pauvreté évidente de cette paroisse d'à peine plus de 200 habitants. D'où une certaine surveillance exercée d'abord avec discrétion sur l'abbé Saunière, puis la proposition faite de lui accorder une promotion, donc de lui faire quitter Rennes. Il est logique de penser que cet éloignement de l'abbé Saunière était nécessité par la volonté de l'évêque d'éviter que son prêtre ne soit compromis dans de louches histoires financières et que le scandale ne rejaillît sur l'ensemble du clergé diocésain.

Car, depuis 1905, la France n'est plus sous le régime concordataire et les lois Combes ont consacré la séparation de l'Église et de l'État. Les prêtres, qu'ils soient curés de paroisse ou simples vicaires, ne sont plus fonctionnaires et ne touchent plus de traitement de la part de l'État. A eux de se débrouiller pour vivre, en faisant appel aux fidèles qui, selon la logique du système, sont les *clients* des prêtres pour tout ce qui concerne la vie spirituelle. Il faut parler ici en termes de commerce, car personne n'est obligé d'*acheter* des messes, de se faire baptiser, de se marier à l'église et de s'y faire enterrer. L'Église devient une entreprise privée au même titre que les autres, avec cependant un léger avantage — qui se révélera finalement tout à fait positif —, la prise en charge des bâtiments de culte et des logements presbytéraux par la collectivité, en l'occurrence les municipalités (et pour les monuments historiques, par l'État lui-même, gardien du patrimoine national).

C'est donc aux fidèles de payer leurs prêtres, en acquittant des honoraires pour toute messe et tout service sacerdotal. On est en plein libéralisme économique, avec exaltation de la libre entreprise. Avant les lois Combes, les prêtres, qui bénéficiaient d'un traitement, pouvaient cependant recevoir des dons. Il le fallait d'ailleurs, car l'entretien des sanctuaires coûtait fort cher, et les municipalités se faisaient souvent tirer l'oreille avant de débourser pour l'entretien des bâtiments. Donc les prêtres, avant 1905, ont toujours fait appel à la générosité des fidèles. Après 1905, cet appel sera une nécessité vitale. D'où une réglementation ecclésiale qui, dans ses grandes lignes, reste toujours en vigueur. Les services, c'est-à-dire les baptêmes, les mariages, les enterrements, sont soumis à une certaine tarification, d'abord dans chaque diocèse, ensuite sur un plan national, pour éviter les abus et les injustices. Et les messes qui seront demandées pour telle ou telle intention devront être payées selon le principe que toute peine mérite salaire : l'officiant est devenu un travailleur, au même titre qu'un ouvrier ou un employé. Mais pour éviter les injustices, encore une fois, les évêques diocésains précisent que les prêtres, chaque fois qu'ils recevront des honoraires de messes, devront en référer à l'autorité diocésaine. En effet, dans certaines paroisses, les demandes de messes sont rares, tandis que dans d'autres, notamment dans les lieux de pèlerinage, elles sont innombrables. Or, par souci de justice et d'égalité (les idées républicaines s'infiltrent dans l'Église...), il importe que tout prêtre ait de quoi vivre dignement pour accomplir dignement son sacerdoce. Quoi de plus normal ? Donc les intentions de messes en trop dans une paroisse sont regroupées à l'évêché, lequel les redistribue aux paroisses les plus démunies, non seulement du diocèse mais parfois d'autres diocèses plus défavorisés. Il n'y a pas là *trafic de messes*, mais répartition sur l'ensemble des prêtres des intentions de messes déposées et payées par les fidèles. Cela garantit à tout prêtre en activité ou en retraite *une messe par jour, au moins, et les honoraires qui y sont afférents.* Et cela procure à tous les membres du clergé un *minimum vital.* Personne ne peut trouver quoi que ce soit d'anormal à ce système parfaitement honnête et équilibré. Mais on n'a jamais interdit aux prêtres de recevoir des dons, soit pour leur usage personnel, soit pour les *bonnes œuvres*, selon l'expression consacrée, c'est-à-dire pour venir en aide aux déshérités de la paroisse et pour les frais occasionnés par le culte. Là encore, tout est cohérent et parfaitement juste. S'il y a des abus, ce sont des cas particuliers qui sont en infraction par rapport au droit canon.

Il était indispensable de rappeler ces principes. Ils sont toujours valables de nos jours [1] et il serait bon que certains anticléricaux dit « primaires » en aient connaissance avant de critiquer le « luxe des prêtres » [2]. S'il y a des exceptions, parfois

_____

1. Précisons qu'aujourd'hui, en règle générale, les demandes de messes à la mémoire des défunts ne sont plus tarifées ; chacun donne, selon ses moyens, ce que bon lui semble.
2. Je peux témoigner à ce propos de nombreux cas qui inspiraient la pitié. Dans les années 1950, j'ai beaucoup fréquenté les presbytères de Bretagne, où j'avais mes entrées. J'ai vu des prêtres vivre dans des conditions lamentables, et qui, pourtant, n'avaient rien perdu de leur foi et accomplissaient leur devoir sacerdotal avec la plus parfaite honnêteté. J'ai un souvenir ému, en particulier,

scandaleuses, elles ne font que confirmer la règle générale : le clergé français, dans son ensemble, vit modestement tout en accomplissant son devoir sacerdotal dans des conditions parfois difficiles[1].

Cela dit, il faut bien en venir à cette accusation de trafic de messes lancée par Mgr de Beauséjour sur l'abbé Bérenger Saunière. On raconte d'ailleurs que, beaucoup plus tard, l'évêque de Carcassonne aurait dit — mais c'est toujours le conditionnel obligatoire — que c'était un prétexte. De fait, c'est surtout parce que Saunière ne voulait pas quitter Rennes-le-Château que Mgr de Beauséjour lui a intenté le procès canonique que l'on sait, à partir de 1909.

Le problème est complexe. « De l'examen du diagramme des recettes, il ressort deux points essentiels : l'abbé double volontairement la réalité des revenus des troncs installés dans l'église, ainsi que les salaires de la famille accueillie à Rennes[2]. Ce compte truqué masque en réalité le trafic de messes auquel il se livre depuis 1896[3]... Saunière a d'ailleurs toujours affirmé qu'il ne s'était jamais enrichi avec les honoraires des messes. Il reconnaît en 1911 la réalité de ces demandes de messes[4]

---

pour le recteur des Iffs (Ille-et-Vilaine), paroisse célèbre pour les magnifiques vitraux de son église, et qui était dans la gêne la plus totale, et pour le recteur de Nostang (Morbihan) qui vivait dans une sorte de sous-sol malsain et humide, sans aucun confort, avec un sourire triste, comme ceux qui savent que la vie sur terre n'est qu'un moment provisoire dans une éternité incompréhensible. Je veux ici rendre hommage à ces prêtres modestes et *bons*. Et je ne parle pas du recteur de Tréhorenteuc, qui vivait d'eau chaude sucrée et de pain rassis parce qu'il mettait tout son argent dans la restauration et l'ornementation de son église. Quel est l'auteur qui osera écrire un ouvrage — non polémique — sur la grande misère du clergé français en cette fin de XXe siècle ?

1. J'en profite pour dire à ceux qui m'accusent d'anticléricalisme de réfléchir sur les arguments que je propose. Je n'ai rien d'un anticlérical « primaire », et je connais assez bien la question pour éviter les apparences et diriger le débat vers des considérations plus essentielles.

2. Il s'agit de la famille Dénarnaud, ce qui en dit long sur les rapports exacts de Bérenger Saunière et Marie Dénarnaud.

3. Je laisse à l'auteur de ces lignes, Jacques Rivière, la responsabilité de son jugement que, personnellement, je conteste avec la plus grande énergie.

4. Il sollicitait, par voie de petites annonces (notamment dans *les Veillées des Chaumières*), et au cours de visites personnelles, des intentions de messes auprès de personnes riches et pieuses, la plupart du temps monarchistes. C'est un fait prouvé : il faisait de la propagande pour sa paroisse.

mais allègue pour sa défense que ces honoraires étaient rassemblés par lui et redistribués à un certain nombre de prêtres qu'il nomme[1], mais qui, en 1910, sont tous décédés ou inconnus de l'évêché.[2]» Il y a fraude évidente, mais porte-t-elle sur le trafic de messes? Et, d'ailleurs, que signifie l'expression «trafic de messes»?

Il serait plus séant de parler de «rabattage», et là, il n'y a aucun doute. Les fréquents voyages de Saunière avaient pour but précisément de «quémander» des messes. A quels arguments avait-il recours? Sans doute en insistant sur le culte particulier qu'on rendait à Marie-Madeleine à Rennes-le-Château, puisque c'était la patronne de la paroisse. Mais Bérenger écrivait beaucoup de lettres où il faisait les mêmes demandes, ce qui lui permettait d'ailleurs, selon les réponses, de procéder à une collection de timbres de divers pays. Et, si l'on reproche au curé de Rennes-le-Château d'avoir pratiqué ce «trafic» vers 1905, il ne faudrait tout de même pas oublier que le système durait déjà depuis son arrivée à Rennes. Et là, il était aidé dans ce rabattage par son frère Alfred. «On ne sait rien de l'entente qui s'était établie entre eux concernant ce qu'il faut bien appeler le "rabattage" des dons, mais quelles qu'en soient ses dispositions, il fut très efficace. Chacun dans son rôle fit merveille. Saunière ne se ménageait pas en écrivant à de nombreuses communautés religieuses, à d'innombrables âmes charitables et fortunées. A ceux qu'il savait pauvres, il quémandait de vieux timbres, d'anciennes cartes postales, des images pieuses, etc. A ceux qu'il savait riches, il sollicitait une aide afin de construire "une église ruinée" et d'édifier "une maison de retraite à l'intention des prêtres âgés ou infirmes". Il recourait en fait assez peu aux petites annonces, préférant prospecter lui-même sa clientèle par correspondance ou la relancer par des envois réitérés qui ne restaient pas vains.[3]»

Le problème soulevé par l'évêché, lors des accusations contre Saunière était en fait la crainte que le curé de Rennes-le-Château

1. En cela, il se substituait à l'évêché, ce qui constitue une faute canonique.
2. Jacques Rivière, *op. cit.*, p. 135.
3. Pierre Jarnac, *op. cit.*, p. 338. On peut voir dans cet ouvrage de nombreux fac-similés des cahiers de Saunière comportant la liste de ceux à qui il écrit et la liste de ceux qui lui répondent. On aura ainsi une idée de l'incroyable travail de correspondance qu'il a pu réaliser dans sa vie.

encaissât des honoraires de messes et qu'il ne célébrât point celles-ci. De fait, s'il lui avait fallu célébrer toutes les messes dont il avait perçu les honoraires, il aurait dû ne faire que cela nuit et jour. Mais il en répartissait, on le sait, entre des prêtres qu'il connaissait, même en dehors du diocèse. Et puis, il est possible que les bienfaiteurs de Saunière aient donné davantage que le prix normal pour la célébration d'une messe. L'accusation de trafic n'est pas tellement appuyée. Mais comme l'évêché voulait faire céder Bérenger Saunière, le promoteur de l'Officialité, en 1910, retiendra trois griefs contre lui. D'abord, d'avoir trafiqué des honoraires de messes depuis de longues années et surtout depuis 1896. De s'être servi de ces honoraires, du moins en partie, pour réaliser ses travaux de restauration et de construction à Rennes-le-Château. Enfin, d'avoir désobéi à son évêque qui lui avait interdit de procéder à un « rabattage » d'honoraires de messes.

En fait, d'après ses livres de comptes, il semble bien que l'abbé Saunière ait récolté de 1 500 à 2 000 francs-or par an. Ce qui n'explique absolument pas les dépenses qu'il a faites, ni les constructions qu'il a entreprises. Le trafic de messes eût été bien insuffisant. Du reste, cette accusation fut abandonnée par l'évêché, au bénéfice du doute. Mais il faut avouer qu'en se défendant maladroitement et surtout en refusant de dévoiler l'origine des fonds qu'il recevait, l'abbé Saunière ne faisait qu'aggraver son cas auprès de l'Officialité chargée d'instruire le procès. C'est ce qui explique sa mise à l'écart de la paroisse de Rennes-le-Château, par des moyens quelque peu détournés, notamment la mesure de *suspens a divinis*, contre laquelle il fit appel à Rome. S'ensuivit alors une période fluctuante, aussi ambiguë que sa propre attitude : il résidait toujours à Rennes-le-Château, au presbytère même, tout en n'étant officiellement plus curé de la paroisse, et subissant l'interdiction de célébrer messe et services *en public*, ce qui lui donnait toute latitude pour dire la messe dans sa chapelle *privée* de la villa Béthania, messe à laquelle ne se privaient pas d'assister les habitants de Rennes-le-Château qui l'aimaient bien et lui sont toujours restés fidèles [1].

---

1. Le droit canon est fort complexe en ce qui concerne l'attribution des paroisses à des prêtres, et peut varier selon certains cas, dans chaque diocèse et même dans

Il est difficile de savoir ce qu'en son âme et conscience Bérenger Saunière pensait de tout cela. Mais il est bien certain qu'il
ne se sentait guère coupable de détournements de fonds
lorsqu'il utilisait les dons qu'il recevait pour faire construire
la villa Béthania et la tour Magdala qui, d'après ses propres
aveux, étaient destinées, plus tard, à servir de maison de
retraite. En fait, même si apparemment Saunière a mené grande
vie (ce que la rumeur publique a considérablement exagéré,
on s'en doute), il n'a jamais perdu de vue qu'il était là pour
accomplir une mission, une mission mystérieuse peut-être, mais
qui devait profiter aux autres.

Alors, l'ombre du «trafic de messes» est bien mince...

L'ombre de l'abbé Gélis

C'est l'*affaire* dont on ne parle pas. Apparemment, elle se
situe en dehors de l'épopée de Bérenger Saunière, mais si l'on
y réfléchit, cette *affaire* ne peut pas n'être qu'un épiphénomène.
Le curé de Coustaussa connaissait très bien l'abbé Saunière ;
il ne pouvait pas en être autrement, puisqu'ils faisaient partie

---

chaque province ecclésiastique. Ainsi, dans l'actuelle province ecclésiastique de
Bretagne, groupant les diocèses de Rennes (ainsi que Dol et Saint-Malo), de Saint-
Brieuc (et de Tréguier), de Quimper (et de Léon), et de Vannes, le desservant
d'une paroisse ordinaire, qu'on nomme le *recteur* (en breton *person*), ne peut être
déplacé sans son consentement de la paroisse qu'il occupe, ce qui n'est pas le cas
pour le titulaire d'un doyenné, le curé-doyen. Mais, dans la province ecclésiastique de Narbonne, dont dépend le diocèse de Carcassonne, cette distinction ne
joue pas. Saunière pouvait être déplacé de la paroisse de Rennes sans son consentement. C'est pourquoi, à un certain moment du procès, Saunière, jouant sur les
subtilités du droit canon, a démissionné de sa charge de curé de Rennes-le-Château.
L'évêque n'est pas tombé dans le piège, puisqu'il a refusé la démission. S'il l'avait
acceptée, il aurait reconnu implicitement que Saunière était titulaire à vie de sa
charge. Le moins qu'on puisse dire c'est que Mgr de Beauséjour ne pouvait pas
grand-chose contre Saunière et que l'accusation de «trafic de messes» était un
pis-aller pour obliger le curé récalcitrant à déguerpir de sa paroisse. Il y a toujours
un fossé entre le droit canon, dans sa rigueur apparente, avec en corollaire l'obéissance à l'évêque, et la réalité concrète. Dans le clergé séculier, le prêtre conserve
une partie importante de son autonomie, ce qui n'est pas le cas dans le clergé régulier, où tout moine relève étroitement de l'autorité supérieure et est astreint à l'obser-
vance étroite de la Règle. De toute façon, on peut affirmer que le cas de Bérenger
Saunière a dû donner des cauchemars à Mgr de Beauséjour.

tous les deux du même doyenné[1]. Bien sûr, il est impossible de savoir si l'abbé Gélis a été le confesseur de l'abbé Saunière, et on ne le saura jamais. Mais ce qui est certain, c'est que Saunière fréquentait Gélis et que ce dernier était au courant de certaines des «affaires» de son confrère. Il est donc impossible de traiter l'assassinat, on ne peut plus mystérieux, du curé de Coustaussa sans le faire entrer dans le cadre de l'*affaire* Saunière, même si l'on en est réduit à des conjectures.

Il faut d'abord rappeler les faits. Le 1er novembre 1897, l'abbé Jean Antoine Maurice Gélis, curé de Coustaussa, âgé de soixante et onze ans, est découvert assassiné dans la cuisine de son presbytère. On ne découvrira jamais son meurtrier et l'on ignorera toujours les mobiles du crime. Mais, auprès de la victime qui ne fumait pas et qui avait l'odeur du tabac en horreur, on retrouve un carnet entier de papier à cigarettes avec, sur une des feuilles, cette inscription au crayon : « *Viva Angélina* ». Voilà bien le départ d'un roman noir.

Tout ce qu'on peut savoir du drame, c'est que le soir, l'abbé Gélis, qui, de nature très méfiante, vivait cloîtré et fermait soigneusement toutes les portes à clé, avait reçu une visite tardive. Comme la porte d'entrée n'avait pas été refermée à clé, on peut supposer qu'il avait reçu un visiteur qu'il connaissait bien et que le meurtrier ne pouvait être que ce visiteur. Mais qui ? Personne, dans le village, n'avait à ce sujet le moindre renseignement à donner aux gendarmes chargés de l'enquête. Donc, crime de familier.

De plus, le vol n'a pas été le mobile du crime, puisqu'on a retrouvé intactes les économies de l'abbé Gélis. Le neveu de celui-ci, inculpé pendant quelques jours, n'aurait certainement pas manqué l'occasion d'empocher ce qui traînait, lui qui était toujours à court d'argent et qui harcelait son oncle à ce propos.

---

1. En règle générale, les prêtres d'un même doyenné (le doyenné, depuis le Concordat, correspond la plupart du temps à un canton civil) sont tenus de se rencontrer régulièrement. C'est au cours d'un repas servi alternativement chez l'un ou chez l'autre que ces rencontres se déroulent, à des intervalles qui dépendent des activités de chacun, des possibilités d'accueil ou d'autres circonstances. Au cours de ces agapes fraternelles, on échange les nouvelles et on discute de la vie religieuse dans le doyenné.

Du reste, la nuit du crime, il se trouvait ailleurs. Donc, ce n'était pas un crime crapuleux.

Autre élément très important, d'après le rapport de police, « le cadavre a été rangé vers le centre de la pièce, sur le dos, la tête et la figure dans une position normale, les mains ramenées sur la poitrine, comme un gisant ». Cela signifie que le meurtrier n'était pas un malfrat ordinaire et qu'il a pris soin, après la tragédie, de placer sa victime dans une attitude digne et même *religieuse*, comme s'il voulait témoigner du respect qu'il pouvait avoir vis-à-vis de celui qu'il venait pourtant d'assassiner. Étrange...

Il n'y a pas eu vol. A moins que... En effet, toujours d'après ce rapport de police, l'assassin, qui connaissait donc bien les lieux, est monté à l'étage, dans la chambre de l'abbé. Là, en prenant d'infinies précautions pour ne laisser aucune trace de son passage, il a « forcé la serrure d'un sac de voyage qui contient divers papiers et documents appartenant au prêtre ». Et, ce qui est essentiel, « l'assassin a ouvert le sac, non pour le voler, mais *pour chercher quelque chose* ». Bien entendu, aucun indice ne permet de supposer ce que cherchait le meurtrier, mais il faut bien avouer que, pour commettre de sang-froid un tel crime et manifester ensuite une tranquille assurance dans sa recherche, ce qu'il cherchait devait être *quelque chose de prodigieusement important*.

Enfin, il y a l'inscription sur la feuille de papier à cigarettes : « *Viva Angélina* ». Quel est le code de ce message, et surtout *à qui s'adresse-t-il* ? Voilà les éléments d'une énigme que personne n'a pu résoudre et qui constitue, on s'en doute, une ombre particulièrement redoutable dans l'affaire Saunière.

Il est normal de poser des questions. Car cette « élimination » de l'abbé Gélis, un prêtre sans reproches dont la vie a été sans histoire, qui a consacré son sacerdoce à faire du bien autour de lui, n'est pas *normale*. Elle cache sûrement quelque chose. « Gélis était-il détenteur d'un secret ou de documents dont la possession justifiait le crime ? Sa disparition profitait-elle à quelqu'un ? Il ressort de l'enquête que l'assassin connaissait l'abbé et les lieux. Le crime semble être prémédité, mais le mobile n'est pas l'argent, mais la récupération de documents. Que pouvaient bien être ces documents ? D'autre part, l'assassin est respectueux du corps de sa victime et va le disposer "comme un gisant" en sépulture chrétienne...[1] »

On peut broder comme on veut sur ce fait divers. Mais Coustaussa est à deux kilomètres à vol d'oiseau de Rennes-le-Château. Au même moment, le curé de Rennes-le-Château est Bérenger Saunière, qui se livre à des occupations étranges, qui découvre des objets enfouis et des documents, qui profane les sépultures du cimetière de sa paroisse et qui a des relations avec des personnes étrangères à la région. Cela fait beaucoup de points obscurs. Il faut ajouter le message laissé par le meurtrier « *Viva Angélina* », n'est-ce pas un cri de ralliement? Mais *à quoi*? L'ombre de cette mystérieuse confrérie qui semble poursuivre l'abbé Saunière serait-elle au-dessus de ce malheureux abbé Gélis? « L'énigme reste entière », dit Jacques Rivière, qui ajoute cette remarque quelque peu perfide : « On ne peut que constater qu'après cet événement, l'abbé Saunière semble changer dans son comportement, et va se consacrer essentiellement à ses constructions civiles en investissant des sommes d'argent importantes.[2] »

De deux choses l'une. L'abbé Gélis était dépositaire de certains secrets (ce que la fouille du sac de voyage semble prouver) et un inconnu a voulu s'en emparer (et il y a réussi), prévenant par son message qu'il valait mieux obéir, sous peine de mort, à cette mystérieuse confrérie qui plane au-dessus du Razès. Message reçu, l'abbé Saunière ne fouille plus les tombes, mais se consacre à ses constructions civiles qu'il veut caritatives. Ou bien, l'assassin voulait récupérer un chaînon qui manquait, la dernière partie d'un secret qui pouvait le conduire à une réalisation pleine et entière. Dans ce cas, bien que rien ne puisse étayer une quelconque affirmation, l'assassin, en bonne logique, pourrait être Bérenger Saunière lui-même. Est-ce injurier la mémoire de ce prêtre en posant cette question? On en a vu d'autres, et la question doit être posée. L'ambiguïté de l'attitude de Saunière n'a rien qui puisse faire rejeter catégoriquement cette accusation monstrueuse. Car ce serait faire de Bérenger Saunière non seulement un prévaricateur, un détour-

---

1. Jacques Rivière, *op. cit.*, pp. 145-146.
2. Jacques Rivière, *ibid.*, p. 146.

neur de fonds (pourquoi pas un escroc ?), un trafiquant d'objets volés et accessoirement de messes non célébrées, mais aussi et essentiellement un meurtrier capable de tout pour parvenir à ses fins, c'est-à-dire à une mission qu'il s'est fixée ou *qu'on lui a confiée.* Ce qu'il y a de déplorable dans cette histoire, c'est qu'on se trouve dans l'impossibilité de laver Saunière de cette accusation.

Il y en effet un corollaire à cette affaire Gélis, corollaire qui n'apparaît pas tout de suite, mais qui va poursuivre Saunière tout au long de sa vie. On sait, par des témoignages précis, que quelqu'un *faisait chanter Saunière.* Et ce quelqu'un, c'était l'instituteur Jamet, qui était aussi secrétaire de mairie. Il est aujourd'hui prouvé que Bérenger Saunière le payait en argent et en bijoux pour obtenir son silence. Mais le silence sur quoi ? Sur les trouvailles que le curé avait faites dans l'église ? Sur les profanations opérées par lui dans le cimetière ? Ou sur autre chose ? Le cas Jamet, bien que le personnage soit reconnu comme ayant été odieux (à tel point que ses descendants ont changé de nom), jette un trouble bien légitime sur l'image rassurante qu'on peut se faire de Saunière, grand gaillard bien bâti mais incapable de faire du mal à une mouche [1]. Il n'y a rien de plus trompeur que les apparences. Oui, pour quelles raisons l'instituteur Jamet faisait-il ainsi chanter le curé Saunière et en avait-il recueilli de substantiels bénéfices ? Que celui qui doute lui jette la première pierre...

Il est vrai que si personne ne peut décharger Bérenger Saunière de l'accusation d'avoir assassiné son confrère l'abbé Gélis pour des raisons fort obscures mais en rapport avec le « trésor » de Rennes, personne ne peut non plus le charger d'une telle abomination. Mais quoi qu'il en soit, l'ombre de l'abbé Gélis pèse très lourd sur l'*affaire* Saunière.

---

1. Personnellement, en mon âme et conscience, comme on dit en pareille circonstance, et bien que l'assassinat de l'abbé Gélis ait été de nature à profiter au curé de Rennes-le-Château, je ne crois absolument pas Bérenger Saunière capable d'un tel crime et d'une telle monstruosité. En dépit de ses défauts, Saunière était *bon*, et il l'a prouvé à maintes reprises. C'est mon intime conviction, mais je ne peux apporter aucune preuve.

Dans l'opinion courante, Bérenger Saunière est inséparable de Marie Dénarnaud avec laquelle, dans l'imaginaire, il forme un fort beau couple capable de faire beaucoup pleurer dans les chaumières. Pensez donc : Saunière lui a tout donné de ce qu'il possédait ! Fallait-il qu'il fût amoureux de la douce Marie... Et celle-ci, quel dévouement ! quelle fidélité à son souvenir ! quelle constance dans son refus de divulguer les secrets de l'homme à qui elle avait voué sa vie ! Fallait-il qu'elle fût amoureuse de Bérenger...

Il est vrai que l'ombre de Marie Dénarnaud s'imbrique solidement dans celle du curé de Rennes-le-Château. Il a d'ailleurs tout fait pour cela, allant même jusqu'à se faire photographier (et publier en cartes postales) en compagnie de sa « servante » dans les jardins de la villa Béthania. Mais au risque de décevoir les nostalgiques de la légende de Tristan et Yseult, les relations entre Marie Dénarnaud et Bérenger Saunière ne furent peut-être pas celles qu'on pense. On ne prête qu'aux riches, c'est certain, et le curé Saunière avait, paraît-il, la réputation d'avoir « le sang chaud ». En tout cas, son frère Alfred l'avait, le sang chaud, et l'on ne peut avoir aucune doute là-dessus, bien qu'il fût prêtre lui aussi, et de surcroît membre de la très honorable Compagnie de Jésus, autrement dit jésuite. Faudrait-il penser que les Jésuites ont mauvaise réputation ?

Bérenger Saunière s'est suffisamment plaint de payer pour les erreurs et fautes de son frère Alfred pour qu'on se penche quelque peu sur le cas de Marie Dénarnaud. Car, finalement, on ne possède strictement aucune preuve d'une liaison amoureuse entre Marie Dénarnaud et le curé de Rennes-le-Château. Personne n'a jamais pu affirmer de façon définitive que Marie a été la maîtresse, la compagne ou, si l'on veut, la concubine de Bérenger Saunière.

Il faut bien avouer que les présomptions sont fortes. Un curé de campagne qui engage une aussi jeune — et jolie, d'après les témoignages — servante ne peut que prêter le flanc à des suppositions. Une servante de presbytère de vingt-quatre ans fait jaser, bien entendu[1]. Mais, d'autre part, nous sommes en

---

1. Normalement, une servante de presbytère doit avoir l'âge canonique, c'est-

Occitanie, où l'on raconte bien volontiers des histoires sur les curés qui couchent avec leur servante. Les contes populaires occitans sont remplis d'histoires de ce genre, certaines étant même à la limite de la scatologie, en tout cas de l'impertinence[1]. En Occitanie, on se dit qu'un curé, c'est quand même un homme, et qu'il a bien le droit de faire comme les autres. On n'y voit pas de mal. Le tout est que le curé «ne la ramène pas trop» à propos des autres qui «fautent», et qu'il ne soit pas trop rigoriste avec les femmes qui viennent se confesser. Sinon, pourquoi ne pas s'entendre ? A Rennes-le-Château, personne ne s'est jamais plaint de la situation ambiguë du curé de la paroisse, et lorsque Saunière se verra traîné devant le tribunal de l'évêque, il ne lui sera jamais reproché de vivre en concubinage. Ce sont choses que l'évêché se doit d'ignorer, même si c'est réel. Or, comme dans le cas de Saunière le doute subsiste, à plus forte raison n'y est-il point fait allusion nulle part. Que Saunière pèche, cela le regarde, pourvu qu'il le fasse sans scandale[2]. Mais Saunière n'a jamais fait scandale dans ce domaine-là, contrairement à son malheureux frère Alfred, le jésuite.

L'histoire de cette Marie Dénarnaud qui vient proposer ses services à l'abbé Saunière (envoyée ou non par l'abbé Boudet) et qui tombe tout de suite amoureuse du «grand homme» est belle et émouvante. Mais elle est complètement fausse. Au début de son séjour à Rennes-le-Château, Saunière s'est installé chez une charitable paroissienne. Quand les premiers travaux d'aménagement ont été terminés, il a occupé le presbytère dans des

à-dire de quarante-cinq à cinquante ans minimum. Il ne faudrait pas croire que cette règle soit morale ou théologique : elle est seulement très réaliste, car une femme d'âge canonique ne risque plus d'avoir d'enfant, ce qui évite le scandale qui pourrait s'ensuivre ainsi que les conséquences pratiques concernant l'élevage et l'éducation d'un enfant.

1. Voir à ce sujet les excellents ouvrages publiés à Carcassonne en 1984-1987 par le «Groupe audois de recherche et d'animation ethnographique» (GARAE), les Contes licencieux de l'Aquitaine et l'Anneau Magique, ouvrages dus au folkloriste agenais Antonin Perbosc, contemporain de Saunière.

2. Qu'on se souvienne du Tartuffe de Molière, quand le digne représentant du «Parti des Dévots», c'est-à-dire de la «Confrérie du Saint-Sacrement» (voir saint Vincent de Paul, l'abbé Ollier et Nicolas Pavillon), fait une brillante homélie sur le thème «pécher sans scandale, ce n'est pas pécher.»

conditions de confort d'ailleurs très précaires. Et c'est en 1892 qu'il fait venir à Rennes-le-Château la famille Dénarnaud qu'il connaît bien, laquelle famille va lui permettre de mener à bien ses travaux.

Les Dénarnaud sont originaires d'Espéraza. Elle comprend quatre personnes, le père, la mère, un fils et une fille. Le père et le fils sont d'excellents artisans. La fille, qui se nomme Marie, est née en 1868 à Espéraza. Elle a donc vingt-quatre ans lors de son arrivée à Rennes-le-Château où elle vient aider sa mère à «tenir» le presbytère. Car Saunière installe les Dénarnaud dans le presbytère. Il parlera des Dénarnaud comme d'une famille «hospitalisée», c'est-à-dire logée chez lui, moyennant un loyer qui, en l'occurrence, était un travail de réfection et d'aménagement. Plus tard, le père et le fils iront travailler en usine à Espéraza. La mère les suivra et Marie restera effectivement seule avec Bérenger. Vue de cette façon, l'histoire est moins romanesque, moins romantique même. Mais rien n'empêche évidemment une liaison entre Marie et Bérenger, même au moment de la présence de la famille au presbytère. Seulement, on n'en a aucune preuve, aucun indice même. Et dans les justificatifs que Saunière fournira à l'évêché, au moment de son procès, il prendra bien soin de noter les salaires fictifs qu'il prétend avoir versés à Marie Dénarnaud et à sa mère.

Il n'empêche que, maîtresse ou non de Saunière, Marie Dénarnaud demeurera avec lui jusqu'à sa mort et sera sa confidente. La jeune fille a voué à l'abbé Saunière une admiration sans bornes, et elle est prête à se faire tuer pour lui s'il l'exige. Son dévouement envers Bérenger est absolument admirable, même après la mort de l'abbé. Elle n'a jamais trahi le moindre des secrets que celui-ci lui a confiés[1]. Elle a respecté jusqu'au bout la loi du silence, se contentant parfois de dire que les habitants de Rennes-le-Château marchaient sur de l'or et qu'ils n'en savaient rien. Mais ces paroles, n'était-ce pas de la dérision ? Marie Dénarnaud est morte pauvre et démunie. Elle a dû, pour survivre, vendre en viager, les domaines dont elle était la propriétaire, et partager sa vieillesse avec la famille du nou-

---

1. Sauf une fois où elle aurait dévoilé une cachette au nouveau propriétaire, Noël Corbu. Mais la cachette était vide. Sans doute Saunière l'avait-il déjà vidée sans en faire part à sa servante.

veau propriétaire, dont elle a d'ailleurs fait son légataire universel.

Curieux personnage que cette servante au grand cœur, tout entière consacrée à l'homme de sa vie, demeurant dans l'ombre et perpétuant son souvenir, et cependant propriétaire titulaire de tout ce que l'abbé avait acheté et construit. Situation extravagante, bien sûr, si elle n'a jamais été la maîtresse du curé; mais il y avait là de quoi exacerber les imaginations les plus rebelles. Et l'on ne s'est pas privé de construire un beau roman d'amour sur ce qui n'était après tout qu'une entente parfaite entre deux êtres qui s'estimaient et s'aimaient sans doute, d'un amour au-delà du commun.

L'ombre de Marie Dénarnaud est particulièrement émouvante, surtout sur la tombe de l'abbé Saunière...

Que d'ombres! Certaines sont troubles, d'autres tellement translucides qu'elles s'évanouissent d'elles-mêmes dans l'air ambiant. Certaines, cependant, demeurent plus opaques, plus résistantes aux tempêtes qui devraient les emporter. Qui était donc l'abbé Bérenger Saunière? Bien malin sera celui qui pourra le dire. Ni bon, ni mauvais, sans doute. Un prêtre, sans aucun doute, un prêtre convaincu de sa mission à une époque où il était difficile d'être prêtre et d'avoir des convictions politiques accordées à ses convictions religieuses. Mégalomane? Sûrement, mais pour le bon motif, parce qu'il voulait laisser derrière lui quelque chose qui rappelât qu'*il avait vécu en faisant le bien*. Il n'était certainement pas rosicrucien, ni franc-maçon comme on l'a trop dit en fantasmant sur la bizarre décoration de son église. A-t-il été «manipulé»? Il n'avait pas la tête de l'emploi, ni le caractère à se laisser faire. Alors, pourquoi tant de mystère autour de ce personnage? Pourquoi tant de bruit, surtout quarante ans après sa mort, sur ses prétendues actions? Pourquoi avoir fait de l'abbé Bérenger Saunière, petit curé de campagne, un héros de légende, un héros de roman?

Parce qu'à son corps défendant, et à cause des circonstances, il a incarné un mythe, et que les mythes, comme les Dieux, ont besoin, pour être perçus des hommes, de s'incarner dans des théophanies qui laissent rêveurs ceux qui recherchent désespérément la vérité.

UN TRAIN PEUT EN CACHER UN AUTRE

En janvier 1956, parurent dans le très sérieux journal *La Dépêche du Midi* trois articles sur Rennes-le-Château, avec des photos de la villa Béthania, de la tour Magdala et évidemment de l'église. Le titre de l'un de ces articles était à lui seul tout un programme : «D'un seul coup de pioche dans un pilier du maître-autel, l'abbé Saunière met à jour le trésor de Blanche de Castille.»

C'était parti... Il est inutile de préciser que dans les semaines et les mois qui suivirent, d'autres publications, régionales mais aussi nationales, eurent à cœur de réaliser des reportages sur cette mystérieuse affaire d'un *curé aux millions*. Il y avait là de quoi redonner vie à ce coin perdu de l'Aude qui somnolait au gré des vents sans que personne ne s'avisât d'y chercher le moindre trésor, ni même n'eût l'idée d'y prendre quelques jours de vacances dans ce pays au demeurant très sain et qui, encore maintenant, demeure éloigné de toute pollution.

Il est curieux de remarquer que, du vivant de l'abbé Saunière, aucun journaliste n'avait cru bon d'écrire la moindre colonne sur les découvertes du curé, ni même sur ses bizarres réalisations. Il est tout aussi curieux de constater que, depuis la mort de l'abbé Saunière, en 1917, personne, en dehors de Marie Dénarnaud et des paroissiens qui en avaient gardé un souvenir ému, personne n'avait évoqué le personnage pourtant pittoresque de ce curé qui avait trouvé un trésor. Il aura fallu trente-neuf ans pour que les langues se délient et que les plumes se mettent à grincer. Il y a là de quoi faire réfléchir, d'autant plus que, tout d'un coup, l'*affaire* Saunière dépassa largement son cadre originel et envahit l'Europe entière, à coups de reportages journalistiques, de films soi-disant documentaires, puis d'émissions télévisées, et enfin de livres à grand tirage.

Bizarre... Vous avez dit bizarre ? Comme c'est bizarre... Cette fameuse réplique peut s'appliquer parfaitement à cette *affaire* Saunière, puisqu'*affaire* il y a, depuis cette date mémorable de janvier 1956, trente-neuf ans après la mort de Bérenger Saunière, trois ans après la mort de Marie Dénarnaud. Bien entendu, chacun interpréta les faits selon son tempérament. Il y en eut qui mordirent à l'hameçon et en rajoutèrent copieusement. Il y en a qui se montrèrent sceptiques et qui le dirent bien haut, se faisant rabrouer par les convaincus. Il y eut les indifférents qui comptèrent les coups. Et il y eut ceux qui travaillèrent dans l'ombre.

D'ailleurs, il y avait déjà longtemps que ceux-là travaillaient, et dans le secret. Mais pourquoi a-t-il fallu qu'ils attendissent 1956 pour sortir de cette obscurité propice aux mystères, ou plutôt faire semblant d'en sortir, car depuis lors, les ombres qui planaient sur eux et sur Rennes-le-Château se sont singulièrement épaissies ?

Cela dit, conjointement aux articles de presse concernant le coup de pioche de l'abbé Saunière, l'année 1956 a vu trois événements qui sont peut-être passés inaperçus du grand public, mais qui devaient avoir une grande importance dans cette affaire. C'est d'abord un étrange *Livre des Constitutions*, publié à Genève, aux « éditions des Commanderies de Genève », maison d'édition parfaitement inconnue. C'est ensuite le dépôt à la Bibliothèque Nationale de Paris d'une étude d'un certain Henri Lobineau (qui se révélera parfaitement inexistant) sur les Mérovingiens, avec des généalogies risquant de bouleverser toute la connaissance de ces époques lointaines. C'est enfin la fondation, ou plutôt la « déclaration » à la préfecture de Haute-Savoie d'une Association du type Loi de 1901 sise à Annemasse, sous l'appellation de *Prieuré de Sion*, et dont les déclarants étaient Pierre Bonhomme, Pierre Defagot, Jean Delaval, trois inconnus, et un quatrième, Pierre Plantard, dont le nom est familier de certains milieux qui « font » dans l'ésotérisme et le roman-feuilleton.

Tout cela mérite quelques précisions. Le *Livre des Constitu-*

210

tions concerne le « Prieuré de Sion ». Il nous apprend que cet Ordre de Sion fut fondé en 1099 à Jérusalem par Godefroy de Bouillon et que son siège primitif était l'abbaye Notre-Dame du mont Sion. Dans le flot d'informations livrées par ce *Livre des Constitutions*, et où il est très difficile de s'y reconnaître, on finit par comprendre que cet Ordre de Sion reprenait en quelque sorte le flambeau d'un autre ordre interrompu, de tendances gnostiques, et qu'il allait bientôt devenir le groupe occulte dirigeant les Templiers. Mais s'étant séparé de l'Ordre du Temple lors de la fameuse scission sous l'orme de Gisors[1], l'Ordre de Sion avait perduré secrètement, de siècle en siècle, agissant subrepticement dans les affaires du monde et présidant aux destinées d'un certain nombre de confréries annexes ou franchement subordonnées. On donnait aussi la liste de ses grands maîtres, parmi lesquels des noms prestigieux comme Nicolas Flamel, Léonard de Vinci, Isaac Newton, Charles Nodier, Victor Hugo, Claude Debussy et Jean Cocteau. Et c'est cet Ordre de Sion qui se manifestait, légalement au regard des règlements de la République française, sous le titre de « Prieuré de Sion », déclaré officiellement à Annemasse, et plus ou moins sous la direction de Pierre Plantard de Saint-Clair, lequel faisait savoir à qui voulait l'entendre qu'il était le dernier descendant de la lignée légitime des Mérovingiens.

Il faut dire que, d'après ce *Livre des Constitutions*, l'Ordre de Sion s'était donné pour mission de préserver le sang mérovingien qui coulait encore dans les veines de Godefroy de Bouillon jusqu'au moment où un authentique descendant de l'authentique lignée pourrait remonter sur le trône de France, chassant ainsi non seulement les Républicains et les Bonapartistes, mais également les Capétiens, Bourbons ou Orléans confondus dans la même opprobre, puisque usurpateurs d'un trône qui ne leur appartenait pas. « Est-ce le Prieuré de Sion qui, au long des siècles, souffla leur vindicte à ces ducs de Lorraine descendants de Godefroy... ? Est-ce le Prieuré de Sion qui, contre Louis XIV, arma le bras de la Fronde ? Est-ce le Prieuré

---

1. Voir, dans la même collection, du même auteur, *Gisors et l'énigme des Templiers*, 1986.

de Sion qui inspira à Nicolas Poussin ses *Bergers d'Arcadie*, et lui confia le dangereux secret dont il informa Nicolas Foucquet? Est-ce le Prieuré de Sion, enfin, qui soutint les efforts de la Compagnie du Saint-Sacrement?» Ces questions, Jean Robin les pose avec clarté, mais évidemment sans y croire[1]. Il n'empêche que l'apparition de ces informations au moment où se déclenche l'affaire de Rennes-le-Château est quelque peu troublante.

De plus, les précieux documents déposés à la Bibliothèque Nationale, sous le nom factice d'Henri Lobineau, abondent dans le même sens. Il s'agit d'une véritable *relecture* de l'histoire mérovingienne, où, pour la première fois, le Razès est mêlé d'une façon péremptoire. C'est en effet dans le Razès que s'est réfugié le dernier descendant de la lignée légitime des Mérovingiens. Et, comme preuve, on nous donne des généalogies qui sentent bon la recherche passionnée. Malheureusement, ces généalogies apparaissent très vite comme étant truquées. L'auteur (ou les auteurs) de ce canular s'est contenté de reprendre des généalogies existantes — et dignes de foi — et de les modifier légèrement, en ajoutant ici un nom, et en en retranchant un ailleurs. On ne peut pas en prendre plus à son aise avec l'honnêteté la plus élémentaire en matière d'histoire[2]. Mais telles qu'elles étaient présentées, ces généalogies ont fait de l'effet sur les amateurs de sensationnel et ceux qui veulent toujours réécrire l'histoire dans le sens qui leur convient. Les «documents» Lobineau, bien que dénoncés et démystifiés à plusieurs reprises, ont fait des petits...

Il est inutile de parler plus longtemps de ces falsifications qui n'intéressent que ceux qui les lancent dans le public. Il est inutile de s'étendre davantage sur le fantomatique Prieuré de Sion, cette «mystérieuse confrérie» que l'on retrouve à chaque pas que fait l'abbé Saunière, tout au moins dans le roman qu'on a bâti sur lui. Mais il est bon de savoir que le *Livre des Constitutions*, les «documents Lobineau» et la naissance «officielle»

---

1. J. Robin, *Rennes-le-Château, la colline envoûtée*, Paris, Trédaniel, 1982, p. 80. L'auteur se livre à une démystification nuancée de ce Prieuré de Sion dont l'existence est pour le moins douteuse.

2. Voir à ce sujet Richard Bordes, *les Mérovingiens à Rennes-le-Château*, éd. Schrauben, Rennes-le-Château, 1984.

du Prieuré de Sion font partie d'un plan d'ensemble destiné à mettre en valeur l'affaire de Rennes-le-Château et l'aventure si particulière de Bérenger Saunière. Trois personnes sont les «promoteurs» de cette sorte de conjuration. L'un est Noël Corbu, héritier de Marie Dénarnaud et propriétaire des bâtiments construits par l'abbé Saunière. Les deux autres sont deux authentiques aristocrates, le comte Pierre Plantard de Saint-Clair, qui se dit hermétiste, et le marquis Philippe de Cherisey, écrivain et comédien qui eut son heure de gloire sur les antennes de France-Culture en étant le «Grégoire» de l'*Amédée* de Roland Dubillard. Par la suite, une fois Noël Corbu disparu au cours d'un accident de la route, la «conjuration» trouvera un allié ou plutôt un exécutant en la personne d'un écrivain de grand talent, Gérard de Sède, qui publiera en 1967 une vaste épopée sur *l'Or de Rennes*, répandant ainsi dans le monde entier l'affaire Saunière, mais, on s'en doute, revue et corrigée à l'usage d'un grand public.

Il faut remonter un peu le temps pour retrouver la genèse de cette habile machination, car c'en est une, et qui a obtenu un succès sans précédent.

A la fin de la Seconde Guerre mondiale, Marie Dénarnaud, qui habite toujours Rennes-le-Château, qui vit modestement dans le souvenir de l'abbé Saunière, va connaître des moments difficiles. Elle est âgée, se déplace difficilement et ne se rend pas tellement compte des réalités extérieures. Ainsi, à la Libération, quand il a fallu procéder à l'échange des anciens billets (dont beaucoup étaient des faux fabriqués par les Allemands pendant l'Occupation), les habitants de Rennes-le-Château ont pu voir «mademoiselle Marie», comme on l'appelait respectueusement, brûler un tas de billets au lieu d'aller les échanger. Que craignait-elle? Qu'on lui posât des questions indiscrètes. Mais le fait est là, et Marie Dénarnaud est plus que jamais démunie.

C'est alors qu'entre en scène Noël Corbu. C'est un industriel qui a fondé plusieurs petites entreprises, qui a même publié un roman policier, et qui a eu quelques ennuis à la suite de son attitude pendant l'Occupation. Il connaît bien le Razès et il y est venu souvent. Il a entendu parler de l'abbé Saunière et s'est fait raconter tout ce que les gens d'alors pouvaient en savoir. Le sujet a dû l'intéresser, peut-être pour écrire un nouveau roman. Il semble cependant que l'idée d'un trésor caché ait fait du chemin dans son esprit naturellement porté vers l'aventure.

Noël Corbu, sa femme et ses deux enfants, s'étaient installés en 1944 à Bugarach, préférant quitter la région de Perpignan où rôdaient pour l'industriel trop de souvenirs désagréables liés à des affaires de marché noir. Là, Noël Corbu se fit des amis, dont l'instituteur du village, et c'est probablement celui-ci qui lui parla le premier de Bérenger Saunière. Toujours est-il qu'en 1945, la famille Corbu vint excursionner à Rennes-le-Château. C'est ce jour-là que Corbu fit la connaissance de Marie Dénarnaud qui lui montra quelques souvenirs de « ce pauvre M. le Curé ». Corbu revint plusieurs fois à Rennes-le-Château, et une sympathie très vive lia la vieille servante et la famille Corbu. Marie Dénarnaud se sentait vieillir, et sa solitude faisait pitié. Très sincèrement, et sans que cela fût contradictoire avec des arrière-pensées, Noël Corbu proposa d'acheter les biens de Marie. En échange, la famille Corbu s'engageait à prendre soin de la vieille dame. Ce fut fait le 22 juillet 1946, devant notaire. Noël Corbu et son épouse devenaient les légataires universels de Marie Dénarnaud qui, en cette occasion, c'est le document notarial qui en fait foi, déshéritait toute sa famille.

Marie Dénarnaud continua à vivre dans ses biens. La famille Corbu partit pour le Maroc. Mais à la suite de mauvaises affaires, Corbu se vit contraint de revenir en France. Où aller, sinon à Rennes-le-Château ? Mais comment refaire la fortune familiale fortement écornée par l'aventure du Maroc ? Noël Corbu, intelligent et tenace, savait profiter de tout. C'est probablement à son retour en France, en 1950, qu'il eut l'idée d'exploiter, d'une façon ou d'une autre, l'affaire Saunière. Marie Dénarnaud n'avait confiance qu'en lui et qu'en sa femme. Elle lui avait promis un jour de lui livrer un « secret » que lui avait confié « ce pauvre M. le Curé ». Corbu attendait patiemment, en respectant scrupuleusement ses engagements envers Marie. Il semble d'ailleurs que toute la famille Corbu ait eu une réelle affection pour la vieille dame, et celle-ci la lui rendait bien. Mais Marie Dénarnaud mourut en janvier 1953, à l'âge de quatre-vingt-cinq ans, sans avoir transmis le « secret » à son héritier. Elle fut enterrée dans le petit cimetière à côté de la tombe de celui auquel elle avait consacré sa jeunesse, et finalement toute sa vie.

Noël Corbu était donc propriétaire de tous les biens qui avaient appartenu à Saunière et à Marie Dénarnaud. Son sens inné des affaires lui fit envisager de transformer la villa Béthania en hôtel-restaurant, ce qui ne l'empêcha pas de rechercher, partout où il le pouvait, des documents susceptibles de le mettre sur la voie du fameux « secret » de Bérenger Saunière. « Le projet de transformer le domaine de Rennes en restaurant, puis en hôtel-restaurant, avait deux avantages. L'un, ce service lui procurait un revenu ; l'autre, la propagation de l'histoire du vieux curé de Rennes, auprès de ses clients, pouvait lui apporter des éléments susceptibles de l'orienter dans sa recherche. Tout était en place dans les derniers mois de l'année 1953[1]. » Mais les quelques clients qui fréquentaient le restaurant n'apportaient guère d'éléments que ne connût déjà Noël Corbu. Il fallait aller plus loin, et puisque les renseignements ne venaient pas, il ne restait plus qu'à y suppléer. Ainsi, au cas où Noël Corbu ne pourrait pas retrouver le « secret », profiterait-il au moins d'un afflux de touristes amateurs de mystères.

D'ailleurs, ceux-ci ne manquent pas dans la région. Montségur n'est pas loin, et, déjà, sur le « pog » qui soutient le château cathare, se rassemblent des visiteurs venus non seulement de France, mais des autres pays, tous hantés par ce qu'on raconte au sujet du fabuleux Trésor des Cathares, lequel serait peut-être le Graal. Pourquoi ne pas drainer vers Rennes-le-Château ceux qui s'aventurent à Montségur ? Au fond, c'est une clientèle potentielle pour Rennes-le-Château. Il suffit de répandre le mieux possible — mais discrètement, car plus c'est sous le sceau du secret, plus c'est excitant — l'histoire du curé qui a découvert un trésor dans son église. Mais il faut se conformer à un modèle déjà bien établi à Montségur : il faut de l'Histoire tout court, c'est-à-dire qu'on ne peut pas accréditer valablement l'affaire Saunière dans l'opinion publique si on ne l'accroche pas à des événements réels de l'histoire locale.

Noël Corbu s'en charge. Il a certains talents de narrateur et il l'a prouvé en publiant son roman policier en 1943. Le propriétaire du restaurant de « la Tour », puisque tel est le nom donné à l'établissement, va enregistrer sur bande magnétique

_____

1. Pierre Jarnac, *op. cit.*, p. 296.

un petit résumé qu'il diffusera à ses hôtes pour agrémenter leur séjour, et surtout pour exciter leur imagination, les inviter à revenir et à faire venir leurs amis.

Ce petit résumé est fort habilement composé. Corbu commence par signaler que «pendant toute la durée de son procès avec l'Église, l'abbé Saunière n'a plus fait de construction». C'était une chose importante à dire, en effet, car un prêtre en rupture avec son évêque, cela fait bien dans le décor, surtout dans un pays dont le passé hérétique est incontestable. Mais une fois la rupture consommée avec l'Église (enfin libre!), le prêtre interdit «refait des projets : construction de la route de Couiza à Rennes-le-Château, à ses frais, car il a l'intention d'acheter une automobile; adduction d'eau chez tous les habitants; construction d'une chapelle dans le cimetière; construction d'un rempart tout autour de Rennes; construction d'une tour de cinquante mètres de haut, de façon à voir qui entre, avec un escalier circulaire à l'intérieur, une bibliothèque suivant l'escalier; haussement d'un étage de la tour actuelle, ainsi que du jardin d'hiver».

Il faut admirer le génie de Noël Corbu. Pour appâter le client, il met d'abord en avant l'attitude «altruiste» de l'abbé Saunière (qui était parfaitement réelle, ne l'oublions pas) et l'aspect grandiose de ses projets. Mais comment un modeste curé de campagne pourrait-il, *à ses frais*, entreprendre de tels travaux dont le coût est estimé «à huit millions-or, soit plus de deux milliards de nos francs (en 1954)? Et le 5 janvier 1917, en pleine guerre, il accepte les devis et signe la commande de tous ces travaux». Cela sous-entend évidemment que l'abbé Saunière a découvert un immense trésor, ou tout au moins qu'il sait où se trouve ce trésor. Mais si Bérenger Saunière avait réalisé ses projets, cela ne vaudrait même pas la peine d'en parler. Une œuvre ininterrompue, surtout dans certaines circonstances, parle davantage à l'imagination. «Mais, douze jours plus tard, le curé tombe malade, et le 22 janvier, il meurt.» Voilà le destin. Mais aussi le mystère. Car qui peut savoir si Saunière est mort de mort naturelle? N'y aurait-il pas quelque chose de trouble se profilant derrière sa disparition? C'est finalement ce que Corbu laisse entendre.

Mais s'il est bon de laisser planer le mystère, il est indispensable de lever un coin du voile. Si Bérenger Saunière pouvait commander de si grands travaux, c'est donc qu'il savait où se trouvait «le vieux trésor des Capétiens, caché au XIIIᵉ siècle». On voit qu'il n'est pas encore question des Wisigoths, ni des Mérovingiens. Pierre Plantard de Saint-Clair n'est pas encore passé par là, et parler du trésor des Cathares serait faire une concurrence déloyale à Montségur. Non, Noël Corbu fait appel aux légendes locales. «L'origine du trésor? Les archives de Carcassonne nous en donnent l'explication : Blanche de Castille, mère de saint Louis, régente du royaume de France, pendant les Croisades de son fils, jugea Paris peu sûr pour garder le trésor royal, car les barons et petites gens se révoltaient contre le pouvoir royal. » Il y a des trous dans la formation historique de Noël Corbu, car il s'agit en fait des difficultés qu'a effectivement eues Blanche de Castille, veuve de Louis VIII, pendant la minorité de son fils, face aux révoltes des grands du royaume, Thibaud de Champagne, Pierre Mauclerc et Raymond VII de Toulouse en tête, avec Trencavel par derrière, en pleine croisade, certes, mais contre les Albigeois[1]. Mais après tout, il s'agit bien du XIIIᵉ siècle.

C'est alors que l'histoire s'accélère. Blanche de Castille «fit donc transporter le trésor de Paris à Rennes (le Château, bien entendu), qui lui appartenait (*sic*), puis entreprit de mater la révolte; elle y parvint et mourut peu après. Saint Louis revint de la Croisade, puis repartit à nouveau et mourut à Tunis. Son fils, Philippe le Hardi, devait connaître l'emplacement du trésor, car il s'intéressa beaucoup à Reddae... Mais après lui, il y a un vide et Philippe le Bel est obligé de faire de la fausse monnaie, car le Trésor de France a disparu. Nous devons supposer qu'il ne connaissait pas la cachette». Un trésor perdu parce que caché trop soigneusement par l'arrière-grand-mère du pauvre Philippe le Bel, lequel est obligé de recourir aux expédients que l'on sait pour disposer d'un peu d'argent! Passons... Et ne perdons pas de temps à aller vérifier aux Archives de Carcassonne. Si documents il y avait, nul doute que Philippe le Bel s'en fût emparé... Et il les aurait fait disparaître après avoir fait main basse sur le trésor.

---

1. Voir J. Markale, *le Chêne de la Sagesse : un roi nommé saint Louis*, Paris, Hermé, 1985.

217

Cela n'empêche nullement Noël Corbu d'affirmer gravement :
« Toujours d'après les archives qui donnent la liste du trésor,
celui-ci se composait de dix-huit millions et demi de pièces d'or,
en nombre, soit en poids, environ cent-quatre-vingt tonnes, plus
de nombreux joyaux et objets religieux. » La mention des joyaux
et objets religieux est importante, puisqu'il est absolument établi que Saunière en avait trouvé dans son église. Il fallait bien
relier cette fantastique histoire de Blanche de Castille à celle,
plus modeste, mais plus récente, de Bérenger Saunière. Et Noël
Corbu de chiffrer le montant total du trésor à quatre milliards
de francs 1954. On comprend que certains se soient mis à rêver...

Mais pendant que Noël Corbu tente d'attirer le plus de clients
possible à Rennes-le-Château en débitant son conte de fées, un
autre personnage rôde à Rennes-les-Bains, y achetant même quelques terrains, s'intéressant aux sources thermales, en particulier
à celle de la Madeleine et à celle dite « Bains de la Reine », pros-
pectant les hauteurs qui bornent la vallée, posant des questions
à tout le monde, et, semble-t-il, très intrigué par la double tombe
de Fleury qui se trouve dans le cimetière. Ce personnage a pour
nom Pierre Plantard. Il se présente comme archéologue, mais
dans certains milieux, on le connaît comme « hermétiste ». On
le voit souvent avec le jeune marquis de Chérisey qui, plus ou
moins brouillé avec sa famille parce qu'il veut être comédien,
essaie tant bien que mal de gagner sa vie dans de petits specta-
cles. Mais Pierre Plantard est seul à Rennes-les-Bains. Tout ce
qu'on sait, c'est que son livre de chevet est un ouvrage quasi-
ment introuvable, *la Vraie Langue celtique et le cromlech de
Rennes-les-Bains*, composé par l'abbé Henri Boudet, curé de
l'endroit à l'époque où Saunière officiait à Rennes-le-Château.

Il n'est dit nulle part que Pierre Plantard et Noël Corbu se
rencontrèrent. Mais on ne peut pas ne pas supposer que Pierre
Plantard ne soit monté à Rennes-le-Château et qu'il n'ait point
entendu le petit discours enregistré qu'on passait aux clients
du restaurant de « la Tour ». Certes, les deux hommes étaient
sans aucun doute faits pour s'entendre. Et s'il n'y a pas eu de
rencontre réelle entre eux, il faut admettre que, par la suite,
il y a eu une extraordinaire conjonction entre les « histoires »
qu'ils ont lancées, chacun de leur côté.

Pour l'instant, Noël Corbu gère son restaurant et continue
patiemment ses recherches. Car il croit fermement à l'existence

du trésor, et il est persuadé que Saunière en avait eu la clé. Il suffisait donc de retrouver cette mystérieuse clé pour avoir accès à ce fabuleux dépôt de Blanche de Castille. Mais le temps passe. Le bouche à oreille fonctionne. Des visiteurs de plus en plus nombreux, mais très discrets, rôdent à Rennes-le-Château. Tout cela vient aux oreilles de quelques journalistes en mal de copie. Et ce sont les trois articles de *La Dépêche du Midi*, en janvier 1956. Désormais la machine est en marche et ne s'arrêtera plus.

Il faut insister sur le fait que Noël Corbu n'a jamais abandonné ses recherches sur le terrain. Toujours cette même année 1956, il obtient une autorisation de fouilles en bonne et due forme, et, avec quelques chercheurs passionnés, entreprend de sonder le sous-sol de l'église. On trouve quelques ossements et un crâne humain, « portant, à son sommet, une entaille », sans conteste une blessure rituelle analogue à celles qu'on peut observer dans les cimetières mérovingiens et carolingiens. Il est possible que cette blessure rituelle ait eu pour but, selon certaines croyances germaniques, d'empêcher le défunt de se réincarner. Mais on peut également songer que souvent, dans l'Antiquité, et chez les peuples dits barbares, il était d'usage de placer un crâne perforé près des trésors que l'on enfouissait [1]. La présence de ce crâne indique-t-elle la proximité d'un trésor? Noël Corbu le croit. C'est pourquoi il poursuit ses fouilles, mais cette fois, dans le cimetière. Peine perdue : on ne trouve rien. Alors, possédant sans doute quelques renseignements découverts dans les rares papiers de Saunière qu'il avait encore en sa possession, il conduit son équipe dans le parc, entre la tour Magdala et la villa Béthania. On creuse. Une surprise de taille attend les chercheurs de trésor.

« On se mit au travail avec ardeur à l'intérieur d'un carré d'environ 4 mètres de côté. La terre était meuble. C'était apparemment de la terre rapportée. A une profondeur de 1 m 50,

---

1. Il s'agit d'un rituel magique destiné à éloigner les profanateurs. On trouve un témoignage de cette tradition dans un récit gallois du haut Moyen Age composant la seconde Branche du *Mabinogi* : il y est question de la tête du héros Brân le Béni qu'on enterre dans la Colline blanche, à Londres. Tant que la tête restera là, l'île ne sera jamais envahie. Souvenons-nous aussi que le Golgotha est le « Lieu du Crâne », et que le Capitole de Rome est l'endroit où fut enterrée la tête d'un nommé Tolus (*Caput Toli*).

nos ouvriers mirent à jour un crâne et quelques ossements. Comme de telles découvertes ne sont pas rares dans le sous-sol de Rennes, ils n'accordèrent à ce fait aucune attention et poursuivirent leur tâche. Grande fut leur surprise, une heure plus tard, de voir les chiens de N. Corbu flairer ces macabres débris, les retourner de la patte et les lécher. Surpris, ils regardèrent de plus près : au crâne exhumé adhéraient encore des lambeaux de chair et des cheveux, avec les restes d'une moustache. Des fragments de drap et de lainage étaient dispersés dans la fosse. Elle contenait d'autres ossements... Subitement refroidis, les chercheurs, laissant là le chantier, abandonnèrent les lieux[1]. » Bien entendu, Noël Corbu prévient la gendarmerie. Le maire fait procéder à une fouille profonde. On découvre ainsi les restes de trois jeunes hommes de vingt-cinq à trente-cinq ans, dont la mort ne remonte guère à beaucoup d'années, et dont les vêtements sont sûrement de drap militaire. L'enquête se développe. On apprend que des maquisards espagnols ont séjourné dans la villa Béthania pendant la guerre. Mais on ne saura jamais qui sont ces trois malheureux visiblement victimes d'un règlement de comptes. On se contente donc de les réinhumer, dans le cimetière cette fois, et le dossier est clos.

Cette affaire ajoutera du piment à l'histoire. Y a-t-il donc tant de secrets à Rennes-le-Château ? « Rennes devenait célèbre. Jamais les visiteurs ne furent aussi nombreux, aussi curieux. On leur racontait avec complaisance le déroulement des opérations, et ils s'en délectaient. Dans toute affaire de ce genre, l'élément macabre est déterminant[2]. » Mais il y a aussi ceux qui n'ont pas oublié le fabuleux trésor, et qui hantent non seulement Rennes, mais les archives de Limoux et de Carcassonne. Il y a aussi Noël Corbu qui écrit un livre sur Rennes-le-Château qui ne paraîtra jamais et dont le manuscrit est perdu. Et puis, comme on devait s'y attendre, il y a une foule de fouilleurs sauvages qui creusent des trous partout avec la plus parfaite inconscience et la plus suave goujaterie. Cela se produira si souvent (et quelquefois à coups de dynamite !) que la municipalité devra prendre, en 1965, un arrêté interdisant toute fouille sur le territoire communal.

---

1. René Descadeillas, *Mythologie du trésor de Rennes*, Carcassonne, reprint Savary, 1988, p. 56.
2. R. Descadeillas, p. 57.

Certes, des chercheurs patentés, et munis d'autorisations, opéreront quelques travaux qui ne donneront aucun résultat. En 1962, Robert Charroux, alors animateur d'une célèbre émission sur les « Chercheurs de Trésors », vient en personne se rendre compte de la situation. Voici ce qu'il en dit, au cours d'un entretien avec Jean-Luc Chaumeil : « Nous sommes allés plusieurs fois à Rennes-le-Château, des membres du club et moi-même, avec nos détecteurs. Nous avons trouvé des points irradiants jusque dans deux tombes, dont celle de Bérenger Saunière lui-même. Nous n'avons pas voulu la profaner[1], mais on pourrait sans doute y découvrir quelque chose. Ce qui paraît s'y trouver n'est pas du plomb, qui produit très peu de radiations. L'autre tombe est encore plus intéressante[2].

Nous avons entrepris des fouilles, en faisant attention car nous étions très surveillés par la population. Nous avons attaqué en un point donné, en partant de chez Corbu, pour aller dans un endroit X. Mais nous n'avons pas trouvé ce que nous cherchions[3]... Aujourd'hui, je soupçonne Corbu, qui était un homme tout à fait charmant, de nous avoir aiguillés sur une fausse piste, tout au moins sur une piste annexe qui n'était sans doute pas la meilleure... Il connaissait mieux que quiconque l'histoire de Saunière et du fameux trésor. Il avait voué sa vie à la découverte de ce dernier. Si vraiment il avait voulu collaborer totalement avec nous, avec les détecteurs dont nous disposions, je crois que nous aurions peut-être pu aboutir[4]. Corbu, lui, a dû trouver quelque chose, tout seul : une partie, sans doute pas la totalité, de ce que Marie Dénarnaud, servante et maîtresse de Saunière, avait abrité en lieu sûr. Il devait y avoir plusieurs cachettes. Le curé était un homme rusé[5]. Il n'a

---

1. Mais d'autres s'en sont chargés, et sans scrupules.

2. Robert Charroux se garde bien de dire laquelle.

3. Il reste à savoir ce que cherchait vraiment Robert Charroux, à part le sensationnel qu'il pouvait étaler dans ses ouvrages. Certainement excellent chercheur de trésors, Robert Charroux a beaucoup exagéré lorsqu'il s'agissait d'histoire, d'archéologie et même d'ésotérisme.

4. On notera la prétention du personnage.

5. Il semble, au contraire, que, malgré les apparences (haute taille et forte corpulence), l'abbé Saunière n'ait pas eu d'audace, et encore moins de ruse. La façon dont il s'est défendu lors de son procès prouve la maladresse. A moins qu'il n'ait joué à l'idiot...

pas dû tout placer dans le même bas de laine. Et j'ai la certitude que Corbu a trouvé l'un des trésors[1]. Je répète que Rennes-le-Château, c'est sérieux... »[2]

Que de vaines tentatives! Cependant, l'histoire, vraie ou fausse, de l'abbé Saunière se propage et enthousiasme les foules. La Télévision s'en mêle, et une équipe vient tourner à Rennes-le-Château des épisodes de la vie du «curé aux millions». C'est une période mémorable, assurément, de l'histoire de ce village perdu. «Rien ne pouvait passionner davantage les braves gens de Rennes dont un bon nombre furent mobilisés. Il fallait des figurants. N. Corbu, vêtu en prêtre de 1900, portant le rabat et le chapeau romain[3], tenait le rôle principal. A la gravité avec laquelle il jouait son personnage, à l'onction dont il l'imprégnait, à la condescendance, à la bienveillance qui transparaissaient dans ses propos, dans ses attitudes, on devinait qu'il avait joué le rôle en pensée bien avant d'en revêtir l'habit. C'était Saunière, mais un Saunière raffiné, feutré, disert, dépouillé de son allure sportive, de son allant, de sa jovialité un peu vulgaire. Nul n'était mieux apte à répéter les propos, à refaire les gestes que la légende attribue à l'abbé. On retrouvait Saunière dans sa besogne de recherche, dans la joie de la découverte, on le voyait mécène, distribuant de l'argent à ceux qui l'avaient assisté, avisant aussi de braves gens qui venaient de tirer péniblement des seaux d'eau qu'ils bénéficieraient bientôt de l'adduction d'eau potable. Le tableau était complet : seul manquait le trésor! »[4]

Eh! oui... C'est le trésor qui manque. Ce n'est pas faute de le chercher. Mais, assurément, Noël Corbu ne l'a pas trouvé. Ses activités de recherche lui font négliger la gestion de son hôtel-restaurant. Quant à Madame Corbu, sur qui reposent l'intendance et la cuisine, elle se fatigue. Peu de profit pour beaucoup

---

1. Il est peu vraisemblable que Corbu ait trouvé quelque chose si l'on considère les difficultés qu'il a rencontrées ensuite. Il «ne roulait pas sur l'or», comme on dit, et son départ de Rennes ressemble à un abandon pur et simple.

2. Entretien publié par Jean-Luc Chaumeil dans son livre, *Du premier au dernier Templier*, Paris, Henri Veyrier, 1985, pp. 232-233.

3. On peut voir Noël Corbu en abbé Saunière dans deux photos publiées par René Descadeillas à la fin de sa *Mythologie*, p. 157.

4. René Descadeillas, *Mythologie du trésor de Rennes*, p. 65.

de temps perdu. Noël Corbu est certes un homme ingénieux. Il se cherche une activité plus fructueuse. Il installe dans les communs un atelier destiné à la fabrication d'éventails et d'abat-jour, mais un incendie le ravage. L'atelier fonctionne jusqu'en 1965, date à laquelle Corbu décide de l'installer à Fanjeaux, sur la vieille route qui va de Carcassonne à Mirepoix. Noël Corbu quitte le pays, abandonne l'hôtel de la Tour, qu'il vient de vendre à M. Henri Buthion. Une page de l'histoire de Rennes-le-Château est tournée, mais ce qu'y a écrit Noël Corbu n'est pas près de s'effacer. Par la suite, Noël Corbu fera de mauvaises affaires, et mourra dans un accident de voiture en 1968. Mais l'affaire de sa vie, l'affaire qui ne lui a rien rapporté, cette affaire est définitivement lancée. Malheureusement, c'est à d'autres qu'elle profitera.

En 1967, paraît en librairie un ouvrage de Gérard de Sède, *l'Or de Rennes*, avec pour sous-titre : *ou la vie insolite de Béren-ger Saunière, curé de Rennes-le-Château*[1]. C'est un triomphe. Cette fois, l'abbé Saunière, modeste curé d'un non moins modeste village du Razès, devient un héros non seulement de l'histoire locale, mais de l'Europe tout entière. Ce qui est plus grave, à la fois pour l'Histoire et pour la « personne » Saunière, c'est le rôle bizarre qu'on fait jouer à ce prêtre qui eût été le premier étonné de voir la dimension que prenaient certains épisodes de sa vie réelle.

Le sujet de ce livre est à la fois simple et complexe. L'abbé Saunière, curé d'une petite paroisse, a découvert un secret jalousement et pieusement conservé jusqu'alors, à savoir la survivance d'un héritier légitime du roi mérovingien Dagobert II (devenu « saint » Dagobert par la « voix du peuple »), lequel roi assassiné par les Carolingiens (à l'époque, c'étaient plutôt les « Pippinides ») avait dissimulé à Rennes-le-Château d'immenses trésors dans le but de reconquérir l'Aquitaine, tâche qu'il n'avait pu accomplir mais qu'il avait léguée à ses descendants. Comment l'abbé Saunière a-t-il découvert ce secret ? Mystère. Mais « on » lui fait savoir qu'il est autorisé à puiser dans le tré-

---

1. Paris, Julliard, 1967. L'ouvrage fut réédité plusieurs fois, notamment dans la collection de poche « J'ai lu », sous le nouveau titre de *le Trésor maudit de Rennes-le-Château*, puis en 1977, chez Plon, considérablement augmenté, sous le troisième titre de *Signé Rose + Croix*.

sor royal à condition de garder le secret. Le «on», si mystérieux et si discret, est évidemment anonyme, mais on peut comprendre qu'il s'agit d'un représentant dûment mandaté du Prieuré de Sion, ordre très ancien et parallèle au Temple[1] et qui a survécu à celui-ci dans la clandestinité. Mais, au lieu de respecter ses engagements, l'abbé vécut au-dessus de ses moyens, ce qui amena le mystérieux «on» à lui donner un avertissement. Mais Saunière ne se laissa pas faire et conclut un pacte avec «on». Il eut la permission de disposer des indices, des jalons pour que d'autres, après lui, pussent avoir accès au trésor et s'en servir pour restaurer la dynastie légitime. Il mourut sur ces entrefaites, en rêvant de fonder une nouvelle religion dont il eût été le chef.

Que faut-il penser de tout cela ? Essentiellement que Gérard de Sède a beaucoup de talent. Mais que dire des sources qu'il présente et des documents qu'il reproduit complaisamment ? Les sources sont invérifiables, et quand elles le sont, on s'aperçoit qu'elles reposent sur des documents déjà truqués. Les documents eux-mêmes, c'est-à-dire des photographies de pierres et de manuscrits, sont des faux manifestes, qui ne sont certes pas imputables à Gérard de Sède, mais à ceux qui l'ont inspiré de si étrange façon. Ainsi en est-il des soi-disant parchemins de l'abbé Saunière, miraculeusement transmis d'Angleterre où ils dormaient, paraît-il, dans une banque, et dont des copies furent remises à plusieurs personnes, dont l'actuel propriétaire de la ville Béthania à Rennes-le-Château.

On sait que Bérenger Saunière a retrouvé des parchemins dans le pilier qui soutenait l'ancien autel. Tous les témoignages concordent sur ce fait. Mais rien ne subsiste de ces documents dans une quelconque bibliothèque publique, dans un quelconque dépôt d'archives. S'ils existent encore, qu'on veuille bien les montrer...

On dira qu'on en a des reproductions. Fort bien, mais alors il faut quand même aller interroger le marquis Philippe de Cherisey, fantaisiste de talent, et ami de Pierre Plantard de Saint-Clair. Il a fait des aveux complets. «M'étant rendu à Rennes-

---

1. Gérard de Sède avait déjà publié en 1962 un ouvrage sur les Templiers de Gisors, qui eut un succès retentissant. C'est dans cet ouvrage que fut cité pour la première fois le nom de Pierre Plantard, ce qui prouve que les rapports entre ce personnage et l'écrivain sont très anciens.

les-Bains en 1961 et ayant appris qu'après la mort de l'abbé, la mairie de Rennes-le-Château avait brûlé (avec ses archives), j'ai profité de l'occasion pour inventer que le maire s'était fait délivrer un calque des parchemins découverts par l'abbé. Alors, sur l'idée de Francis Blanche[1], je me suis mis en devoir de composer un calque codé sur des passages d'évangiles et de décoder moi-même ce que j'avais codé. Enfin, par voie détournée, je faisais parvenir à Gérard de Sède le fruit de mes veilles. Cela a marché au-delà de mes espoirs[2]. » Et il complète ses aveux auprès de Jean-Luc Chaumeil, décidément toujours très près de cette affaire, en disant : « Les parchemins ont été fabriqués par moi, dont j'ai pris le texte antique, en onciale, à la Bibliothèque Nationale, sur l'ouvrage de Dom Cabrol[3] ». Et Philippe de Cherisey, qui se vante d'ailleurs d'être au courant du *véritable* secret de Rennes-le-Château[4], prend cette histoire de faux comme elle mérite d'être prise, c'est-à-dire comme une bonne farce. Mais à qui a-t-il voulu jouer cette farce ?

Ce ne sont d'ailleurs pas les seuls éléments de cette farce. D'autres documents présentés de bonne foi dans l'*Or de Rennes* sont plus que suspects. Il s'agit des reproductions de pierres gravées, dont la fameuse stèle de la marquise d'Hautpoul, la seule dont l'authenticité soit garantie. Mais les autres ? Elles

---

1. Cherisey a connu Francis Blanche au cours d'un tournage de film en Belgique. Les deux hommes ont sympathisé. On connaît d'ailleurs le goût du génial Francis Blanche, complice du non moins génial Pierre Dac, pour la dérision et la mystification. Qui ne se souvient du feuilleton radiophonique *Signé Furax* ? Qui ne se souvient du « gag » des deux compères qui avaient créé *une clinique psychiatrique pour herbes folles* ? Il fallait le faire. Mais, au cours d'une conversation, Cherisey avait raconté à Francis Blanche ce qu'il savait de l'affaire de Rennes-le-Château, en particulier des parchemins trouvés par Saunière. Francis Blanche lui aurait alors demandé de fabriquer de faux parchemins et de les lui envoyer, ayant l'intention de s'en servir pour *Signé Furax*. Cherisey aurait alors fait consciencieusement le travail, mais au lieu de le confier à Francis Blanche, par l'intermédiaire du réalisateur Pierre Arnaud de Chassipoulet, il l'aurait donc fait parvenir discrètement à Gérard de Sède. C'est du moins ce que raconte Philippe de Cherisey.
2. Philippe de Cherisey, *l'Énigme de Rennes*, brochure dactylographiée, 1978. Voir Jean Robin, *op. cit.*
3. J.-L. Chaumeil, *le Trésor du Triangle d'Or*, p. 80.
4. Le tout est de savoir si Cherisey agit de propos délibéré ou s'il parle au nom de Pierre Plantard de Saint-Clair.

sont empruntées à un opuscule intitulé *Pierres gravées du Languedoc*, attribué à Eugène Stüblein, un érudit local de la fin du XIXᵉ siècle, qui signait volontiers «Stüblein des Corbières». Mais Eugène Stüblein eût été fort étonné de voir cet ouvrage rarissime, qu'on ne peut consulter qu'à la Bibliothèque Nationale, revêtu de son nom. Car Eugène Stüblein ne s'est jamais occupé d'archéologie. C'était un passionné d'astronomie qui n'a passé sa vie qu'à regarder les étoiles. Il n'a jamais fait aucune étude sur «les pierres gravées du Languedoc», et cet opuscule est un faux manifeste, où, de plus, on fait intervenir le malheureux abbé Courtauly qui, lui non plus, n'y était pour rien.

La farce devient étrange. Écoutons René Descadeillas, qui a fait une enquête approfondie sur cette affaire. On a vu que le nom de l'abbé Courtauly avait été mêlé à cette histoire de «pierres gravées du Languedoc», ainsi qu'à l'affaire Saunière, parce qu'il avait connu celui-ci dans sa jeunesse. «Comment ce bon et vieil abbé aurait-il été amené à prêter son nom à des affabulations aberrantes? Par quel surprenant concours de circonstances?» Et René Descadeillas a trouvé la réponse à ces questions. Mais en dévoilant le «pot aux roses», il n'y va pas de mainmorte :

«Dans les dernières années de sa vie, alors qu'il prenait les eaux à Rennes-les-Bains, il rencontrait fréquemment un curieux personnage qu'on avait accoutumé de voir rôder dans les parages dès la fin des années cinquante. Celui-ci habitait Paris. Il n'avait pas d'attaches dans la région ni de relations connues. C'était un individu difficile à définir, falot, secret, cauteleux, non dépourvu de faconde, dont ceux qui l'ont approché disent qu'il était insaisissable. Il ne suivait pas de traitement médical régulier. Aussi s'interrogeait-on sur les raisons de ses apparitions renouvelées, car il survenait même en hiver. De même se perdait-on en conjectures sur l'intérêt qu'éveillaient en lui les curiosités naturelles ou archéologiques, car ce n'était pas un intellectuel. Il intriguait les gens par l'étrangeté de ses démarches : il allait, arpentant la contrée, s'enquérant de l'origine des propriétés, jetant de préférence son dévolu sur des broussailles ou des terres abandonnées qui n'intéressaient personne... Ses allées et venues, les questions qu'il posait aux uns et aux autres ne pouvaient demeurer sans écho. On le tenait pour un maniaque et certains riaient peut-être de lui sans se douter que l'homme usait de tous les stratagèmes *pour constituer un dossier où des événements banals, de menus faits prenaient des proportions inattendues,* où des réflexions sans intérêt, des appréciations hâtivement portées, des mots *en l'air* acquéraient d'autant plus de relief qu'il les plaçait dans la bouche de personnes respectables et estimées pour leur sagesse, mais peut-être affaiblies par l'âge. Il ne craignait pas de leur attribuer des déclarations qu'il enregistrait sur un magnétophone où il est loisible, comme on le sait, à n'importe qui de débiter n'importe quelle histoire. Ainsi a-t-il prêté à l'abbé Courtauly des propos extravagants qui ne concordent ni avec la vie, ni avec le caractère de ce prêtre. Sur ce point, ceux qui ont connu et pratiqué l'abbé sont formels. [1] »

Ce n'est pas tout. René Descadeillas ne juge pas nécessaire de nommer le personnage qu'il décrit avec précision. Mais il fait remarquer que ces fameuses *Pierres gravées du Languedoc* ne sont signalées nulle part ailleurs que dans un petit ouvrage multigraphié déposé en 1964 à la Bibliothèque Nationale de Paris (encore !), et intitulé *Généalogie des rois mérovingiens et origine des diverses familles françaises et étrangères de souche mérovingienne, d'après l'abbé Pichon, le docteur Hervé et les parchemins de l'abbé Saunière, de Rennes-le-Château (Aude).* L'auteur avoué de ce curieux opuscule était un certain Henri Lobineau, domicilié 22, place du Mollard, à Genève. Or, il n'y a pas de 22, place du Mollard, et Henri Lobineau est inconnu de tout le monde, en France comme en Suisse. Ces «Papiers Lobineau» sont également des faux. Mais à qui profitent-ils ?

René Descadeillas le dit : «On se rend compte, par le jeu des concordances, que le même personnage (celui qu'il vient de décrire à Rennes-le-Château) est l'auteur des *Papiers Lobineau.* Probablement avons-nous affaire à un paranoïaque, car *il a lui-même inscrit son nom en bonne place dans la descendance prétendue du roi Dagobert II[2].* » Avant de poursuivre, il serait bon de citer ces lignes extraites du livre de Gérard de Sète lui-même, *Aujourd'hui les Nobles*[3] : «Le record du "baron Barclay de Lautour" est battu de très loin par tel personnage qui fait inonder

---

1. R. Descadeillas, *Mythologie du Trésor de Rennes*, p. 76.
2. R. Descadeillas, *ibid.*, p. 76.
3. Éditions Alain Moreau, 1975.

la Bibliothèque Nationale de brochures généalogiques écrites sous pseudonymes et dont il ressort que, descendant du roi mérovingien Dagobert II, il est un prétendant au trône de France beaucoup plus légitime que ne le furent ou ne le sont Carolingiens, Capétiens, Valois, Bourbons et Orléans réunis. » Gérard de Sède se serait-il donc enfin aperçu qu'il avait été littéralement « roulé dans la farine » par M. Pierre Plantard de Saint-Clair, puisque tel est le nom du personnage mystérieux de Rennes-les-Bains, si *impertinemment* décrit par René Descadeillas[1] ? »

Mais nous n'en sommes qu'au début de la farce. Le reste suit avec des découvertes inopinées de nouveaux documents qui se révèlent être tout aussi faux que les anciens, et toujours ces fameux ouvrages multigraphiés envoyés de temps à autre à la Bibliothèque Nationale, laquelle risque bien de devenir le dépotoir municipal de Rennes-le-Château si les meneurs de jeu qui agissent dans l'ombre continuent ainsi d'inonder le Dépôt légal. L'un de ces « ouvrages » est intitulé : « Dossiers secrets d'Henri Lobineau : à Monseigneur le comte de Rhedae, duc du Razès, le légitime descendant de Clovis Ier, roi des Francs, sérénissime rejeton ardent du roi saint Dagobert II, son humble serviteur présente ce recueil... etc. » Pour cet ouvrage enregistré légalement, une personne a signé la feuille de dépôt, en donnant son adresse. Mais si l'adresse existe, on n'a jamais entendu parler de l'expéditeur. N'y aurait-il pas encore là-dessous le mystérieux personnage de Rennes-les-Bains ? Au fait, sait-on que le « Rejeton ardent » est tout simplement la traduction en français moderne de *Plantard* (*plant-ard*) ?

Il fallait y penser.

Quant aux habitants de Rennes-le-Château, on ne leur demande pas leur avis. Ils subissent. Et parfois, ils se plaignent : « C'est de la folie... Depuis une quinzaine d'années, il en vient de partout : de Montpellier, de Toulouse, de Bordeaux, de Paris, de Nancy. Il y a même des étrangers, des Allemands surtout. Parfois, ils se promènent un pendule à la main ou quelque autre appareil en bandoulière ; carte d'état-major en poche, ils se

---

1. Philippe de Cherisey prétend qu'il s'agit du comte Henri de Lenoncourt, alias Henri Lobineau.

livrent à de mystérieuses opérations que nous connaissons bien ici. Tant qu'ils en restent là, tout est parfait et nous sommes heureux de les accueillir. Mais certains, parmi eux, sont de vrais vandales. Ils ne respectent rien. Ils creusent, trouent, brisant ou détruisant n'importe quoi, n'importe où, et le bilan de leurs ravages commence à être lourd. A Rennes, on est heureux d'accueillir les visiteurs, même s'ils sont venus pour chercher le fameux trésor. De ce côté-là, on est tranquille d'ailleurs, ce n'est pas demain qu'ils le découvriront. On les accueille donc, mais on ne tient pas du tout à les voir tout démolir : c'est que certains ne reculent devant rien, ils vous passeraient dessus si c'était nécessaire. Aussi, voyez-vous, des touristes dans ce genre, on commence à en avoir assez. » Ces doléances ont paru dans un journal de Toulouse, il y a déjà longtemps. Mais on commence à comprendre pourquoi il n'y a plus d'hôtel à Rennes-le-Château.

S'il n'y avait pas, derrière l'affaire Saunière, toute une composante authentique, toute une part de réalités indéniables, on pourrait traiter cette histoire de fous avec le mépris qui s'impose. Mais non... La vérité oblige à affirmer que, parmi ce brouhaha et cette intoxication permanente, il y a quelque chose de réel. Les habitants de Rennes-le-Château le savent bien, et c'est peut-être pour cela qu'ils en arrivent parfois aux limites du supportable quand on vient de partout bouleverser leur village. Assurément, si l'affaire Saunière doit profiter à quelqu'un, ce n'est certainement pas aux Rennais.

Mais alors, à qui profite donc tout ce remue-ménage ? Jamais l'expression «un train peut en cacher un autre » n'a été si valable. Qui manipule cette intoxication ? Qui tire les ficelles des marionnettes qu'on présente sur le devant de la scène ? Le Prieuré de Sion ? Qu'est-ce que c'est ?

On a publié récemment, dans une petite revue qui se veut intermédiaire entre les curieux et les chercheurs, un texte écrit par un fervent de cette association, Pierre Bahier. Et, en une fable saisissante d'humour et de sagesse, il résume la situation avec les mots qui conviennent. Il s'agit d'une réponse à la question : lors des Croisades, dix chevaliers templiers auraient ramené en France des documents saisis dans le Temple de Jérusalem. Quid ? Connaît-on leurs noms ? Voici le texte écrit par Pierre Bahier :

« Aucune question n'est insoluble pour les lecteurs de *Facettes*. Voici donc (d'après Jules Moschefol) la liste de ces dix chevaliers auxquels on doit aussi la fondation de l'Ordre de Sion :

« 1. Dupanloup, de Sion (Haute-Savoie), *Dupanlupus ortus in vico Seduni, in Sabodiae*. L'emploi du mot *vicus*, bourg, prouve qu'il s'agit de Sion (Haute-Savoie) plutôt que de Sion (Valais), ville épiscopale, qualifiée dans les documents de cette époque de *civitas*. Les aventures de Dupanloup ont fourni le sujet d'une célèbre chanson de marche templière, adoptée depuis par l'armée française.

« 2. Goupil, du Gâtinais, *Vulpes Gastinense pagi*. *Vulpes* doit être traduit par Goupil et non par Renard, nom encore inusité à l'époque.

« 3. Moschefol, d'Orléans, *Turpis insanus Genabensis, vel Aurelianensis, civis*. L'intérêt de cette mention n'échappera pas aux spécialistes, car elle prouve de façon certaine l'identité du *Genabum* de César avec Orléans.

« 4. Ar Pen, de Bretagne, *Caput Letaviensis*. Le mot *Letavia* désignant la Bretagne dans plusieurs légendes hagiographiques, nous pensons qu'il y a lieu de traduire *Caput* par Ar Pen plutôt que par la Tête. Redoutable au combat, ses camarades templiers allemands l'avaient surnommé Caput-Kapout.

« 5. Dupont, d'Avignon.

« 6. Rouget, de Lille.

« 7. Tartarin, de Tarascon-sur-Ariège (*sic*).

« 8. Chapuzot, de Tremblay-le-Vicomte (Eure-et-Loir).

« 9. Fanfan, dit La Tulipe, enfant naturel de provenance inconnue.

« 10. Pandard, de Rennes-le-Château (Aude). Ce dernier, simple templier de 2e classe, alors que les neuf autres étaient tous sous-officiers ou caporaux, n'eut jamais d'avancement, ses supérieurs le considérant comme un débile léger (*levis insanus*). Il était pourtant de tous les coups durs, dont il se tirait toujours sans une égratignure (*nitidi testiculi*) (le maréchal Lefebvre — 1755-1820 — aimait à employer cette expression dans sa traduction littérale). Un jour, ses camarades l'envoyèrent chercher la clef du champ de manœuvres (*Martis campi clavis*). Il ne rentra jamais au cantonnement. Quelque temps après, on s'aperçut que les documents, à la saisie desquels il avait participé, avaient disparu, et parmi eux, un parchemin connu sous le nom

230

de Grosse du Jugement Dernier (*Ultimi Judicii grandibus litteris*), texte redoutable, puisqu'il contient la date exacte et l'heure précise de la Parousie.

« La suite, la voici : le templier Pandard, lassé des plaisanteries de ses camarades, fuyant la Palestine, revint à Rennes-le-Château. Devenu sacristain, il épousa la servante du presbytère qui eut de lui, ou du curé — les érudits de la Société des Sciences et Arts de Carcassonne en discutent toujours — de nombreux enfants. Ayant rapporté les parchemins trouvés à Jérusalem, il pensa les vendre à l'épicier du coin pour faire des cornets à bonbons, mais l'instituteur du village (*Vici puerorum Magister*), ayant vu les documents et pensant qu'ils pourraient intéresser les générations futures, lui conseilla de les cacher plutôt sous le maître-autel de l'église paroissiale, ce qu'il fit.

« En 1887, les documents furent retrouvés, à l'occasion de travaux effectués dans l'église, par le curé Bérenger Saunière. Celui-ci, étant monté à Paris pour les faire expertiser, y rencontra par hasard Jules Doinel, archiviste du Loiret, qui les lui acheta. (Il est absolument faux d'affirmer, comme l'ont fait des individus malveillants, que cette rencontre ait eu lieu au One-Two-Two, le célèbre établissement de plaisir de la rue de Provence, dont les deux intéressés n'ont jamais franchi le seuil, comme on s'en doute.) Ces documents sont aujourd'hui, ainsi que d'autres découverts depuis à Carcassonne, par le même Doinel, qui, profitant de la vacance du poste, s'était fait muter dans cette ville en 1899, déposés dans les archives de l'Ordre de Sion, qui en prépare la publication intégrale, avec traduction française qui paraîtra dans quelque temps à « la Pensée universelle ».

« En attendant, on pourra lire : Jules Doinel, *Mémoires d'un archiviste départemental* (œuvre posthume), Carcassonne, 1905, Laguillaumette et Croquebol, *Paris by night sous la présidence de Sadi-Carnot*, Paris, 1950, Pierre Pandard, *ma Famille et l'Ordre de Sion*, Annemasse, 1957, Bérard de Sade, *la Dernière Charge des Templiers*, Toulouse, 1984, Jean Mabize, *les Templiers précurseurs de la Waffen S.S.*, Paris, 1986.

D'après Jules Moschefol, prieur de Saint-Samson (Ordre de Sion). [1] »

---

1. *Facettes*, n° 187, mai 1988, 56 rue de Tassigny, 94700 Maisons-Alfort, pp. 26-27.

Ce texte, ou plutôt cette fable, valait bien la peine d'être cité en entier. Il n'a rien d'incongru, et son humour est peut-être beaucoup plus corrosif que simplement irrévérencieux. On aura reconnu évidemment qui se cache derrière le templier Pandard et les coups d'épingle donnés à certains dans la «bibliographie»[1]; mais ce qui est le plus important, c'est que cette fable, contrairement à d'autres ouvrages dits «sérieux», replace l'affaire Saunière dans son contexte exact, c'est-à-dire entre un problématique et fantomatique Prieuré de Sion et un personnage parfaitement réel, Jules Doinel, archiviste départemental de l'Aude après avoir été celui du Loiret, franc-maçon notoire, mais surtout fondateur d'une bizarre secte gnostique exactement dans la tonalité de cette époque 1900, à mi-chemin entre la spiritualité et le satanisme le plus noir.

Or Jules Doinel est présent, mais discrètement, toujours à l'arrière-plan, dans la vie de Bérenger Saunière. S'il faut chercher une explication aux symboles maçonniques qu'on peut remarquer dans l'église de Rennes-le-Château, c'est en partie chez Doinel, en partie chez Dujardin-Beaumetz, qu'il faut aller la trouver. Bérenger Saunière n'avait pas de goût artistique bien défini. Il est certain qu'il a demandé conseil à certaines personnes. Or Dujardin-Beaumetz était peintre et franc-maçon; et Jules Doinel, archiviste franc-maçon et gnostique, était un grand spécialiste du symbolisme hermétique.

Étrange personnage d'ailleurs que ce Jules Doinel. Eut-il des rapports avec Bérenger Saunière au moment où ce dernier faisait ses premières trouvailles dans l'église? Peut-être. A-t-il joué un rôle sur le comportement du curé de Rennes-le-Château? Peut-être. Jules Doinel était au courant de bien des petits «secrets» que se partagent les sectes et autres associations dites «philosophiques» qui pullulent sur la surface de la planète. Il

---

1. On remarquera que le seul nom intact de cette bibliographie est celui de Doinel, et ce n'est pas sans raison, car Jules Doinel en savait probablement très long sur l'affaire Saunière. Parmi les autres, l'attention est portée sur Jean Mabize (en réalité Jean Mabire) dont la présence ici s'explique par les recherches qu'il a faites, avec bonheur, sur l'armée allemande et les relations de celle-ci avec des sociétés secrètes. N'oublions pas que, selon la version allemande (de Wolfram von Eschenbach) de la légende du Graal, ce Graal est gardé par une troupe de Templiers qui ressemblent davantage à des S.S. qu'à des chevaliers chrétiens chargés de protéger les pèlerins en Terre sainte.

a été en poste à Orléans et s'est occupé précisément du Prieuré Saint-Samson, que les soi-disant adeptes du soi-disant Prieuré de Sion désignent comme ayant été leur point de chute en Europe quand l'Ordre a dû quitter la Palestine. Ce n'est pas pour rien que le texte, en principe humoristique, qui a été cité, fait référence à ce Jules Moschefol, évidemment «mouche folle», qui est dit «prieur de saint-Samson d'Orléans». Quelle que soit la réalité de l'Ordre de Sion, cela cache quelque chose, et Doinel était assez fin pour s'en rendre compte.«En effet, ce singulier conservateur des Archives du Loiret (et qui, ès qualités, devait bien être le premier à connaître les archives relatives à Saint-Samson) termina sa carrière à Carcassonne, où il est pratiquement assuré qu'il fut en rapport avec ce non moins singulier érudit local qu'était l'abbé Boudet. Or, le malheureux Doinel, qui avait restauré la "Gnose ecclésiale" en 1889, sous le nom patriarcal de Valentin II, semblait prédisposé à servir d'instrument à des influences fort suspectes. En effet, il abjura bientôt la Gnose devant l'évêque d'Orléans et, sous le pseudonyme de Jean Kotska, publia des livres dans l'esprit, si l'on peut dire, de Léo Taxil[1]. » Mais, par la suite, il retomba comme l'on dit, dans ses erreurs gnostiques et publia des livres assez stupéfiants, où l'on trouve des phrases de ce genre : «Le comte de Saint-Germain était l'un des plus puissants démons missionnaires de Satan.» C'est dire combien le personnage de Jules Doinel est trouble et inquiétant, et combien il pouvait se faire «manipuler» par les uns ou par les autres.

Car, en définitive, si «un train peut en cacher un autre», dans cette affaire de Rennes-le-Château, on ne sait plus qui cache qui, on ne sait plus qui manipule qui. Et il y a forcément manipulation, même si l'on ne croit pas à l'existence réelle de certaines «confréries philosophiques». Celles-ci ont le bon sens de rester dans l'ombre, ou de prendre des noms d'emprunt, voire de noyauter d'autres groupements existants et parfaitement orthodoxes. C'est pourquoi le Prieuré de Sion apparaît comme un leurre : il est destiné à cacher autre chose, à détourner l'attention. C'est très net à propos de l'affaire Saunière, et il est bon

---

1. Jean Robin, *op. cit.*, p. 87. Léo Taxil est ce journaliste ex-franc-maçon qui écrivit des pamphlets antisémites et se retourna contre la Maçonnerie en publiant une série de documents inventés pour la circonstance.

de lire attentivement la version abrégée des faits que nous en donnent les fameux « Papiers Lobineau ».

« Un jour de février 1892, le jeune abbé Hoffet recevait un visiteur étrange, l'abbé Saunière, curé de Rennes-le-Château depuis 1885, qui venait près de lui afin de demander à ce jeune et savant linguiste la traduction de parchemins mystérieux qui se trouvaient dans les piliers du maître-autel wisigothique de son église. Ces documents portaient le sceau royal de Blanche de Castille, et révélaient le secret de Rhedea avec la lignée de Dagobert II, comme l'abbé Pichon, entre 1805 et 1814, était parvenu à l'établir [1] d'après des documents retrouvés lors de la Révolution. L'abbé Hoffet, conscient de l'importance des actes, garda une copie, mais ne donna pas à l'abbé Saunière l'exacte vérité. Ce dernier, rendu prudent, consulta d'autres linguistes auxquels il ne donna que des fragments de documents. »

Il est évident qu'il n'a jamais été question de la lignée de Dagobert II avant que le soi-disant Prieuré de Sion ne se décide à publier, lui-même, ou par personnages-tampons, des informations sur ce sujet. Cela sent immédiatement la fabrication *a posteriori*, et Bérenger Saunière n'a jamais fait aucunement référence à l'époque mérovingienne. Mais l'habileté consiste ici à relier étroitement la tradition réellement populaire dite la Reine Blanche (mais, au fait, de laquelle ?), provisoirement de Castille, légende localisée à Rennes-les-Bains et non à Rennes-le-Château (et que connaissait parfaitement bien Pierre Plantard, inspirateur, ou auteur, du Prieuré, puisqu'il a séjourné longuement aux « Bains de la Reine »), avec la toute nouvelle découverte, à savoir l'existence d'une descendance directe de Clovis. Jamais le pauvre abbé Saunière, qui n'était pas pourtant totalement innocent, n'aurait imaginé une chose pareille, lui qui croyait naïvement avoir mis la main sur le dépôt constitué par son prédécesseur, l'abbé Bigou...

Il faut aussi signaler le manque d'informations proprement

---

1. Pendant la durée du Premier Empire, l'abbé Pichon avait été chargé par Napoléon de classer, de compulser et éventuellement de trier les archives et documents divers qu'on avait pu saisir au Vatican. Il s'ensuit que le personnage de l'abbé Pichon, considérablement grandi dans l'estime des « occultistes » et autres amateurs du XIXe siècle, est devenu presque un mythe : il aurait eu accès aux plus redoutables secrets de la papauté.

historiques des membres de ce fameux Prieuré de Sion. En 1892, Émile Hoffet n'était qu'un simple étudiant en théologie. Ce n'était donc pas un «abbé», et de plus, s'il eût été prêtre, on l'eût appelé «Père», puisqu'il faisait partie d'une congrégation religieuse, celle des Oblats de Marie. Le ou les rédacteurs des «Papiers Lobineau» auraient pu s'informer auprès de n'importe quel ecclésiastique sur les usages de l'Église catholique, et aussi faire concorder certaines dates.

Mais ce ne sont que broutilles. Le plus important reste à faire : «Pendant ce temps, l'abbé Hoffet rétablissait, grâce aux précieux renseignements, une généalogie très complète des descendants de Dagobert II, le roi «Ursus» dont les ancêtres étaient les rois de l'Arcadie. Or les rois d'Arcadie venaient de Béthanie, près du Mont des Oliviers, de la tribu de Benjamin.»

En somme, si l'on comprend bien, le Prieuré de Sion, pourtant gardien des traditions secrètes, a dû attendre la découverte fortuite de l'abbé Saunière pour savoir qu'il existait encore des descendants des Mérovingiens. Sans l'abbé Saunière, il n'y aurait pas de «Papiers Lobineau», et encore moins de Prieuré de Sion. Mais une nouvelle légende se greffe sur la première dans cette partie du discours, celle du roi Ursus dont les ancêtres étaient rois d'Arcadie. On pense évidemment aux *Bergers d'Arcadie* de Nicolas Poussin, et à l'étrange tombeau qui se trouve sur la route d'Arques. On pense même à relier *Arques* à *Arcadie*, contre tout bon sens, d'ailleurs, puisque le nom d'Arques provient du latin *arces*, au pluriel, signifiant «citadelles». Et en plus, avec un petit tour de passe-passe, on peut très facilement faire venir le nom d'Arques, et celui d'Arcadie, du mot indo-européen qui a donné le breton *arz*, qu'on retrouve ensuite dans le nom d'Arthur, ce mot signifiant «ours». Le voici, le roi *Ursus*, avec ses ancêtres rois du pays de l'Ours, autrement dit l'Arcadie. Symboliquement, l'ours a une grande importance : c'est l'animal qui dort pendant l'hiver et qui se réveille pendant l'été. Donc, le roi Ursus dort en ce moment, mais il va bientôt se réveiller. Suivez mon regard : le descendant de l'Ours va bientôt régner sur une nouvelle Arcadie. C'est le bonheur promis pour demain. Et tout cela est inscrit dans le Ciel, bien sûr, il n'y a qu'à contempler la Grande Ourse et l'étoile Arcturus. Il est vraiment regrettable qu'on n'ait point songé à utiliser le roi Arthur des Bretons, il aurait bien fait l'affaire dans ce fatras pseudo-mythologique.

Mais peut-être que les membres du Prieuré de Sion ne connaissent pas la mythologie celtique, ni même les romans de la Table Ronde...

Passons. Après avoir affirmé qu'il y a des descendants de Dagobert II, il faut bien expliquer pourquoi l'histoire n'en fait point mention. Qu'à cela ne tienne : « Voici donc le motif pour lequel on nia l'existence de Dagobert II[1]. Non pas complètement, car, lors de son assassinat par la famille des Pépins qui convoitait le royaume depuis plusieurs générations, Dagobert II avait fait cacher un trésor important à Rhedea, pays de sa deuxième femme, mère de son fils Sigebert IV, le futur comte de Razès, et l'existence de ce trésor fut un motif plus important de cette négation. Toutefois, ni la reine Blanche, ni le roi Louis IX le Saint, même en l'an 1251, n'osèrent toucher ce dépôt sacré, car la légende menaçait celui qui prendrait de cette réserve sans en avoir le droit, fût-il pape ou roi. »

L'histoire s'enrichit. On apprend que Blanche de Castille, pourtant un modèle de christianisme, était superstitieuse : elle avait peur de la malédiction des Mérovingiens, et c'est pourquoi elle n'a pas touché au trésor accumulé par les soins de Dagobert II. Il faut dire qu'avec cette histoire de tribu de Benjamin égarée en Arcadie et retrouvée ensuite dans la famille mérovingienne, on n'est pas très rassuré : les premiers rois de France seraient-ils donc d'ascendance juive ? Par chance, au moment où Saunière découvrait les fameux parchemins, il n'y avait pas de « commissariat aux questions juives », comme sous la Seconde Guerre mondiale. Sinon, Bérenger Saunière eût été soupçonné non pas d'espionner au profit des Autrichiens, mais de trahir la France au profit de la judéo-ploutocratie. Pourtant, à l'époque de Saunière, l'antisémitisme progressait et l'on était à la veille de l'affaire Dreyfus. On comprend que Saunière n'ait point voulu dévoiler son secret... Mais ce qui était important, dans ces documents, c'était de suggérer le thème du « Roi perdu ».

Car l'espoir demeure. « Au grand siècle, disait l'un des parchemins, le rejeton reviendra reprendre l'héritage du grand Ursus. Ceci est la légende où l'Évangile se retrouve pour mau-

---

1. L'Histoire n'a jamais nié l'existence de Dagobert II, mais celle de ses descendants.

dire dans les parchemins le mécréant qui oserait dérober une partie de ce trésor! Mais un parchemin retrace aussi l'histoire d'une époque dont nous ne savons presque rien. L'abbé Bérenger Saunière fut convoqué en cour de Rome[1] et refusa de s'expliquer. Il fut interdit[2]. Il est décédé mystérieusement le 22 janvier 1917. Sa servante et son héritière, Marie Dénarnaud, finit sa vie cloîtrée[3]. Sans l'abbé Hoffet, nul n'aurait su l'étrange histoire d'une famille dont l'origine se perd dans la nuit des temps. Henri Lobineau, généalogiste, mars 1954[4]. »

On remarquera d'abord le jargon utilisé par le soi-disant généalogiste. Il faut s'y reprendre à deux fois avant de comprendre le sens des phrases, comme si ce texte avait été maladroitement traduit de l'allemand. On remarquera aussi que le document en question n'est pas très reconnaissant envers Saunière d'avoir fait connaître ces fameux parchemins. Tout le mérite en est reconnu à l'abbé Hoffet. Mais c'est encore une fois avouer que le Prieuré ne connaît rien à l'Histoire et qu'il est tributaire des découvertes fortuites. Tout cela n'est pas sérieux, et l'on peut s'étonner que des personnes sensées puissent ajouter foi à de telles sornettes. C'est d'autant plus agaçant que lorsqu'on se livre à une enquête sur Émile Hoffet auprès de ceux qui l'ont connu et pratiqué, on apprend « que celui-ci ne s'est jamais occupé des Mérovingiens et qu'il est impossible qu'on soit venu le consulter en 1892, car c'est cette année-là qu'il termina sa rhétorique et qu'il prit solennellement l'habit comme novice en Hollande[5] ». La cause est entendue.

Mais mettre en évidence l'imposture du pseudo-Lobineau, du pseudo-Prieuré de Sion, ainsi que de tous ceux qui gravitent dans l'ombre de cette « confrérie », ne résout pas l'affaire Bérenger Saunière, ni n'élimine la réalité d'un mystérieux « tré-

---

1. Il fut convoqué devant le tribunal de l'Officialité, c'est-à-dire devant le tribunal de l'évêque, c'est tout. Par la suite, il fit appel du jugement devant le pape, mais ne fut jamais convoqué à Rome.
2. Il fut *suspens a divinis*, ce qui est très différent.
3. C'est faux. Mais comme elle était déjà vieille, elle ne sortait presque jamais.
4. *Papiers Lobineau*, p. 14.
5. R. Descadeillas, *op. cit.*, p. 84.

sor » enfoui quelque part dans le Razès, quelle que soit la nature de ce « trésor ». L'énigme de l'*Or maudit* est une réalité qu'il faut bien admettre, au risque de s'enliser dans les marécages de la confusion.

L'énigme de l'Or maudit

I

L'ÎLE AU TRÉSOR

Il n'existe pas une seule région au monde qui n'ait sa tradition de trésor enfoui. Nous sommes là en présence d'un des mythes les plus tenaces de l'humanité, probablement lié au mythe de l'Age d'Or, de l'Éden, de ce Paradis perdu qui sommeille au fond de chaque individu. Chassé de ce Paradis, c'est-à-dire de ce Verger merveilleux où les fruits sont mûrs toute l'année, l'être humain croit que ce verger est caché à ses yeux, derrière un écran de brume, ou mieux encore, sous ses pas, dans les entrailles de la terre. Car il a aussi le sentiment que la Terre est une Mère. Elle produit des fruits, elle produit cette eau indispensable à la vie, elle sert de refuge aux morts, elle est aussi le « monde inversé », celui qu'on atteint après de lentes reptations dans l'ombre et où brille tout à coup la lumière étonnante des cavernes ruisselantes d'or et de pierres précieuses. Tous les contes populaires font mention de ces cavernes. Toutes les épopées mythologiques également. La psychologie des Profondeurs a mis en parallèle cet imaginaire avec le désir inconscient du Retour dans le ventre de la Mère, mais cette explication, somme toute parfaitement logique, ne concerne pas le vécu. Or le vécu se nourrit de croyances et non de certitudes.

C'est dire que dans le pays du Razès, comme partout ailleurs, les légendes concernant des trésors enfouis dans la terre ne manquent pas. On pourrait même affirmer qu'il y en a encore plus qu'ailleurs, car la nature même de la région se prête autant à ce genre de fantasmes qu'à la permanence de souvenirs historiques : pays de frontière au relief tourmenté mais encore humain, avec des vallées encaissées et isolées et un sol truffé de cavités plus ou moins inconnues, le Razès est réellement une île au Trésor. Il suffit, comme chacun sait, d'avoir une carte, et surtout de savoir la lire, pour trouver le Trésor. Hélas ! peu nombreux sont ceux qui y parviennent, car le Trésor en question est non seulement très habilement caché, et inaccessible, mais il est encore gardé par des êtres plus ou moins féeriques ou démoniaques qui en défendent l'accès à tout individu qui ne porterait pas le fameux « Rameau d'Or ». Autrement dit, chaque fois qu'on parle d'un Trésor, on parle immédiatement d'un « gardien du seuil » qu'il faut absolument juguler, apaiser ou éliminer si l'on veut parvenir à la chambre secrète où repose le Trésor. La structure du mythe est partout identique, et correspond, en gros, avec celle de la Quête du Graal, ou encore avec celle du voyage chamanique.

Il n'est point besoin d'aller loin de Rennes-le-Château pour découvrir non pas un Trésor, mais une légende traditionnelle de Trésor, colportée depuis des siècles par la voix (et la voie) populaire, la meilleure qui soit pour conserver la mémoire ancestrale. Il suffit d'aller au nord-est du village, dans les ruines du château de Blanchefort. C'est là que se situe une « histoire » comme on les entend parfois, dans les veillées d'hiver, et qu'a recueillie en 1832 un certain Labouisse-Rochefort, passionné de voyages et de légendes :

« Tout près de nous étaient les débris de cette forteresse de Blanchefort, où le Diable garde depuis longtemps un immense trésor. Les gens du pays croient qu'il se compose positivement de dix-neuf millions et demi d'or, des vaches d'or, des jetons d'or, ou des louis d'or [1]. » On voit que l'Or maudit de Rennes-le-Château ne date pas de l'abbé Saunière. Au reste, cet or, gardé par le Diable, constitue un thème particulièrement répandu dans la mémoire populaire. Cela correspond à l'ambivalence de tout ce qui est secret, obscur, enfoui dans l'inconscient avant de l'être matériellement dans la terre : le désir est suscité par la crainte, et inversement.

Mais c'est là l'état permanent, on pourrait même dire l'état de latence. Il faut une circonstance particulière pour que l'évé-

---

1. Labouisse-Rochefort, *Voyage à Rennes-les-Bains*, Paris, 1832, p. 149.

nement surgisse. Le voici : « Un jour que le Diable avait du loisir (c'était avant la Révolution) et qu'il faisait un beau soleil, il se mit à étaler sur la montagne ces dix-neuf millions et demi. Une jeune bergère du voisinage qui s'était levée matin aperçut ce gros tas de belle monnaie, très luisante. Elle est surprise, émue, troublée, elle se retire en appelant sa mère, son père, sa tante, son oncle... On accourt. Mais le Diable est expéditif, tout avait disparu. » Un observateur contemporain pourrait en conclure que la jeune bergère n'avait vu que le reflet du soleil sur les pierres *blanches* de Blanchefort, ou encore que, souffrant de névrose, elle avait projeté ainsi sa propre pulsion. Et l'on en resterait là. Mais, autrefois, on ne pensait pas ainsi : « La grande nouvelle se répand dans le village ; on s'intrigue, on s'excite, on s'anime. Plusieurs habitants s'entendent, se cotisent et se décident à aller consulter un sorcier. Le projet s'exécute. On lui raconte la merveilleuse découverte. Le sorcier n'était pas bête ; il spécifia d'abord qu'on lui donnerait la moitié du trésor, quand on l'aurait enlevé, mais qu'auparavant il lui faudrait quatre ou cinq cents francs pour les préparatifs de son voyage. » Cette réaction du sorcier est également classique : un opérateur de magie, ou un prêtre, doit toujours recevoir quelque chose si l'on veut que le rite soit couronné de succès. Le sorcier ne prend sur lui que les risques *secrets* de sa mission. Aux autres de prendre les risques matériels.

« L'argent est compté, on part, on arrive. Le sorcier les prévient qu'il va aller se battre contre le Diable, que lorsqu'il appellera, il faudra que l'on vienne l'aider à le vaincre. Chacun lui promet d'avoir bon courage, on se rend sur les lieux. Le sorcier fait des simagrées, des invocations, des menaces, il trace des cercles et des figures étranges. Tout à coup, on entend un grand bruit. Nos gens s'effraient ; ils fuient, on les poursuit à coups de pétards et à coups de pierres. Le sorcier crie en vain : Au secours ! Au secours ! On le laisse crier, sans s'informer de l'issue du combat. Il reparaît enfin longtemps après, triste, haletant, couvert de poussière ; il se plaint de ce qu'on l'a abandonné ; qu'il avait déjà terrassé le Diable sous lui et que si l'on était accouru à sa voix, on aurait eu la victoire... et la bourse. Il leur reproche leur lâcheté et repart en grondant et en murmurant, pour Limoux, après avoir gardé ses arrhes. » On voit tout de suite l'aspect ironique que prend le conte : après tout, si le sorcier avait fait semblant de se battre, c'était une façon bien commode de gagner quelque argent au détriment des villageois crédules ! Ainsi se manifeste, en pays occitan, cette tendance anticléricale — et antimagicienne — qui caractérise un pays dévoré par le rationalisme, ou par ce qu'on appelle le « scientisme ».

Dans d'autres régions, la conclusion eût été légèrement différente. Ainsi, un conte breton du pays d'Auray relate une histoire de trésor enfoui sous un menhir et gardé aussi par le Diable. Des villageois se décident à s'en emparer, mais s'assurent le concours d'un prêtre. Celui-ci consent à les accompagner. Les villageois devront creuser pendant que lui « lira dans son livre », mais personne ne devra dire un mot ni répondre à qui que ce soit pendant ce travail. Bien entendu, le Diable, sous différents aspects, vient leur parler. Ils ne répondent rien, mais à la fin, l'un des villageois ne peut se retenir. Le prêtre leur ordonne alors de fuir. Des gerbes de feu s'élèvent de l'endroit où ils étaient en train de creuser. Et le prêtre leur dit : « Si vous aviez suivi mes conseils, ce trésor était à vous. Mais vous n'avez pas réussi à échapper à la tentation de parler. Désormais, personne ne pourra plus s'emparer de cet or [1]. » La conclusion est ici beaucoup plus « cléricale », mais elle reste analogue à celle de la tradition de Blanchefort.

De toute façon, le Trésor échappe au commun des mortels, quels que soient les stratagèmes utilisés. C'est une revue ésotérique qui l'affirme hautement dans un article consacré au « Fabuleux trésor de l'abbé Saunière » : « Ce trésor, quelle que soit son origine, a été récupéré par des sociétés secrètes qui veillent jalousement sur sa cachette. Et il doit servir, comme beaucoup d'autres trésors encore inconnus, à financer les desseins secrets des mystérieux maîtres du monde qui nous dirigent sans que nous le sachions. [2] » Et quel est donc le maître suprême de ces « maîtres de l'univers », sinon le Diable lui-même ? Le Diable est commode parce qu'il symbolise merveilleusement tout ce qui est obscur. Mais on aurait tort de prendre cet avertissement à la légère, même si cette histoire de « sociétés secrètes » peut faire sourire.

---

1. Du même auteur, *Contes populaires de toutes les Bretagnes*, Rennes, Ouest-France, 1977, p. 294.

2. *Nostradamus*, n° 51.

Car cet « Or maudit » existe. Il est même apparu au grand jour en l'an 1665, sous le règne du Roi-Soleil qui, après l'emprisonnement de Foucquet, s'intéressa vivement au Razès et fit procéder à des fouilles mystérieuses. C'est encore la tradition populaire orale qui véhicule l'événement. Un jour de printemps, un vieux berger de Rennes, qui rentrait son troupeau, s'aperçut qu'il lui manquait une brebis. Il fit comme le Bon Pasteur de l'Évangile et revint sur les lieux où il avait passé la journée. Effectivement, il entendit un bêlement. « L'appel venait de la terre. S'approchant, il vit que l'animal était tombé au fond d'un trou. Il descendit dans l'excavation, mais au moment de se saisir de la brebis, effrayée, celle-ci s'engouffra dans un boyau étroit qui s'enfonçait dans la terre. La poursuivant dans le noir, avançant le dos voûté, il eut soudain la stupeur de heurter des objets consistants. Merveille ! ses doigts sentirent le contour de pièces de monnaie. Tâtonnant encore, il eut l'effroi de toucher des débris d'ossements humains. Confronté à mille fantômes, le malheureux berger s'empressa de rebrousser chemin, non sans avoir rempli sa capuche de pièces de monnaie. Rendu à la surface, il n'eut rien de plus pressé que d'emporter sa trouvaille chez lui à Rennes. Tant d'or l'éblouissait, lui, qui, de sa vie, n'en avait jamais vu. Mais ce ne pouvait pas être la Providence qui lui avait mis cette fortune entre les mains. Pour son malheur, la "chose" se sut dans le village, et très vite la rumeur parvint au seigneur de Rennes, probablement Henry d'Hautpoul, qui fit saisir le malheureux pâtre et le soumit à la question pour lui faire avouer l'origine de l'or qu'il détenait. Les mauvais traitements des bourreaux eurent raison de l'âge vénérable du paysan qui succomba entre leurs mains. Furieux de la maladresse de ses soudards, le Seigneur de Rennes fit exécuter les bourreaux malhabiles[1]. » Il s'agit là d'un exemple caractéristique d'historicisation du mythe. Tous les ingrédients s'y trouvent réunis : le hasard de la découverte, le souterrain, les pièces d'or, les ossements qui infligent la peur, et finalement la punition parce qu'on a emporté une partie d'un Trésor qui n'appartient qu'aux puissances supérieures (en l'occurrence, le seigneur de

_____

1. Cité par P. Jarnac, *op. cit.*, p. 108, qui croit à la réalité des faits et qui en fait le point de départ d'une légende.

Rennes) qui sont les seules gardiennes de ces «infernaux séjours». Même si on est capable de dater cet événement, de donner le nom du berger, Ignace Paris, et celui du seigneur d'Hautpoul, cela ne signifie nullement que l'aventure soit réelle. Mais on voit, par cet exemple, que le terrain était préparé pour les fouilles plus ou moins clandestines de Bérenger Saunière.

Car Saunière connaissait cette histoire. La meilleure preuve en est qu'il l'a fait graver sur le fronton de son confessionnal. On peut en effet y voir la scène où le berger, le dos courbé, poursuivait sa brebis dans le souterrain. C'est donc que ce thème lui tenait à cœur. A moins qu'il ne faille y voir une indication, une de ces «clés» que l'on s'acharne tant à reconnaître sur les moindres détails de l'église de Rennes-le-Château...

Dans les années qui suivirent la mort de Saunière, les villageois, sans y attacher une quelconque amertume, ni même une quelconque jalousie, étaient persuadés que le curé et «mademoiselle Marie» avaient découvert une galerie souterraine qui conduisait de l'église au château. C'est dans ce souterrain qu'ils avaient découvert, selon la croyance populaire, des pièces d'or, des pierres précieuses et même une couronne. C'est ce qu'on racontait. Mais le propre de la tradition populaire orale, c'est d'être vivante, et d'adapter sans cesse les vieux mythes en les actualisant dans un cadre précis.

Tel est le cas depuis longtemps dans le Razès, où l'opinion publique, tant locale que régionale, qu'elle soit influencée ou non par les clercs, seuls détenteurs du Savoir, a toujours décelé des lieux de refuge pour les proscrits de toutes sortes, leurs secrets et leurs biens les plus précieux. C'est dans cette optique qu'on a pu parler des Juifs du Razès, établis là très anciennement pour fuir les persécutions. S'il est vrai que la population de l'Aude contient une importante composante juive, il n'a pourtant jamais été question, en dehors de l'imagination de certains auteurs, d'y voir les descendants de la tribu perdue d'Israël. Par contre, la croyance en un Razès lieu d'asile pour les Wisigoths d'Alaric, chassés d'Italie, est solidement implantée dans le pays, même si cette croyance est répartie dans l'ensemble des Corbières et à Carcassonne même. Elle a provoqué une autre croyance : le Trésor ramené par Alaric se trouve là, caché dans un endroit évidemment inaccessible. Mais là, il y a un support historique incontestable, la présence réelle des Wisigoths et l'influence durable qu'ils ont exercée sur le pays. Le mythe rejoint étroitement l'histoire, et voici la porte ouverte à toutes les spéculations, y compris celles qui concernent le Trésor du Temple de Jérusalem.

Cette tradition s'appuie en effet sur des événements contrôlables. En l'an 70, on le sait, Titus, fils de l'empereur Vespasien, « pacifie » la Palestine, c'est-à-dire la saccage. Il s'empare de Jérusalem, la ville sainte, et en pille le Temple. Date mémorable pour les Juifs qui, depuis lors, n'ont de cesse d'aller se recueillir et prier au Mur des Lamentations, seul vestige du Temple attribué au roi Salomon. Mais les Romains, tout en se montrant tolérants envers les religions autres que la leur, étaient impitoyables envers ceux qui leur résistaient, et la destruction du Temple de Jérusalem était devenue une nécessité pour assurer leur présence dans le Moyen-Orient. Et, bien entendu, les objets sacrés trouvés dans le Temple, en particulier le grand chandelier en or massif, sont ramenés à Rome où ils figurent dans le Trésor impérial, en compagnie des dépouilles arrachées à tous les peuples soumis à l'autorité romaine.

Arrive la période de décadence de l'Empire et la menace de plus en plus nette des Goths. En 410, c'est Alaric, à la tête des Wisigoths, qui s'empare de Rome et qui livre la ville au pillage. Le Trésor impérial est aux mains d'Alaric, y compris le butin ramené de Jérusalem. Mais après la mort d'Alaric, son beau-frère, à la tête des mêmes Wisigoths, quitte l'Italie et va s'établir dans le sud de la Gaule, n'oubliant certes pas d'emmener avec lui les immenses richesses arrachées à Rome. On pense que les successeurs d'Alaric se sont établis à Toulouse. En tout cas, au temps de Clovis, Alaric II règne paisiblement sur un immense empire wisigoth. Mais Clovis, voulant assurer son hégémonie, et se prétendant lui-même successeur des empereurs romains, ne peut supporter la puissance wisigothique, et il envahit l'Aquitaine. C'est alors qu'Alaric II se hâte de mettre à l'abri son fabuleux trésor de guerre[1].

_____

1. Un de mes anciens élèves, Gérard Lupin, qui se livre actuellement à des recherches très poussées sur la « Montagne d'Alaric », me communique des informations susceptibles de bouleverser les notions officielles concernant la lutte des Wisigoths et des Francs, et le fameux « Trésor d'Alaric ». Originaire des Corbières, Gérard Lupin fait d'abord état d'un dicton populaire qu'il a entendu lui-

Mais ici, les versions divergent considérablement sur le lieu où le roi wisigoth enfouit ses trésors. Dans l'une de ces versions, il s'agit de Carcassonne. C'est en effet ce qu'on peut déduire d'un passage de Procope (*De Bello Gothico*, I, 2) qui signale l'arrivée des Francs à Carcassonne, «ayant entendu dire qu'elle renfermait les richesses impériales que le vieil Alaric avait emportées lorsqu'il avait pris la ville de Rome. Parmi ces richesses, se trouvait, dit-on, une bonne partie du précieux mobilier de Salomon,

---

même : «Entre Alaric et Alaricou es la fortuno de tres reis», ce qui signifie : «Entre Alaric et l'Alaricou est le trésor de trois rois.» L'Alaricou est une partie détachée de la montagne d'Alaric. Voici ce qu'écrit Gérard Lupin à ce sujet : «Ce dicton faisait allusion aux rois Salomon, César, Alaric, dont les trésors réunis en un seul auraient été cachés à l'époque de la Septimanie wisigothique dans la montagne d'Alaric... Le trésor fabuleux serait donc venu depuis Rome, via la Calabre, jusqu'à cette île montagneuse dans la plaine languedocienne pour y être caché, ce qui n'aurait rien d'étonnant dans la mesure où cette montagne, de formation calcaire, est un véritable gruyère, semée de grottes plus ou moins bien explorées, voisinant avec des galeries de mines romaines abandonnées. Pour avancer cette affirmation, les gens du pays s'appuient sur les dires de l'«historien» grec Procope, écrivant au VIᵉ siècle que la bataille entre Alaric II et Clovis n'aurait pas eu lieu à Vouillé, mais «entre Carcassonne et Narbonne» et qu'Alaric II serait enterré dans la montagne qui porte son nom — avec son trésor et ses éléphants.» Et Gérard Lupin d'insister sur le fait que la localisation de Vouillé n'est due qu'aux seuls dires de Grégoire de Tours, aussi peu fiable que le Byzantin Procope, ce qui signifie que Procope est aussi crédible que Grégoire de Tours. Et il continue ainsi : «Des éléments nouveaux sont venus au secours de la légende languedocienne et des dires de Procope, je veux parler des travaux de construction de l'autoroute des deux mers, qui ont permis, près de la ville de Capendu, de mettre à jour de très nombreuses sépultures wisigothiques, si nombreuses que les travaux de l'autoroute ont été stoppés durant plusieurs mois... Bon nombre de ces sépultures ne correspondaient pas au rituel habituellement observé par les Wisigoths et l'on trouvait plusieurs squelettes dans un même trou, ce qui pouvait faire penser qu'il y avait bien eu là une grande bataille et que l'on avait enterré à la hâte, en oubliant quelque peu les rites.» Il ne serait nullement absurde de placer là la bataille soi-disant de Vouillé. Il y a d'autres exemples de fausses localisations. On sait, par exemple, maintenant que la véritable Gergovie n'est pas le site officiel du plateau de Merdogne, mais l'oppidum des Côtes, juste au-dessus de Clermont-Ferrand. Quant à Alésia, il est totalement impossible que ce soit à Alise-Sainte-Reine en Bourgogne : l'emplacement d'Alésia ne peut se trouver que dans le pays des Séquanes, c'est-à-dire dans le Jura, à Alaise ou à Salins-les-Bains. N'oublions pas que l'Histoire officielle ne repose bien souvent que sur des affirmations gratuites ou sur des témoignages uniques (pourtant, *testis unus testis nullus*!) que l'on a retenus arbitrairement parce que cela faisait plaisir à certaines personnes, généralement des commerçants du pays, lesquels y trouvaient leur compte. Il en est de même pour les lieux de pèlerinage censés contenir les reliques de tel ou tel saint...

lequel était orné de superbes pierreries, ce qui était une chose
très belle à voir. Les Romains avaient autrefois apporté ce mobilier
de Jérusalem ». On remarquera qu'il n'est nullement question
du Chandelier et qu'il s'agit seulement d'une partie du Trésor.

De cette information sont nées de multiples hypothèses. Pour
les uns, une autre partie du Trésor a été dissimulée dans les
montagnes, et répartie en plusieurs cachettes. Pour les autres,
c'est dans ce qu'on appelle encore la Montagne d'Alaric. Pour
quelques-uns, ce sont les flancs du pic de Bugarach qui
contiennent les restes du Trésor de Salomon. Et, bien entendu,
il est aussi question de la citadelle de Reddae. De toute façon,
le Trésor d'Alaric, de l'existence duquel nous n'avons aucune
raison de douter, a subi bien des déménagements en cette époque instable. Alaric II est vaincu et tué à Vouillé en 507. Les
richesses qui sont demeurées à Toulouse tombent aux mains
de Clovis. Mais ce qui a été mis à l'écart échappe à ses convoi-
tises. Ensuite, c'est Théodoric qui fait transporter le Trésor à
Ravenne ; mais celui-ci est ensuite restitué, emmené en Espagne, puis caché de nouveau à Carcassonne ou dans les Corbières. Et quel lieu pouvait mieux servir de cachette que la forteresse
de Reddae, du moins dans la légende ?

C'est en tout cas cette version qui a été popularisée au cours
du XIXe siècle. Elle s'appuyait d'ailleurs sur des traditions bien
précises : les fameux fondeurs allemands amenés dans le Razès
par les Templiers, au XIIe siècle, et les recherches faites du
temps de Colbert. De plus, nombreuses ont été les trouvailles
fortuites au cours des siècles, des trouvailles modestes, bien sûr,
mais qui faisaient penser qu'un plus vaste dépôt se trouvait
encore dissimulé dans un souterrain, quelque part dans le pays.
Quand il est arrivé à Rennes-le-Château, Bérenger Saunière ne
pouvait pas ignorer cette légende du Trésor de Salomon, pas
plus que les habitants du pays.

Où les choses se compliquent, c'est lorsqu'on met en parallèle avec l'incontestable présence wisigothique la non moins
incontestable présence templière. Quels que soient les motifs
de l'installation des Templiers au Bézu (surveillance de la route
de Saint-Jacques de Compostelle, refuge sûr auprès de la frontière, raisons militaires ?), les habitants de la région ont toujours
cru qu'ils venaient en cet endroit écarté pour y mettre en sécurité des trésors, et la tradition populaire s'en fait l'écho encore

aujourd'hui. N'oublions pas que les Templiers du Bézu ne dépendaient pas du royaume de France, mais du Roussillon, donc indirectement de l'Aragon, tandis que ceux établis à Campagne-sur-Aude relevaient de la France. Cette situation compliquée a donné lieu à d'étranges spéculations.

D'après la tradition, en effet, les Templiers du Bézu « ont dissimulé dans des caches très secrètes une partie de leurs réserves monétaires, lesquelles n'étaient plus en sûreté dans le Roussillon ; et aussi les réserves monétaires confiées par de grandes familles roussillonnaises, celles qui étaient du parti « majorquin » et qui, d'ailleurs, après 1307, ne récupérèrent pas leurs dépôts, peut-être aussi des biens du roi de Majorque. Leur présence dans la vallée du Bézu aurait laissé croire qu'ils dissimulaient en ce lieu et aux alentours immédiats tous ces trésors ; en réalité, ils en auraient confié une grande partie aux Templiers de Campagne-sur-Aude, lesquels auraient dissimulé le dépôt dans un souterrain et une « cache » qui seraient situés sous l'église et aux alentours de l'église ; et ce qui a contribué à accréditer cette tradition, c'est que Campagne est une petite cité médiévale très curieuse par tous les vestiges du passé qu'elle renferme et par la présence de souterrains dont il reste des traces ; ce qui accrédite aussi la tradition, c'est le fait, sur le plateau du Lauzet et dans la vallé du Bézu, de découvertes assez étranges [1] ».

On comprend que, dans ces conditions, il y ait eu tant de chercheurs de trésors à toutes les époques dans ce pays où il est relativement facile d'établir des « caches ». Le déplacement de la tradition templière vers le village de Rennes-le-Château s'impose de lui-même : dans l'opinion, c'est dans l'ensemble du pays que ces « caches » ont été réparties. Toutes les données se rejoignent, et le Trésor du Temple de Jérusalem refait surface.

En effet, les Chevaliers du Temple, établis d'abord à Jérusalem, et chargés de la sécurité des pèlerins en Terre sainte (c'était le but primitif et *avoué* de l'Ordre, à sa création), ont eu de longs contacts avec le Moyen-Orient. On prétend même qu'ils se seraient fort bien entendus avec certaines sectes musulmanes.

---

1. Abbé Mazières, *les Templiers du Bézu*, Rennes-le-Château, éd. Schrauben, p. 24.

De toute façon, leur connaissance de la Terre sainte était profonde. De là à imaginer qu'ils avaient retrouvé des documents à l'emplacement du Temple de Salomon, il n'y avait pas loin. Et puisqu'on en était là, pourquoi n'auraient-ils pas découvert aussi des documents chrétiens, notamment sur la vie de Jésus, sur la Crucifixion, sur la Résurrection ? Cela a été dit et répété maintes fois, et le comportement étrange des Templiers qui crachaient sur la Croix en reniant le Crucifié n'a pas été le moindre des arguments utilisé à la fois pour les condamner et pour en faire les détenteurs de secrets redoutables. Alors, bien que les Templiers aient eu la réputation de posséder d'immenses richesses (en réalité, il semble qu'ils n'aient possédé que des terres), on pouvait penser qu'ils avaient également des documents, des manuscrits notamment, encore plus précieux que l'or ou les biens matériels[1].

Ce qui n'est pas sans ajouter du mystère sur les «trésors» qu'on pourrait découvrir dans le Razès, et cela n'a pas été sans influence sur le «roman» bâti à propos de l'abbé Saunière à partir de 1956. Pour rendre plus attrayant le personnage de Saunière, il fallait en faire, sinon un affidé, du moins un serviteur involontaire d'une société secrète. Or quoi de plus secret et de plus mystérieux que cet Ordre du Temple, officiellement dissous par le pape Clément V, mais qu'on prétend avoir perduré dans la clandestinité ! Et ce fait n'a pas été non plus sans provoquer les nombreuses spéculations émises autour du fantomatique Prieuré de Sion, lequel, d'après les «Papiers Lobineau» et autres «Dossiers secrets», par ailleurs fort suspects, aurait été la puissance supérieure invisible qui manipulait les Chevaliers du Temple et leur aurait survécu. Que Bérenger Saunière n'ait point ajouté foi à ce qu'on racontait au sujet des Templiers, c'est certain : Saunière avait mieux à faire puisqu'il était au courant du dépôt qui avait été fait par l'abbé Bigou, pendant la Révolution. Il n'avait nul besoin de recourir aux Templiers, pas plus qu'aux Wisigoths d'ailleurs. Et si, comme on peut le penser, il a découvert des documents (les parchemins), c'est fortuitement. Ce n'est pas ce qu'il cherchait, du moins au début de ses fouilles.

---

1. Voir, dans la même collection, J. Markale, *Gisors et l'énigme des Templiers*, 1986.

Car il y a évidemment le « Trésor » de l'abbé Bigou, qui est parfaitement réel. On devrait dire plutôt le « Trésor » de la famille d'Hautpoul, puisque Bigou s'était seulement fait le dépositaire de ce trésor, le mettant en sûreté lorsque la situation était devenue intenable.

Mais le dépôt Bigou n'est nullement en contradiction avec le Trésor des Wisigoths (donc le Trésor de Salomon) pas plus qu'avec le Trésor des Templiers (lui aussi provenant de Jérusalem). Car la famille d'Hautpoul était l'héritière de toutes les grandes familles qui s'étaient succédées dans le Razès. Elle était donc dépositaire non seulement d'objets passés de génération en génération, mais d'archives, de documents divers, dont certains devaient présenter un intérêt prodigieux, d'autant plus que les d'Hautpoul du XVIIIe siècle semblent avoir eu partie liée avec des sociétés secrètes. Le roman ne fait que croître et embellir au fur et à mesure qu'on dresse la liste des « trésors » possibles qui se trouveraient cachés dans le Razès. Quelle aubaine pour ceux qui ont développé le roman de l'abbé Saunière ! Il était difficile de trouver matière plus riche où histoire et mythe étaient si intimement mêlés qu'il devenait impossible de faire la part des choses.

Restent d'autres traditions qui sont autant d'hypothèses invérifiables mais conformes au schéma essentiel déjà remarqué pour les traditions précédentes. Il y a d'abord l'Or maudit de Delphes. C'est une vieille histoire. Au troisième siècle avant notre ère, les rescapés d'une expédition gauloise dans les Balkans, expédition conduite par un certain Brennus, auraient ramené en Gaule un butin provenant du pillage de Delphes. Historiquement, l'expédition vers Delphes est une réalité, mais elle s'est soldée par un échec, et les Gaulois de Brennus se sont dispersés, certains passant en Asie Mineure où ils ont fait souche et formé le royaume des Galates. Bien sûr, le mythe est venu au secours de l'histoire, et l'épopée de Delphes, transmise de façon fragmentaire par les auteurs grecs et latins, est devenue un véritable récit mythologique [1]. Le « Trésor » de Delphes ne pouvait pas en être absent. Les Gaulois, qui avaient l'habitude de

---

1. Voir Jean Markale, *Les Celtes*, Payot, 1969, en particulier le chapitre « Delphes et l'aventure celtique ».

sacraliser leur butin en le plongeant dans les eaux d'un lac, auraient ainsi confié l'Or de Delphes à un lac que certaines traditions toulousaines placent à l'ouest de la ville (d'autres disent que c'est dans un lac souterrain qui se trouve sous Saint-Sernin), et lorsque les Romains eurent envahi le pays, ils s'emparèrent du trésor. Mais comme c'était un Or sacré, donc un Or maudit, il ne porta pas chance au consul qui se l'était approprié. Cependant, une partie de cet Or avait pu être sauvée par les Gaulois et cachée ailleurs. Et quel meilleur endroit que le Razès, le pays des *Redones*, pour effectuer un tel dépôt ? Et cet Or gît toujours quelque part. Seulement, il est dangereux d'y toucher, car ce serait commettre un sacrilège. On rejoint là les affabulations des « Papiers Lobineau » à propos du Trésor royal mis en sûreté par Dagobert II et que Blanche de Castille n'avait pas osé toucher. On voit d'où vient l'histoire du Trésor des Mérovingiens. Ce n'est pas une tradition populaire, mais une récupération d'une autre tradition, un véritable détournement au profit d'une idéologie douteuse.

Il y a aussi le Trésor royal que Blanche de Castille aurait dissimulé dans le Razès au temps de ses difficultés avec les grands seigneurs du royaume, et en pleine Croisade contre les Albigeois. On rejoint la tradition vraiment populaire de la présence à Rennes-les-Bains d'une « Reine Blanche », mais on ignore laquelle. Il est vraisemblable qu'il s'agit d'une Fée, souvenir des antiques déesses de fécondité qui procuraient des richesses à leurs hiérophantes, pour ne pas dire leurs amants. Le thème est entièrement mythologique, et c'est le nom de Blanche de Castille qui a provoqué l'éclosion de la légende. Mais il faut se souvenir de l'intérêt manifesté par la mère de saint Louis pour le Razès et de son acharnement à s'en emparer au détriment du malheureux Trencavel. Ici encore, le mythe et l'histoire font bon ménage.

Il y a encore le Trésor des Cathares. Cette tradition se mêle étroitement à celle des Templiers, puisque l'on sait l'alliance objective scellée entre les Cathares et les Templiers, ces derniers protégeant souvent les premiers, les recueillant et les cachant, et gérant aussi leurs biens. Mais le Trésor des Cathares prend une autre signification : il s'agit davantage de documents sur la doctrine cathare que d'un trésor matériel. Ce dépôt sacré, fait au moment de la reddition de Montségur, aurait très bien pu être réalisé dans la région de Rennes-le-Château, en particulier sur les pentes de Bugarach, puisque Bugarach a des rapports géographiques et mystiques avec le « pog » de Montségur. Le Razès a été un pays cathare, et a même constitué un diocèse de la pseudo-église cathare. Il ne serait pas anormal que les « Parfaits » aient profité du ralliement des habitants du Razès, nobles en tête, pour leur confier cet important héritage. Historiquement, cela se tient. Historiquement, aussi, la mise à l'abri d'un « trésor », au sens de « documents », qui était celui des Cathares de Montségur, est absolument prouvée. Et l'on sait que les quatre évadés de Montségur chargés de cette mission sont allés dans le Razès. Mais y sont-ils restés ? C'est improbable. Ce qui n'empêche nullement de rechercher à Bugarach ou dans les ravins isolés les dernières traces des Cathares d'Occitanie.

Il y a enfin le Graal. Mais la tradition est récente, et elle n'est nullement populaire. C'est une création intellectuelle de la fin du XIXe siècle, née dans les milieux littéraires, artistiques et « hermétistes » qu'on s'est obstiné à faire fréquenter à Bérenger Saunière lors de son voyage supposé à Paris. En pleine atmosphère wagnérienne, poursuivis par l'image grandiose et mystérieuse du « saint » Graal, les intellectuels fin de siècle ont tenté à plusieurs reprises de localiser le Château du Graal. On se souvient qu'ils l'ont reconnu dans Montségur. Mais, en même temps, d'autres le reconnaissaient à Glastonbury. Il est inutile d'insister là-dessus [1]. Si l'on parle du Graal dans le Razès, c'est avant tout par contamination de ce qui se passe à Montségur, qui n'est pas très éloigné, il faut le rappeler.

Toutes ces traditions se réfèrent à un même schéma, celui de la Quête de l'Objet perdu qui, une fois retrouvé par des mains dignes de le posséder, redonnera au monde son harmonie et aux êtres humains leur bonheur. C'est une quête de la Perfection détournée en une quête d'objets matériels, et finalement en une simple recherche de la fortune. Le tout est de considérer le but qu'on se propose de chercher.

Or cette recherche du trésor suppose une *initiation,* car les découvertes fortuites ne comptent pas, et les découvreurs « par hasard » ne profitent jamais vraiment de leur trouvaille. D'ail-

---

1. Voir, dans la même collection, du même auteur, *Montségur et l'énigme cathare,* 1986, ainsi que *Brocéliande et l'énigme du Graal,* 1989.

leurs, ils ne découvrent généralement qu'une partie infime de ce qui est censé exister. C'est le cas de Bérenger Saunière, lequel a dû faire ses premières découvertes un peu au hasard. *Il manquait quelque chose.* Et c'est probablement ce « quelque chose » qu'il a cherché ensuite sans relâche. Mais rien n'est possible si l'on ne possède pas la *clé* qui permet d'ouvrir la porte secrète, *la porte qui est en dedans,* ou encore, selon l'expression utilisée par les Alchimistes, « la porte ouverte au palais fermé du roi ». Et pour ce faire, il faut user de patience et observer autour de soi les moindres signes qui pourraient mettre sur la voie. Mais comme ces signes, par nature, sont ambigus, il convient de les interpréter. Ainsi s'établissent les règles d'un bizarre « Jeu de l'Oie » qu'a fort bien définies Roger Caillois dans son ouvrage, *Cases d'un échiquier*[1] :

« Paradoxe du Trésor. Il existe de nombreux romans du type de l'Ile au Trésor où il s'agit de retrouver, en interprétant correctement un document chiffré, les fabuleuses richesses enfouies par des pirates, les templiers ou un pharaon. On y constate le même paradoxe : les propriétaires du trésor, flibustiers dispersés, *sectes persécutées ou monarques détrônés,* paraissent avoir eu pour unique préoccupation de *fournir des indices permettant à autrui de s'en emparer.* D'où l'établissement d'un cryptogramme compliqué, destiné à guider le chercheur éventuel... Tout se passe comme si le détenteur du trésor avait voulu récompenser l'ingéniosité. Il organise un jeu de cache-cache où le premier venu doit avoir de la chance, s'il est clairvoyant et avisé. Qui fait preuve de la plus grande perspicacité emporte le butin, non celui qui aurait le plus de titres à en revendiquer l'héritage. »

Nous y voilà, car c'est là que l'*épreuve* prend tout son sens. Ce n'est pas toujours l'héritier légitime — au regard des lois en vigueur — qui acquiert le droit à la succession. Tous les contes de la tradition populaire orale insistent sur ce point. La plupart du temps, il s'agit d'un jeune héros, pauvre bien entendu, mais très intelligent, qui trouve la solution et devient l'époux de la princesse, alors qu'il n'y a aucun droit, ce qui lui permet en somme d'*usurper* le pouvoir. C'est la prime à l'intelligence et à la ruse. C'est l'*épreuve* dans toute sa plénitude. Et

1. Paris, Gallimard, 1970, pp. 42-43.

qui réussit l'épreuve est capable de réussir autre chose : c'est à ce prix que l'humanité pourra progresser, que la conscience humaine pourra se dépasser et atteindre le stade où, comme dit le Serpent de la Genèse, lui-même symbole de cette intelligence tortueuse mais efficace, l'être humain, pauvre créature qui ne sait se servir que du dixième des possibilités de son cerveau, pourra « être comme un dieu ». Péché d'orgueil, peut-être, mais, sans orgueil, y a-t-il devenir ? C'est une leçon de métaphysique et de théologie que nous donnent les récits sur les trésors cachés.

Car ils sont cachés, avec tout ce que cela comporte de zones d'ombre. Or l'ombre est bonne et mauvaise à la fois. C'est pourquoi Roger Caillois insiste « sur la double nature des trésors : ils sont secrets, d'où la cachette ; ils sont talismans, nécessairement constitués de matières précieuses en elles-mêmes, chargées de légendes et d'histoire, presque de superstition [1]. Ils consistent en gemmes, en bijoux, ou, à la rigueur, en pièces hors d'usage. On ne conçoit pas un trésor constitué de billets de banque, de reconnaissances de dettes ou par un chèque au porteur. Toute monnaie fiduciaire est exclue ». Cela tient d'ailleurs au fait que la monnaie fiduciaire n'est pas *fiable*, et ne peut être revêtue de cette *aura* magique indispensable pour l'efficacité du trésor-talisman. Et puis, de toute façon, ce trésor ne peut surgir que du Passé : c'est un reste symbolique de ce qui pouvait être au *commencement*, dans cet *illud tempus* qui est la base de toute démarche appartenant au Sacré. Et le Sacré, comme l'ombre qui le protège, est à la fois bon et mauvais, bénéfique et maléfique. D'où la double attitude du chercheur, qui est attirance/répulsion, et la double nature du trésor, pouvant provoquer le meilleur et le pire.

Cela va même beaucoup plus loin, car le trésor a presque une vie indépendante de celui qui le possède. « Celui qui l'a amassé ou découvert, écrit encore Roger Caillois, n'en profite pas, ni ses descendants, ni même ceux qui l'ont aidé à l'accumuler. Le trésor est pour ainsi dire remis en jeu et il passe de nouveau aux mains du plus habile. Pour celui-ci, il est un gage de fortune, plutôt que la fortune même : on n'a jamais vu un héros

---

1. On pense évidemment aux « bijoux qui portent malheur ». Mais la notion même d'Or maudit appartient à cette catégorie.

dépenser le trésor qu'il avait découvert. C'est la garantie de son destin exceptionnel, non pas une sorte de compte courant. Je suppose qu'au moment de mourir, il composera à son tour un rébus et ouvrira un nouveau concours. » C'est le cas de Béranger Saunière, et cela devrait faire mettre en doute les accusations qu'on lui a portées concernant le luxe tapageur de ses réalisations : ce n'était pas pour lui, mais pour une œuvre qu'il dépensait la fortune (d'où qu'elle vienne) qu'il avait assemblée, et les allégations sur ses réceptions fastueuses et ses festins pantagruéliques ne sont que ragots de bas quartier. En fait, à l'analyse, on s'aperçoit que l'abbé Saunière n'a jamais profité *pour lui-même* de ce qu'il avait découvert. Mais, par contre, s'accrédite ainsi la thèse selon laquelle *il aurait laissé un message*, évidemment chiffré, symbolique, pour indiquer à d'autres cette « porte d'en dedans » qui ne peut être ouverte que par les détenteurs d'une *clé*.

Les détracteurs de l'*affaire* Saunière ont beau jeu de dénoncer les incohérences et les erreurs manifestes relevées dans ce qui est considéré comme son « œuvre », ainsi que dans celle de ceux qui l'ont approché. Ces incohérences sont innombrables et ces erreurs incontestables. Au contraire, les partisans de l'*affaire* (au fait, c'est une *affaire* pour qui ?) insistent tous sur ces incohérences et ces erreurs en disant qu'elles sont vraiment trop grosses pour ne pas avoir été voulues. *Cela cache quelque chose.*

Alors, essayons d'ouvrir la porte.

II

LA PORTE EST EN DEDANS

Les légendes sont tenaces, surtout lorsqu'elles ne datent que d'une vingtaine d'années. On veut absolument nous faire croire que dans cette *affaire* de Rennes-le-Château, Bérenger Saunière n'était qu'un pauvre pion utilisé sans vergogne, pour une partie d'échecs d'un intérêt considérable (pour qui?), par l'abbé Henri Boudet, curé de Rennes-les-Bains. A entendre les mêmes commentateurs, ce serait Henri Boudet qui, au nom de cette toujours mystérieuse «confrérie», aurait dirigé son jeune confrère dans ses fouilles, dans ses recherches et dans ses réalisations. Or, on sait maintenant, de source sûre, et avec témoignages à l'appui, que l'abbé Boudet n'avait absolument rien d'un diabolique hiérophante agissant dans l'ombre tout en laissant Bérenger Saunière s'agiter sur le devant de la scène, ou plutôt de l'autel, cet autel fût-il quelque peu suspect. Parlant de Boudet, l'abbé Mazières, qui écrivit plusieurs ouvrages sur le Razès, dit à son propos : «Ceux qui l'ont connu sont surpris lorsqu'on dit qu'il aurait voulu laisser passer un message. Son esprit n'était pas disposé à cela.» Certes, Henri Boudet a été un prêtre honnête, intègre et même puritain[1]. Mais il a commis une erreur,

---

1. Une anecdote caractéristique a été racontée sur lui dans le *Bulletin de la Société d'études scientifiques de l'Aude*, 1973, p. 221. Henri Boudet avait la passion de l'archéologie et participait volontiers à des fouilles. Or, un jour, au début du siècle, en fouillant un site romain, on découvrit une très belle statue de Vénus. Mais elle était représentée nue, et l'abbé Boudet refusa de la toucher et de la prendre dans ses mains, horrifié par cette nudité. Est-ce là l'attitude d'un homme prêt à tout entreprendre sur les ordres d'une confrérie peu orthodoxe et même à commettre les pires malversations ?

celle de rédiger et de publier un ouvrage intitulé *la Vraie Langue celtique et le cromlech de Rennes-les-Bains*. Cet ouvrage, à vrai dire, qui connaît de nos jours un succès fabuleux, serait tombé dans l'oubli le plus complet si, par bonheur — ou par malheur, qui sait ? —, Boudet n'avait pas été curé de Rennes-les-Bains pendant que Saunière était curé de Rennes-le-Château.

Pour être juste, il faut dire que Boudet aurait pu s'abstenir d'une telle publication qui, de son vivant, ne lui a rapporté que des sarcasmes, et, après sa mort, des insanités sur son compte. Et la science n'y aurait certes pas perdu grand-chose... Mais enfin, ce qui est fait est fait. Car l'opinion la plus répandue chez les commentateurs de l'*affaire*, c'est que *la Vraie Langue celtique* contient la clé qui permet d'ouvrir le tiroir secret de Saunière.

La Vraie Langue celtique et le cromlech de Rennes-les-Bains est un étonnant ouvrage qui prétend, à partir d'une série d'équivalences linguistiques — d'ailleurs complètement aberrantes — appuyées sur des observations touchant Rennes-les-Bains et ses alentours, démontrer que la langue celtique était la plus ancienne du monde. Et l'abbé Boudet en profite pour affirmer que le patois parlé dans le Razès (il ne prononce pas le mot « occitan ») est un reste très pur de ce langage archaïque, cette « vraie langue celtique ». « On croit rêver, lorsque, entendant autour de soi ces expressions celtiques, traitées aujourd'hui avec dédain comme misérables et grossières, on voit clairement que c'était bien là le langage primitif communiqué par Adam à ses enfants » (p. 213).

Cette affirmation a de quoi surprendre. Elle n'est pourtant pas nouvelle, puisque, dans les dernières années du XVIII⁰ siècle, les célèbres « celtomanes » qu'étaient La Tour d'Auvergne et Le Brigant faisaient du « bas-breton » la langue mère de l'humanité, celle qu'on parlait au Paradis terrestre. Le Brigant reconnaissait ainsi, dans toutes les langues modernes, une racine bretonne évidente et trouvait des arguments pour persuader ses lecteurs. Henri Boudet procède de façon analogue ; mais son originalité consiste à considérer qu'en dehors du « patois » languedocien, le plus pur représentant actuel de cette antique langue celtique est *tout simplement l'anglais moderne*. Il est vrai que Boudet était licencié d'anglais. En tout cas, ce procédé conduit à des conclusions étonnantes. Ainsi l'explication qu'il donne sur le nom de la rivière Rialsès, au nord de Rennes : « Le *Rial-*

sès — *real* (*rial*), réel, effectif —, *cess*, impôt, — coule du levant au couchant, dans un vallon dont la terre fertile pouvait certainement permettre aux habitants de fournir l'impôt dont les Celtes frappaient les terrains d'un facile produit » (p. 227). Il suffisait d'y penser...

Le *cromlech* dont parle Boudet n'existe évidemment pas. Il est le pur produit de son imagination, mais cette imagination s'appuie sur le paysage dont Rennes-les-Bains est le centre, formant une sorte de cirque d'où surgissent des rochers évidemment naturels mais que Boudet considère comme des mégalithes, ou plutôt comme des « pierres druidiques », comme on disait à l'époque des Celtomanes. Mais l'auteur étend son étude bien au-delà du Razès. Ainsi va-t-il expliquer le nom de Locmariaquer (Morbihan) : « Locmariaquer est placé près du lac de Vannes [1]. Voici la composition de ce nom : un lac qui empêche les chasseurs, — *loch* (*lok*), lac, — *to mar*, empêcher, — *yager* (*iagueur*), chasseur » (p. 156). Et tant qu'à faire, on explique le nom de Sarzeau, dans la presqu'île de Rhuys : « Tous les auteurs qui se sont occupés des industries celtiques nous apprennent que les tamis de crin sont d'invention gauloise ; mais ils ne disent pas où était le lieu d'invention et de fabrication. Sarzeau, dans la presqu'île de Rhuys, nous instruit amplement à ce sujet, — *sarce* (*sarse*), tamis, tissu de crin, — *to sew* (*sô*), attacher, coudre » (p. 156).

Et ainsi de suite. Tout y passe. Boudet se penche sur toutes les langues anciennes et modernes et refait à sa façon l'histoire de l'humanité. On apprend ainsi que le nom de Caïn vient de *to coin*, battre monnaie, inventer. Caïn ne passe-t-il pas pour l'ancêtre des forgerons et métallurgistes ? On apprend aussi que *Sodome* provient de *sod*, le sol, et de *to doom*, juger, condamner, ce qui justifie la destruction de la ville. Et chaque fois qu'il le peut, Boudet ramène ses explications à une expression de son pays, à un lieu-dit, à une partie de son « cromlech ».

Ses fumeuses et brumeuses considérations sont dans le ton des Celtomanes du XIXe siècle. Ses conceptions sur les Celtes et la civilisation celtique, il les a tirées d'Henri Martin, d'Amédée Thierry, des membres de l'Académie celtique et des histo-

_____

1. C'est-à-dire le golfe du Morbihan.

riens romantiques. Pour lui comme pour ceux-là, les monuments mégalithiques sont évidemment druidiques et servent pour les sacrifices. On est en pleine divagation.

Cela n'a pas empêché Henri Boudet d'envoyer son livre à de nombreuses personnes cultivées, ainsi qu'aux Sociétés savantes de son temps. Il prenait son ouvrage très au sérieux, semble-t-il. Il s'attira ainsi des comptes rendus plutôt ironiques, comme celui de l'Académie des Sciences, Inscriptions et Belles-Lettres de Toulouse en date du 5 juin 1887 : « Nous ne pouvons entrer dans la critique détaillée de ce livre pour discuter les hypothèses fantaisistes et les affirmations aussi gratuites qu'audacieuses qui semblent accuser une imagination très féconde. Se plaçant à un point de vue exclusivement religieux, l'auteur fait sans cesse intervenir des autorités qui n'ont rien à voir avec la linguistique telle qu'elle est constituée de nos jours... Nous n'avons pas été peu surpris d'apprendre que la langue unique qui se parlait avant Babel était l'anglais moderne, conservé par les Tectosages. C'est ce que M. Boudet nous démontre par de prodigieux tours de force étymologiques. » La Société d'études scientifiques de l'Aude n'est pas plus tendre : « Il est regrettable que cet auteur n'appuie ses affirmations que sur de vagues et arbitraires étymologies dont il a tiré des preuves fantaisistes, ne cite que les auteurs anciens... » Mais comme le fait remarquer Philippe Schrauben dans sa préface à la réédition de *la Vraie Langue celtique*[1], ce livre « est une immense mosaïque d'extraits d'ouvrages du XIXᵉ siècle choisis avec soin pour en faire un tout plus ou moins cohérent. Ce ne sont pas seulement des citations ponctuelles, mais des pages entières retranscrites mot pour mot et mises bout à bout. Le but visé est-il la renaissance de la « Vraie Langue celtique » comme le veut la mode celtisante de la fin du XIXᵉ ou bien encore une tentative de bornage d'un hypothétique « Cromlech celtique » à Rennes-les-Bains ? Arrivé à la fin du livre, on sent que Boudet ne croit ni à l'un ni à l'autre ; il s'égare dans des sujets aussi différents que le thermalisme et la mythologie grecque... ».

De toute évidence, *la Vraie Langue celtique* fait partie de ces

---

1. Nice, 1984, éditions Bélisane. C'est la seule réédition authentique et complète du texte original de 1886.

nombreux ouvrages écrits au XIXe siècle par des érudits de chef-lieu de canton, comme on dit, qui voulaient ainsi manifester l'amour qu'ils portaient à leur région, mais qui n'avaient aucune formation scientifique et aucune référence sérieuse dans la matière qu'ils étudiaient. Henri Boudet s'est penché avec passion sur son pays, ce qui ne l'a pas empêché de s'intéresser à bien d'autres pays. «Au grand dam des amateurs de trésors secrets, les papiers personnels de l'abbé Boudet existent encore. Ils sont le témoin d'une vie de labeur et de recherches intellectuelles. Leur consultation montre à l'envi que ce savant abbé s'était lancé dans l'étude étymologique d'un grand nombre de villages et localités de l'Aude... Rennes-les-Bains n'était donc pas un cas isolé...[1]» «Une introduction, restée inédite, montre encore que l'abbé Boudet ne tenait pas ses théories pour fariboles et que ses écrits n'étaient pas des cryptogrammes à l'usage des mystiques à la recherche d'un magot à prendre[2].»

Mais le fait est là : depuis qu'on a lancé le «roman» de l'abbé Saunière, l'abbé Boudet est devenu nécessairement l'inspirateur et le complice du curé de Rennes-le-Château. Et *la Vraie Langue celtique*, avec ses invraisemblances, ses aberrations, ses stupidités, n'est qu'un gigantesque rébus qui donne la clé qu'avait Saunière pour pénétrer dans l'antre du Trésor. Ce n'est plus «la vraie langue celtique», mais «la vraie langue des oiseaux», terme consacré pour désigner le langage hermétique traditionnel. Et, bien entendu, il suffit de décrypter l'ouvrage de l'abbé Boudet pour trouver la solution de l'énigme de l'Or maudit et la fameuse «porte qui est en dedans»[3].

Ainsi est passé à la postérité l'abbé Boudet, mais certainement pas de la façon qu'il avait imaginée. Pourquoi se lancer dans cette périlleuse aventure de décryptage d'un texte qui n'est qu'un ramassis de lieux communs puisés un peu partout dans les ouvrages du XIXe siècle et agrémentés d'une sauce dont le piment

---

1. Pierre Jarnac, *op. cit.*, p. 287.
2. *Ibid.*, p. 289.
3. Gérard de Sède, dans *l'Or de Rennes*, s'est livré à ce petit jeu de décodage, ou plutôt certaines personnes l'ont fait pour lui ou lui ont soufflé à l'oreille ce qu'il fallait faire. Depuis lors, bien d'autres se sont jetés sur cette piste. Je préfère ne citer aucun nom pour ne faire de peine à quiconque, car chacun demeure libre de ses opinions.

est frelaté ? Pourquoi ajouter à ces absurdités d'autres absurdités ? L'abbé Boudet était un honnête homme, même si ses théories linguistiques sont incontestablement fortement fantaisistes. Il n'était point utile d'y ajouter. Si l'on veut retrouver le chemin qui conduit au Trésor, ce n'est certes pas dans *la Vraie Langue celtique* qu'il faut le chercher. Le fait d'insister sur l'ouvrage de Boudet, comme on l'a fait, est tout simplement une manœuvre d'intoxication, une de plus, pour mieux détourner l'attention des chercheurs. Plus on égare les curieux, plus le secret, si secret il y a, est protégé...

C'est dans cette optique qu'il convient d'examiner l'église de Rennes-le-Château, son environnement et son intérieur. Là aussi, on ne s'est pas fait faute d'interpréter et de divaguer. L'étrangeté de cette ornementation, les anomalies réelles qu'on peut y constater, tout portait à faire croire que cela cachait quelque chose, et que l'abbé Saunière, s'il avait voulu laisser un message, ne s'y serait pas mieux pris autrement. Le problème n'est pas de savoir si Saunière a laissé un message ou non : il y en a nécessairement un de la part d'un homme qui avait découvert certaines choses, mais non la totalité. C'est d'ailleurs ce qui est irritant dans cette *affaire* : ce sont seulement certaines parties du puzzle qui sont reconstituées, mais l'ensemble du tableau primitif reste toujours enfoui dans les brumes.

Bérenger Saunière voulait restaurer et orner son église, depuis son arrivée à Rennes-le-Château. Il l'a fait, et dans un but fort louable : donner à sa paroisse une nouvelle dimension tout en laissant sa propre marque, son propre souvenir, ce qui est parfaitement humain. Mais au fur et à mesure de son action, il s'est trouvé mêlé, bon gré, mal gré, à des événements qu'il n'avait pas prévus ; il a fait des découvertes qui, certes, lui ont permis de mener cette action assez loin, mais qui n'étaient pas volontaires. Et comme il semble que Saunière n'avait pas un sens très poussé de l'esthétique, l'ornementation de l'église est hétéroclite et bizarre. Pourtant, on peut y observer des constantes.

La première de ces constantes est une exaltation d'un baroque de mauvais goût. Tout est présenté en un grand désordre apparent ; tout est surchargé, les inscriptions, les ornementations, les statues. Il semblerait que le concepteur ait voulu placer le maximum d'informations dans le minimum de place, ne laisser aucun espace nu. La raison peut en être très simple :

l'église est petite, l'espace est réduit, et Saunière avait un peu la folie des grandeurs. Son essai de reconstitution d'un porche triomphal menant au cimetière est révélateur : il souhaitait du grandiose, mais il n'en avait pas les moyens, d'où cette pâle miniaturisation des fameux porches des enclos paroissiaux du Nord-Finistère. Mais on peut se demander si cette surcharge n'est pas justifiée par le souci de dissimuler une information importante au milieu d'un fatras sans intérêt, en tout cas sans intérêt artistique.

La deuxième constante, c'est une sorte de parti pris d'inversion. A cet égard, le pilier soi-disant wisigothique qui soutient la statue de Notre-Dame de Lourdes apparaît très caractéristique. Un prêtre comme l'abbé Saunière, habitué aux formes de la Croix, savait très bien que celle qui se trouvait sur ce pilier était présentée à l'envers. De deux choses l'une : ou bien c'est un de ses ouvriers qui a fait une erreur, et Saunière n'a pas osé, ou n'a pas pu, lui faire rectifier le travail ; ou bien c'est sur son ordre précis que le pilier a été placé de cette façon. Laquelle de ces deux solutions est la bonne ? Il est impossible de le dire. Mais cette inversion se retrouve dans la disposition du chemin de croix. La première station se trouve à gauche de l'autel, alors que l'habitude consiste à le placer à droite de l'autel. De plus, pourquoi cette opposition — et finalement cette inversion — entre la Vierge et saint Joseph accompagnés chacun d'un enfant (est-ce vraiment Jésus ?) de chaque côté de l'autel ? Et pourquoi, dès l'entrée, cette présence insolite du Diable, lequel est, on le sait, le symbole même de l'inversion ? Ce Diable est apparemment justifié ici, puisqu'il est condamné à soutenir le bénitier et qu'il ploie le genou, témoignant ainsi de sa servitude, son visage exprimant une terrible souffrance. Quoi de plus orthodoxe dans cette représentation, même si elle surprend quelque peu le fidèle, habitué à plus de sérénité dans une église ?

Il est vrai qu'on est prévenu : *Terribilis est locus iste,* « Terrible est ce lieu ». Mais cette phrase empruntée à l'épisode de Jacob, dans la Genèse, et placée bien en évidence, est néanmoins tempérée par l'inscription qui l'encadre : *Domus mea domus orationis vocabitur,* « Ma maison sera appelée maison de la prière » [1].

---

1. Mais cette phrase de Jésus est incomplète. Pourquoi Saunière n'a-t-il pas voulu y mettre la suite : « Mais vous en avez fait une maison de voleurs » ?

Et puis, sur le cintre du porche, il y a également : *Hic domus Dei est et porta cœli*, «Ici est la maison de Dieu et la porte du Ciel». Cette inscription, plus rassurante, est répartie autour d'une clef de voûte où sont gravées les armes de Mgr Billard, évêque de Carcassonne et celles du pape Léon XIII, avec la devise *lumen in cœlo*, «lumière dans le ciel». Au-dessus, le tympan triangulaire est assez curieux. Au sommet, se trouve une croix entourée d'une inscription en fer à cheval, *in hoc signo vinces*, littéralement, «*dans* ce signe, tu vaincras». Le centre est occupé par une statue de Marie-Madeleine portant une croix dans ses bras, avec un détail bizarre, un serpent qui se déploie sur sa robe. Ce genre de représentation pour Marie-Madeleine est plutôt rare, et correspondrait davantage à la Vierge Marie. Et au-dessous, on peut lire cette longue phrase : *Regnum mundi et omnem ornatum sœculi contempsi propter amorem domini mei Jesu Christi quem vidi quem amavi in quem credidi quem dilexi*, ce qui signifie : «J'ai méprisé le royaume du monde et toute ornementation du siècle à cause de mon seigneur Jésus-Christ que j'ai vu, que j'ai aimé, dans lequel j'ai cru, que j'ai aimé.» Le dernier mot, *dilexi*, est fortement ambigu, car il a le sens général de «j'ai aimé», mais *avec une nuance de taille* : en fait, *quem dilexi* signifie «en lequel j'ai pris plaisir». Et ces paroles sont censées être prononcées par Marie-Madeleine. Le moins qu'on puisse dire, c'est que ce tympan est plutôt énigmatique. On doit se souvenir qu'au Moyen Age, c'est toujours en regardant attentivement la façade des églises et des cathédrales, notamment les stylobates et les tympans, que les maîtres d'œuvre, les membres des confréries, les alchimistes et autres «initiés» découvraient ce qu'ils venaient chercher.

A l'intérieur de l'église, ce qui frappe, c'est le doublement de l'Enfant Jésus, l'un avec Joseph, l'autre avec Marie. Il semblerait donc que l'on ait voulu représenter ici la voie exotérique (Joseph) et la voie ésotérique (Marie), ou encore, à la façon cathare, un Jésus réel et un Jésus mystique. Un autre doublement est celui de saint Antoine : l'Ermite représente celui qui est tenté dans le désert; mais l'autre, celui de Padoue, est celui qu'on prie *pour retrouver quelque chose qu'on a perdu*. Mais il y a d'autres bizarreries, comme la scène du berger cherchant sa brebis dans un souterrain, sur le confessionnal. Et il y a la grande fresque, sur le mur du fond, représentant le Christ sur le Mont des Béatitudes.

Si Bérenger Saunière a fait peindre cette œuvre, c'est évidemment pour manifester le but de sa carrière ecclésiastique, et l'inscription qui figure en bas est révélatrice : «Venez à moi, vous tous qui souffrez et qui êtes accablés, et je vous soulagerai.» «C'est la plus ineffable bonté qui a inspiré à Saunière la pose de cette représentation évangélique et qui justifie ses dépenses pour bâtir la tour et la villa. Alors qu'il ne faisait qu'en envisager la construction, l'abbé Saunière en connaissait déjà la destination : en faire un abri pour les pauvres et les déshérités, pour les personnes sans ressources. On sait, en effet, qu'il voulait faire du domaine de Rennes une maison de retraite pour les prêtres âgés et infirmes[1].» Cette intention est incontestable. Saunière a appelé sa villa «Béthania» et sa tour «Magdala», deux noms liés à Marie-Madeleine. Or, dans la fresque, de part et d'autre du tableau, on aperçoit une représentation symbolique de la ville de Béthanie et de la ville de Magdala. On ne peut pas être plus précis. Mais on sait que, très souvent, les images religieuses ont un double sens. Et que signifie cette ruine de chapiteau corinthien sur le côté droit, au pied de la colline ? Et ce paysage représenté avec soin n'évoque-t-il pas les environs de Rennes-le-Château ? Et cette montagne de fleurs sur laquelle triomphe le Christ, n'est-elle pas une allusion discrète au rosicrucien que fut le chevalier de Fleury, gendre de Marie de Négri d'Hautpoul ? Comment savoir ? Mais il y a décidément des coïncidences curieuses.

Par contre, le chemin de croix, dont on a fait les commentaires les plus audacieux et les plus divergents d'ailleurs, n'offre strictement aucun intérêt. Il n'a rien d'original. C'est une réalisation de la maison Giscard de Toulouse et il en existe d'autres exemplaires dans la région, notamment à Mouthoumet. On en retrouve un, absolument identique, à Rocamadour (Lot), deuxième lieu de pèlerinage en France après Lourdes, et celui-ci a été inauguré en 1887, c'est-à-dire juste avant que Saunière n'en fasse placer un à Rennes-le-Château. Il est donc parfaitement inutile de le considérer comme un catalogue de rensei-

---

1. P. Jarnac, *op. cit.*, p. 162.

gnements, comme on l'a répété un peu partout. Quant à savoir s'il est d'inspiration maçonnique (à cause de certaines scènes caractéristiques), c'est tout autre chose. Mais avant d'interpréter n'importe comment un ouvrage artisanal d'une effrayante banalité, on ferait mieux de s'interroger sur l'appartenance à la Franc-Maçonnerie de M. Giscard fils, lauréat et membre du jury de l'École des Beaux-Arts, « propriétaire-éditeur » de la « Manufacture de MM. Giscard, père et fils », dont les « Établissements et vastes ateliers » avaient leur « entrée principale » rue de la Colonne, 25, à Toulouse, selon la facture de 2 310 francs qui fut envoyée au curé de Rennes-le-Château en 1887. La maison Giscard était le fournisseur attitré de l'abbé Saunière en matière d'objets religieux soi-disant artistiques. S'il y a des symboles maçonniques dans le Chemin de Croix de l'église Sainte-Madeleine, ce n'est sûrement pas de la faute de Bérenger Saunière.

Il en est de même pour le « damier maçonnique » qui, paraît-il, est plus courant dans une Loge que dans une église. Il s'agit d'un pavement blanc et noir, et bien malin serait celui qui pourrait y discerner autre chose qu'une ornementation banale. S'il y avait réellement un échiquier, avec tout le symbolisme qu'il comporte, il n'y aurait que soixante-huit cases. Or, un simple examen montre qu'il y en a bien plus, et que l'installation de ce pavement n'avait rien à voir avec de quelconques préoccupations ésotériques. Quant à la présence des armes de Blanche de Castille au-dessus du tabernacle, elle s'explique par le fait que l'église Sainte-Madeleine a été agrandie à l'époque de saint Louis et que les travaux ont bénéficié d'un don personnel de la reine mère, laquelle, on l'a vu, s'intéressait de très près au Razès.

On pourrait encore parler des effets de lumière qui se produisent à certaines époques dans l'église, le 13 janvier et au début d'avril notamment. Ce sont des phénomènes qu'on remarque à peu près partout, car les architectes et maîtres verriers savaient utiliser la lumière du soleil pour magnifier leur œuvre et rappeler, par la même occasion, que le soleil est le symbole de la divinité. N'est-ce pas là la *Lumen Christi* de la liturgie chrétienne, lors de la veillée pascale ? Ces jeux de lumière, très fréquents dans de nombreux sanctuaires, ont toujours intrigué les amateurs de mystères, toujours disposés à se demander « ce que cela peut indiquer ». Mais à Rennes-le-Château, cela n'indique rien. On se contente de faire participer la lumière solaire à la liturgie, et de la façon la plus orthodoxe qui soit.

En somme, l'intérieur de cette église se révélerait bien décevant, et l'on serait disposé à admettre que l'abbé Saunière n'y a laissé aucun message, si l'on ne prêtait pas davantage d'attention à une autre constante : la présence permanente du thème de Marie-Madeleine.

On peut en effet dénombrer le tympan du porche de l'église, une statue — très saint-sulpicienne — à droite en regardant l'autel, un vitrail au-dessus de l'autel, une peinture sous la table d'autel et enfin, des allusions dans la grande fresque du fond. Cela fait beaucoup. Mais ne sommes-nous pas dans un sanctuaire placé sous le vocable de sainte Madeleine ?

Mais cette constatation, jointe à la vision qu'on peut avoir des réalisations extérieures, pour ne pas dire profanes, de l'abbé Saunière, la villa Béthania et la tour Magdala, n'est pas sans provoquer une juste curiosité. N'oublions pas non plus que lorsque Saunière construisit sa grotte dans le jardin de l'église, avec des pierres ramenées du Ruisseau des Couleurs, il avait, au témoignage des gens du pays, placé à l'intérieur une petite statue de Marie-Madeleine en prière, statue aujourd'hui disparue. Or, on aurait plutôt attendu une statue de Notre-Dame de Lourdes dans cette grotte. C'est encore une anomalie, il faut bien le reconnaître.

Or, dans cette « invasion » de Marie-Madeleine, certains détails accrochent l'œil de l'observateur. Sur le tympan, en dehors du serpent, inhabituel, on discerne que la sainte se trouve sur un vaisseau. Figuration conforme à la Tradition qui veut que Marie-Madeleine ait débarqué sur les côtes du sud de la France, soit à Marseille, soit aux Saintes-Maries-de-la-Mer, soit *ailleurs*, beaucoup plus près des Corbières. La statue la représente tenant une coupe d'une main, une croix de l'autre, avec un crâne à ses pieds. La coupe peut être le vase de parfum avec lequel elle oignit les pieds du Christ, mais elle ressemble davantage à un calice qu'à un vase de parfum. Le vitrail rond qui se trouve derrière et au-dessus de l'autel représente Jésus s'entretenant avec les apôtres, autour d'une table. Mais on distingue Marie-Madeleine, courbée, lavant les pieds du Christ. Dans la grande fresque, Marie-Madeleine est à la droite de Jésus, et elle est en train de pleurer.

Mais c'est de loin la fresque qui se trouve sous la table d'autel qui est la plus étrange. On y voit Marie-Madeleine à genoux, vêtue de très beaux vêtements, priant devant une croix faite avec des branches et plantée dans le sol. La sainte se trouve dans une grotte, et auprès d'elle, il y a une tête de mort. A l'extérieur de la grotte, le paysage représente une nature assez mélancolique, et l'on distingue des ruines dans le fond. Cette peinture est l'œuvre d'un artiste de Carcassonne dont on ne connaît pas le nom, mais l'on sait que l'abbé Courtauly, dans sa jeunesse, a aidé l'abbé Saunière à retoucher la peinture pour certains «aménagements» à la trame primitive, ce qui donne à penser que Bérenger Saunière tenait particulièrement à cette œuvre et qu'il voulait y signifier quelque chose d'important[1].

Certes, Marie-Madeleine est la patronne de la paroisse, et son rôle est nettement précisé par l'inscription en latin au bas de la peinture en question : «JESU.MEDELA.VULNERUM +SPES.UNA.PENITENTIUM.PER MAGDALENAE. LACRYMAS+PECCATA.NOSTRA.DILUAS», c'est-à-dire : «Jésus, remède des blessures, seul espoir de ceux qui regrettent[2],

---

1. Il paraît que Jacques Rivière, auteur de *le Fabuleux Trésor de Rennes-le-Château*, a fait une expérience curieuse à propos de ce tableau en 1981, à Carcassonne, en présence d'un ancien évêque du diocèse. Jacques Rivière aurait projeté une diapositive de cette peinture de Marie-Madeleine dans la grotte en lui opposant une carte topographique du département sur laquelle il avait marqué les plus hauts sommets et les avait reliés de traits noirs. Or, les traits noirs reproduisaient exactement les contours de la sainte en méditation, la cité de Carcassonne lui faisant comme une couronne. Cette information est donnée par Pierre Jarnac, *Histoire du Trésor de Rennes-le-Château*, en note de la page 168, qui ajoute : «Mais là n'est pas le plus troublant ! En effet, au point exact où se rejoignent les branches de la croix, au point que fixe Marie-Madeleine, se lit le nom de Puicheric, un petit village de Capendu. Or, dans l'église de cette commune, se trouve un vitrail qui représente la réplique exacte, à *l'envers*, du bas-relief de Rennes-le-Château représentant Marie-Madeleine ! » Et Pierre Jarnac, refaisant le tracé proposé par Jacques Rivière, prétend que l'œil de Marie-Madeleine n'est pas à Rennes-le-Château même, mais tout à côté, en un point appelé «les Justices», près de Leuc. S'il est parfois permis de rire franchement des essais de géographie sacrée dont on inonde actuellement le public, il faut cependant reconnaître que tout cela est étrange.

2. *Paenitentes* est le participe présent du verbe impersonnel *paenitet*, lequel signifie littéralement «regretter». Le mot français «pénitent» a pris un sens plus précis que n'a pas le mot latin.

par les larmes de Madeleine, dissous[1] nos fautes. » Mais si elle est le symbole de la pécheresse repentie dans une certaine tradition chrétienne, Marie-Madeleine n'est pas forcément cela dans ce tableau. Quelle était donc l'opinion de Bérenger Saunière sur cette sainte d'un genre assez spécial ? Il serait intéressant de le savoir, car la clé, la fameuse *clé* qui permet d'accéder à l'Or maudit de Rennes-le-Château, se trouve là, dans la grotte où est agenouillée *la Madeleine,* et qui n'est pas la grotte légendaire de la Sainte-Baume[2], mais une représentation symbolique voulue en tout point par le curé de Rennes-le-Château. Qui est donc cette Marie-Madeleine qui, apparemment, hantait les songes et les veilles de l'abbé Bérenger Saunière ?

---

1. Littéralement « lave », double allusion : d'une part aux larmes de Marie-Madeleine, mais d'autre part au fait qu'elle lave les pieds du Christ.

2. Le mot *Baume* ou *Balme* est un terme pré-indo-européen qui signifie « grotte ».

III

CETTE ÉTRANGE MARIE DE MAGDALA

« Je me parai comme pour un bal ; je me parfumai comme pour un lit. Mon entrée dans la salle du banquet arrêta les mâchoires ; les Apôtres se levèrent en tumulte de peur d'être infectés par le frôlement de ma jupe : aux yeux de ces gens de bien, j'étais impure comme si j'avais continuellement saigné. Dieu seul était resté couché sur la banquette de cuir : d'instinct, je reconnus ces pieds usés jusqu'à l'os à force d'avoir marché sur tous les chemins de notre enfer, ces cheveux peuplés d'une vermine d'astres, ces vastes yeux purs comme les seuls morceaux qui lui restaient de son ciel ! Il était laid comme la douleur ; il était sale comme le péché. Je tombai à genoux, ravalant mon crachat, incapable d'ajouter un sarcasme à l'horrible poids de cette détresse de Dieu. Je vis tout de suite que je pourrais le séduire puisqu'il ne me fuyait pas. Je défis ma chevelure comme pour mieux couvrir la nudité de ma faute ; je vidai devant lui la fiole de mes souvenirs. Je comprenais que ce Dieu hors la loi avait dû se glisser un matin hors des portes de l'aube, laissant derrière lui les personnes de la Trinité étonnées de n'être plus que deux. Il avait pris pension dans l'auberge des jours ; il s'était prodigué à d'innombrables passants qui lui refusaient leur âme, mais réclamaient de lui toutes les tangibles joies. Il avait supporté la compagnie de bandits, le contact des lépreux, l'insolence des hommes de police : il consentait comme moi à l'affreux destin d'être à tous. Il posa sur ma tête sa grande main de cadavre qui semblait déjà vide de sang :

273

on ne fait jamais que changer d'esclavage : au moment précis où les démons me quittèrent, je suis devenue la possédée de Dieu. »

C'est ainsi que Marguerite Yourcenar, dans *Marie-Madeleine, ou le Salut*, fait parler la Magdaléenne à propos de sa première rencontre avec Jésus. Mais cette magnifique parole d'amour que transpose ainsi Marguerite Yourcenar, quel est le personnage réel qui l'a prononcée ? C'est là toute la question, car Marie de Magdala demeure une énigme, tant ce personnage envoûtant et hors du commun a été écarté, semble-t-il délibérément, des textes officiels du Christianisme, alors qu'on pressent qu'il a joué un rôle de premier plan dans la vie du Christ et dans sa prédication.

On connaît donc la scène de la pécheresse repentie. C'est dans l'Évangile de Luc (chap. VII) qu'elle se trouve. Jésus assiste à un repas chez un Pharisien nommé Simon. Tout à coup, une femme, paraît-il de mauvaise vie, s'introduit dans la maison, dans le dessein de séduire le « prophète ». Mais, touchée par la grâce, elle verse du parfum sur les pieds de Jésus après les avoir baignés de larmes et les avoir séchés avec ses cheveux, et le Christ lui pardonne ses péchés. Touchante histoire, si touchante même qu'elle paraît avoir été fabriquée de toutes pièces pour démontrer que Jésus pardonnait aux prostituées. Mais si les trois autres évangélistes sont muets sur cet épisode, ils racontent une scène quelque peu analogue qu'ils situent avant la Passion, à Béthanie, dans la villa de Simon le Lépreux, selon Matthieu et Marc, chez Lazare, qu'il avait ressuscité peu avant, selon Jean. Dans le texte de Matthieu et de Marc, c'est *une femme* qui vient oindre les pieds de Jésus, mais dans le texte de Jean, vraisemblablement écrit sur un témoignage direct, il y a des précisions et des informations fort précieuses (chap. XII) : « Six jours avant la Pâque, Jésus vint à Béthanie, où se trouvait Lazare, qu'il avait ressuscité des morts. On lui fit un repas. Marthe servait et Lazare était au nombre des convives. Marie, prenant une livre d'un parfum de nard, pur, très cher, oignit les pieds de Jésus, les essuya avec sa chevelure, et toute la maison fut remplie d'un parfum odorant. » Visiblement, il s'agit de la même scène que celle racontée par Luc à propos de la prostituée. Mais, cette fois, ce n'est plus une prostituée, c'est Marie, la sœur de Marthe, et donc la sœur de Lazare. Or, cette Marie, elle nous est déjà connue, mais par le seul Évangile de Jean (chap. XI) à propos de la résurrection de Lazare. C'est le passage le plus mystérieux du texte de Jean. En effet, Lazare paraît être un familier de Jésus, mais à l'annonce de sa maladie, puis de sa mort, Jésus semble afficher la plus profonde indifférence. Et pourtant, «Jésus aimait Marthe et sa sœur et Lazare» (XI, 5). C'est quatre jours après qu'on a enterré Lazare que Jésus se rend à Béthanie. Alors se passe une scène troublante. Marthe s'est portée à la rencontre de Jésus et lui reproche véhémentement de ne pas être venu plus tôt : «Si tu avais été ici, mon frère ne serait pas mort» (XI, 21). Jésus la rassure et lui dit que son frère ressuscitera. Mais il ne se presse pas pour autant. Alors Marthe s'en va trouver Marie et lui dit : «Le Maître est là, et il t'appelle.» C'est manifestement faux, Jésus n'ayant rien dit de semblable. Mais Marie se précipite *au-devant de Jésus*, lequel est donc encore très loin de la maison et ne met aucune hâte à y aller. Il faut en effet qu'il y ait eu un long laps de temps, puisque Marthe a pu revenir à la maison pour parler à Marie, et que celle-ci a accompli le même trajet en sens inverse. On connaît la suite. Arrivée à l'endroit où se tient Jésus, elle se jette à ses pieds et lui fait des reproches identiques à ceux de sa sœur. Alors Jésus se décide à agir. Il se fait conduire au tombeau de Lazare et le ressuscite : «Le mort sortit, ayant encore les pieds et les mains liés de bandelettes, et le visage recouvert du suaire» (XI, 44). Mais qui est donc cette Marie, sœur de Lazare ?

Il est possible de la retrouver sur le Golgotha, au moment du supplice de Jésus : «Près de la Croix de Jésus, se tenaient sa mère, et la sœur de sa mère, Marie, femme de Cléophas, et Marie de Magdala.» C'est encore Jean qui le dit (XIX, 25), les autres Évangiles étant muets sur cette présence féminine. Mais c'est surtout au moment de la Résurrection que toute cette histoire prend sa valeur. Dans l'Évangile de Luc, trois femmes «venues de Galilée avec Jésus» se présentent au tombeau pour embaumer le corps. Elles sont nommées : «Marie de Magdala, Jeanne et Marie, mère de Jacques» (Luc, XXIV, 10). Dans l'Évangile de Marc, ce ne sont plus que deux femmes, mais elles assistent à la mise au tombeau de Jésus par Joseph d'Arimathie (Marie, mère de Jésus, étant singulièrement absente), avant de revenir le surlendemain (à cause du Sabbat, elles ne pouvaient pas revenir le lendemain). Ces deux femmes, ce sont Marie de

275

Magdala et Marie, mère de José, accompagnées cette fois d'une troisième femme, Salomé (Marc, XVI, 1). Mais chez Matthieu (XVIII, 1), les femmes qui viennent embaumer Jésus ne sont plus que deux : Marie de Magdala et l'*autre* Marie. On admirera au passage les soi-disant concordances des Évangiles dits synoptiques. Et l'on admirera davantage la dialectique sucrée des exégètes orthodoxes qui accomplissent des prouesses de langage pour expliquer les monumentales contradictions et les étonnantes absurdités qu'on découvre dans les textes *canoniques*, donc reconnus par l'Église romaine comme étant la base inébranlable du dogme chrétien. Qu'on ne dise pas que c'est un autre problème : *c'est le problème*, car le message de l'abbé Saunière — il y en a un — concerne précisément le problème de Marie-Madeleine, quel que soit le personnage réel qui se cache sous cette appellation.

Dans l'Évangile de Jean, apparemment le plus fiable parce que nourri de témoignages directs (Jean lui-même, ou ses proches), on retrouve le personnage de Marie de Magdala, mais cette fois elle est seule, et Jean ne dit pas qu'elle venait pour embaumer le corps : « Marie de Magdala vint au tombeau de grand matin, alors qu'il faisait encore noir, et elle vit que la pierre avait été enlevée du tombeau » (XX, 1). Elle se garde bien d'entrer dans le tombeau. Elle n'a de cesse d'aller trouver Simon Pierre et « l'autre disciple que Jésus aimait » (XIX, 2), c'est-à-dire Jean. Tous deux se précipitent, mais Jean qui court le plus vite est le premier à s'apercevoir que le corps de Jésus a disparu. Et les disciples rentrent chez eux, fermement convaincus de la résurrection de Jésus.

Mais Marie de Magdala ne les suit pas. Son attitude est encore un mystère. Normalement, elle devrait se réjouir. Or, « Marie était restée près du tombeau, dehors et tout en larmes. Tout en pleurant, elle se pencha dans le tombeau et vit deux anges en blanc, assis l'un à la tête, l'autre au pied de la banquette où avait été placé le corps de Jésus. — Femme, lui dirent-ils, pourquoi pleures-tu ? Elle répondit : — Parce qu'on a enlevé mon Seigneur et je ne sais pas où on l'a mis » (XX, 11-13). Apparemment, elle ne croit pas du tout à la résurrection de Jésus. Elle croit seulement que ses ennemis ont enlevé son corps pour éviter qu'on ne lui rende un culte, comme cela se pratique couramment. C'est alors qu'elle se retourne et voit un homme, debout, près d'elle. Elle ne reconnaît pas Jésus et croit que c'est le jardinier. Nous sommes en effet dans la propriété de Joseph d'Arimathie, dans le jardin de cette propriété où

Joseph s'était fait construire un tombeau, à son usage personnel, mais qu'il avait offert comme lieu de sépulture à celui dont il suivait l'enseignement *en secret*, car Joseph d'Arimathie était un personnage haut placé, à la fois chez les Juifs et auprès des Romains [1]. L'homme lui demande pourquoi elle pleure. Marie de Magdala se met alors en colère, mais d'une façon qui en dit très long sur ses propres sentiments intimes vis-à-vis de Jésus : « Seigneur, si c'est toi qui l'as emporté, dis-moi où tu l'as mis, et je l'enlèverai » (XX, 15). On ne peut pas être plus direct pour exprimer une passion amoureuse, car ici, c'en est une, caractéristique, et particulièrement violente.

Et c'est alors cette remarquable scène si riche en possibilités d'interprétations : « Jésus lui dit : — Marie ! Elle se retourna et dit en hébreu : — Rabbouni, ce qui veut dire "Maître". Jésus ajouta : — Ne me touche pas [2], car je ne suis pas encore remonté à Père [3]. Va plutôt dire à mes frères : — Je remonte à mon Père, à mon Dieu et votre Dieu [4]. Marie de Magdala vint donc annoncer aux disciples qu'elle avait vu le Seigneur et qu'il lui avait dit telles et telles choses [5] » (XX, 16-18).

C'est tout. Il n'y a rien d'autre, dans les textes canoniques, sur Marie de Magdala. C'est à la fois très peu et beaucoup. D'abord, une question se pose : qu'y a-t-il de commun entre ces trois femmes, ces trois Marie ? On sait que l'Antiquité a souvent présenté les personnages divins sous forme de triades. On en retrouve quelque chose dans le dogme chrétien de la Trinité. Et ce sont surtout les Celtes qui ont insisté sur les *trois visages* d'un héros ou d'un dieu. C'est ainsi qu'on trouvera sou-

---

1. Il fallait bien qu'il fût très haut placé pour obtenir de Pilate que le corps de Jésus lui fût remis, car c'était absolument contraire à la loi romaine qui voulait que les crucifiés pourrissent sur place.

2. C'est le célèbre *noli me tangere*. Mais cette exclamation de Jésus signifie que Marie se précipitait vers lui, ou contre lui.

3. Tout cela est bien obscur. L'explication la plus plausible, c'est que la « métamorphose » de Jésus, c'est-à-dire son « achèvement » sous forme de corps « glorieux », n'était pas encore opérée pleinement.

4. Ce n'est pas l'Ascension, puisque Jésus apparaîtra ensuite aux disciples et fera toucher ses plaies par Thomas le Sceptique, en réalité le « jumeau », puisque tel est le sens de Didyme, autre nom de Thomas.

5. Ce qui signifie que Jésus en avait dit bien davantage à Marie de Magdala que les quelques phrases rapportées dans le texte de Jean.

vent, dans la statuaire gallo-romaine, des groupes de « Trois Mères », ou encore des dieux tricéphales, comme le Cernunnos de Reims, et dans l'épopée mythologique irlandaise, il n'est pas rare d'entendre parler de la « Triple Brigit », ou de reconnaître un même personnage sous trois noms différents, et sous trois aspects différents. On ne peut pas dire que la compréhension en soit simplifiée, mais c'est ainsi, et cela fait partie d'un système de logique qui n'est pas très latin. En serait-il donc ainsi pour les « Trois Maries » des Évangiles, qu'on retrouve sous un vernis folklorique dans la légende des Saintes Maries de la mer ?

Nous avons donc, dans les Évangiles, trois personnages de femmes qui peuvent être confondus, identifiés comme étant une seule et même femme : la pécheresse qui est conquise par Jésus et se fait pardonner par lui, Marie de Béthanie, la sœur de Marthe et de Lazare, et enfin Marie de Magdala (donc Marie-Madeleine) qui, d'après le texte de Luc, était venue de Galilée avec Jésus. Peut-on identifier la pudique Marie de Béthanie avec la prostituée qui pénètre dans la maison de Simon le Pharisien dans le but de tenter Jésus dont elle a entendu parler ? Si l'on en croit Jean, au début du récit de la Résurrection de Lazare (XI, 2) : « Cette Marie était celle qui oignit le Seigneur de parfum et lui essuya les pieds avec ses cheveux. » Ici, il ne semble pas y avoir de doute. Mais comme Jean ne signale pas ailleurs l'épisode de la Prostituée chez Simon le Pharisien, dont Luc est seul à parler, il est permis d'hésiter. Cependant, Luc précise que la scène se passait à Béthanie. Or Lazare habite à Béthanie. La présomption est forte de considérer la Prostituée (de luxe, bien entendu, et qui peut très bien être une femme riche menant ce qu'on appelle joyeuse vie, sans aucune contrepartie monétaire) comme étant la sœur de Lazare, Marie de Béthanie. Mais Béthanie est en Judée. Or, par le même Luc, nous savons que Marie de Magdala était venue de Galilée. Magdala est en effet en Galilée. Mais Luc ajoute qu'elle faisait partie de ces femmes « qui avaient suivi Jésus ». Rien ne s'oppose donc à identifier les trois Maries comme étant une seule et même femme.

Il y a mieux. Marie de Béthanie, la pécheresse et Marie de Magdala sont riches et font partie de la bonne société. Cette mystérieuse Marie aurait-elle fait partie des premiers disciples de Jésus, alors qu'il se trouvait encore en Galilée ? Ce n'est ni absurde, ni impossible. D'ailleurs, c'est l'opinion de Jacques de Voragine, l'auteur de la célèbre *Légende dorée*, texte hagio-graphique où il est difficile de discerner le merveilleux du réel, mais où figurent d'utiles renseignements pour peu qu'on veuille bien les dépouiller du superfétatoire. Jacques de Voragine fait en effet naître Marie-Madeleine dans une famille noble, de lignée royale, dont elle aurait hérité de vastes biens et possessions, dont la maison de Béthanie, partagés entre elle, sa sœur Marthe et son frère Lazare. Elle aurait même hérité de la place forte de Magdala, d'où son nom, place forte réputée pour son immora-lité. Elle était donc riche, mais s'adonnait à la volupté, ce que la scène racontée par Luc laisse clairement entrevoir. C'est alors que le Christ lui pardonna et chassa les sept démons qui la pos-sédaient. Dès lors, Jésus ne refusa aucune grâce à Marie de Mag-dala. C'est ce que raconte Jacques de Voragine, et il faut avouer que son récit se tient parfaitement. Il est même corroboré par Luc (VIII, 1) à propos de l'entourage de Jésus : « Les douze l'accompagnaient ainsi que quelques femmes... guéries d'esprits mauvais dont Marie, surnommée la Magdaléenne, de laquelle étaient sortis sept démons. »

On peut donc admettre, sans grande réserve, le triple visage de Marie de Magdala, disciple de Jésus, et qui, avec l'aide de sa sœur et de son frère, *sponsorisait*, en quelque sorte, les acti-vités de Jésus. Elle en avait les moyens. Et il faut toujours se rappeler que Jésus, pendant ses trois ans de prédication, ne tra-vaillait pas. Il fallait bien qu'il fût logé et nourri, ainsi que ses disciples. On ne vit pas de l'air du temps, même quand on est le Fils de Dieu. Jésus est un homme : il mange, il boit et il dort, comme le font ses disciples.

Il semble même que, parmi les disciples, elle ait eu à jouer un rôle privilégié. Pourquoi l'Église romaine s'est-elle cru obligée de gommer à peu près complètement ce rôle et d'effacer pres-que entièrement ce personnage féminin ? Est-ce par un antifé-minisme qui n'est plus à prouver au sein de cette Église romaine depuis le plus haut Moyen Age ? De fait, la conception chré-tienne de la féminité, qui a certes bien évolué dans le monde moderne, surtout depuis le concile de Vatican II, est redevable à la fois du legs gréco-latin et des options hébraïques. Oubliant les personnages féminins de la *Genèse*, qui sont pour le moins surprenants, les scripteurs de la Bible ont rabaissé la Femme en la rendant impure, et inapte, par exemple, au sacerdoce. Il ne viendrait à l'idée d'aucun théologien de prétendre que Marie de Magdala était en pleine égalité avec les apôtres. Comme les prêtres sont les héritiers légitimes des Apôtres, ce serait faire de Marie de Magdala, d'une part, une *prêtresse*, quelle horreur! mais également l'une des bases de la filiation sacerdotale apostolique.

Et pourtant... La scène où Marie de Béthanie lave les pieds de Jésus et répand sur lui le parfum très cher qui, selon Judas, trésorier du groupe, aurait pu être utilisé de façon plus rentable, est une sorte d'ordination sacerdotale et royale. Et, en l'occurrence, c'est Marie qui accomplit le rituel. C'est elle *la prêtresse*. «Est-il interdit de penser que Marie de Béthanie, au cours des longs moments passés aux pieds du Seigneur à écouter sa parole, a, sinon tout compris, du moins pressenti l'ampleur du mystère du Christ? Jésus a essayé de façon persistante de faire comprendre cela aux disciples — serait-ce dans l'éclat de la Transfiguration! Mais jusqu'au bout, leur cœur y est resté étrangement fermé. Marie, elle, a perçu et accepté. Aujourd'hui elle sait le moment venu de manifester ce mystère en clair-obscur. Dans une sorte d'intuition prophétique... Marie oint la tête de Jésus, le reconnaissant et le manifestant comme Roi et Prêtre, et oint ses pieds comme Messie et Envoyé de Dieu [1].» Il s'agit évidemment d'un rite d'intronisation que seul pouvait accomplir un personnage revêtu de pouvoirs sacerdotaux, symboliquement bien entendu. Et Jésus le sait bien, lui qui répond aux reproches de Marthe que Marie «a la meilleure part».

«Il y a deux lieux appelés Béthanie : un bourg à l'est de Jérusalem, à trois kilomètres environ, où se trouvent Marthe, Marie et Lazare... Sur la rive gauche du Jourdain, peu avant la mer Morte, un autre lieu s'appelle Béthanie, un gué : c'est là que Jean le Précurseur baptisait. Un lieu aux portes du désert, que l'on appelle aussi Béthabara, "la maison du Passage". Jean et plus tard Marie octroient, chacun à sa manière, le baptême, l'initiation, c'est-à-dire le droit de passage, le franchissement du seuil. Les deux Béthanie semblent se répondre en un jeu de miroirs. Magdeleine prolonge l'écho du Précurseur, l'homme couvert de poils et la femme chevelue; à la différence que Jean se tient

---

1. Georgette Blaquière, *la Grâce d'être Femme*, Paris, éd. Saint-Paul, 1981, p. 163.

dans un lieu âpre et terrible, crie au repentir et lance des malé-
dictions (rigueur des Esséniens), tandis que, dans la Béthanie
de l'autre rive, fleurie et riante, Magdeleine parle d'amour et
de pardon : passage d'un monde à un autre. Jésus a reçu l'eau
de baptême de Jean. Il n'a par reçu, comme les anciens rois
élus d'Israël, l'onction d'huile pour le consacrer. Ou plutôt, juste
avant la Passion, et le "baptême d'esprit et de feu" qu'il sou-
haite (la crucifixion), il reçoit l'huile parfumée de la femme Magdeleine[1]. » La vieille et antique notion de « prêtre-roi »
s'applique à Jésus. Mais cette onction royale, il faut le répéter,
ne peut être accomplie que par un (ou une) prêtre.

L'onction de Béthanie est certainement l'un des épisodes les
plus importants de la vie de Jésus. C'est d'ailleurs Jésus lui-
même qui le dit aux disciples toujours plus ou moins hostiles
aux caprices de la Femme. Il leur affirme en effet que cette
femme a vraiment fait « ce qu'elle avait à faire », et il ajoute
même, selon Marc (XIV, 9) : « En vérité, je vous le déclare, partout où sera proclamé l'Évangile, dans le monde entier, on
racontera aussi, en mémoire d'elle, ce qu'elle a fait. » C'est donc
reconnaître à Marie un pouvoir hors du commun et hors de
proportion avec un geste qui pourrait passer — et d'ailleurs,
c'est ce que pensent les disciples — pour une futilité féminine.
C'est dire l'importance qu'acquiert la Magdaléenne dans les
paroles prononcées par Jésus. Mais pourquoi donc faut-il que
cette Marie de Magdala ait été ainsi reléguée à un rang très
mineur dans la tradition évangélique revue et corrigée par les
Pères de l'Église ? La classe sacerdotale chrétienne a-t-elle honte
de devoir tant à une femme ?

« Et je ne peux m'empêcher de m'interroger : qu'a fait la
mémoire de l'Église de ces paroles de Jésus ? N'y a-t-il pas là
quelque chose d'inexploré ? Et ce quelque chose n'est-il pas la
consécration d'un ministère proprement féminin, d'ordre prophétique et charismatique, que Jésus aurait ici reconnu et proclamé, parallèlement au ministère apostolique et sacerdotal ?
Quelle place unique faite à la femme au cœur même de l'Église,
si cela était[2] ! » La question est posée clairement. Mais il sem-

---

1. Jacqueline Kelen, *Un amour infini*, Paris, Albin Michel, 1983, pp. 52-53.
2. Georgette Blaquière, *la Grâce d'être Femme*, p. 165.

ble que l'abbé Saunière y ait répondu à sa manière dans l'église de Rennes-le-Château.

Les Pères de l'Église, suivis par les « philosophes » du Moyen Age, tous inféodés à l'Église, n'ont fait que justifier et codifier « cette haine de la femme — qui vient en fait de la peur de la femme — jusqu'au délire, s'accrochant aux moindres détails physiologiques et les exploitant de manière à constituer des barrières prohibitives infranchissables[1] ». Il est vrai que quoi que puissent entreprendre les théoriciens chrétiens, ils sont esclaves de ce fameux verset de la *Genèse,* quand, après la *faute,* le Seigneur dit à Ève : « Ton désir te portera vers l'homme, *et lui te dominera.* » Cette parole de base est responsable de bien des malentendus. « Le dogme chrétien n'a pas peur d'aller jusqu'à l'absurde en déclarant que la mère du Christ a conçu sans intervention sexuelle, condamnant ainsi le Sauveur à n'être qu'un demi-homme à l'instar de Bacchus[2]. » Et pourtant, juste revanche des choses, dans le culte chrétien, la place de la Vierge Marie, mère de Dieu, par conséquent une femme, est absolument en dehors de toute commune mesure.

Il suffirait de peu de chose, pourtant... Le texte du pape Jean-Paul II, publié à l'occasion de l'année mariale 1988, contient une proposition qui va plus loin qu'on ne pourrait penser en premier lieu. En effet, Jean-Paul II rend un hommage appuyé à Marie de Magdala, et après avoir rappelé que, selon l'Évangile de Jean, elle fut le premier être humain à avoir vu le Christ sorti du tombeau, il ajoute : « C'est pour cela qu'on l'a même appelée l'Apôtre des Apôtres. Marie de Magdala fut, avant les Apôtres, témoin oculaire du Christ ressuscité et, pour cette raison, elle fut aussi la première à lui rendre témoignage devant les Apôtres. » Cette réflexion a le mérite de situer l'importance de l'événement considéré et de mettre en lumière les circonstances mêmes qui ont entouré l'événement. Quand on y songe, en effet, cela paraît « énorme ». Jésus, qui appartenait à une société éminemment patriarcale, qui est présenté comme régissant une troupe d'apôtres exclusivement masculins, aurait donc pris comme premier témoin de sa résurrection une femme,

---

1. André de Smedt, *la Grande Déesse n'est pas morte,* Paris, 1983, p. 165.
2. *Ibid.,* p. 225. L'auteur de ces lignes est un prêtre catholique.

non pas sa mère, mais celle avec qui il semble — si on lit entre les lignes — avoir entretenu des rapports privilégiés...

Quelle est en effet la signification de cette scène ? Une lecture historicisante, telle qu'elle est pratiquée depuis près de vingt siècles par les commentateurs officiels de l'Église, ne met pas en doute la réalité des faits. Mais déjà, à travers un événement que l'on peut admettre comme authentique, la présence de Marie de Magdala, surtout seule, comme le dit Jean, apparemment le plus fiable des témoins, est très étrange.

Dans son texte à propos de l'année mariale 1988, Jean-Paul II, par ailleurs auteur dramatique de grand talent, et qui connaît parfaitement les problèmes de la femme, écrit cette réflexion digne d'intérêt : «La femme est forte *par la conscience de ce qui lui est confié*, forte du fait que "Dieu lui confie l'homme", toujours et de quelque manière que ce soit, même dans les conditions de discrimination sociale où elle peut se trouver... Si l'homme est confié par Dieu à la femme d'une manière spécifique, cela ne signifie-t-il pas que le Christ compte sur elle pour accomplir le *sacerdoce royal*[1] ?» Car il s'agit bien de «sacerdoce royal». Si l'on réfléchit au sens symbolique à donner à la scène où Jésus ressuscité s'adresse à Marie de Magdala, et sans aucunement trancher dans le débat de foi, on peut considérer que la scène est d'ordre mythologique, alchimique, métaphysique, et bien entendu religieuse, tout se confondant merveilleusement en une image qui peut rester gravée dans toutes les mémoires. Le tombeau est le ventre de la Terre (de la Terre-Mère, divinité primordiale). On y a placé Jésus mort («si le grain ne meurt...») pour qu'il y soit maturé, recréé, régénéré comme la Matière première des Alchimistes. Corps inerte, soumis à la rigidité de la mort, puis à la décomposition — mais, de ce fait, à la *purification* —, il va, au terme d'une gestation symbolique de trois jours (en fait, de quarante-huit heures), surgir de l'athanor, c'est-à-dire du creuset alchimique (ou de l'utérus de la Terre-Mère). C'est une *naissance*, un véritable *accouchement*. Mais qui donc préside à cet accouchement ? Ce n'est certes pas la Junon des Romains. C'est une *femme*. Mais ce n'est pas sa mère. C'est une *autre*.

---

1. Jean-Paul II, *Mulieris Dignitatem*, Rome, 1988.

En somme, dans cette version «symboliste» du récit de la Résurrection de Jésus, ce dernier est l'équivalent du dieu-lune (ce qu'était à l'origine le Yahvé hébraïque), autrement dit l'Homme-Lune qui, dans son tombeau (comme la Lune noire, pendant quelques jours), est encore en proie à la nuit de l'inconscience, dans les ténèbres de la non-réalisation de son *sacerdoce royal*. Si l'on admet cette identification, que faire de Marie de Magdala, sinon la Femme-Soleil, dispensatrice de chaleur et de vie, incarnation de la conscience pleine et entière, qui fait surgir cette conscience dans l'inconscient de Jésus-Lune sortant du tombeau, de la nuit indifférenciée? Marie de Magdala qui tient ici le rôle de la Nouvelle Mère, autre visage de la Vierge Marie, porte sur elle bien des caractéristiques solaires. Et n'oublions pas que nous sommes à l'aube du troisième jour. Dès lors, un parallèle s'impose entre cette scène évangélique et l'histoire légendaire de Tristan et Yseult.

Cela risque de scandaliser. Mais qu'y faire? Yseult et la plupart des héroïnes perdues dans les récits d'origine celtique sont les aspects que prend parfois la Déesse des Commencements, la Femme-Soleil sans laquelle l'Homme-Lune ne peut prendre conscience de son existence et de son *sacerdoce royal*. Marie de Magdala, la mystérieuse Madeleine, comme la Vierge Marie dont elle n'est que la nouvelle image, rajeunie et rajeunissante, est la Femme-Soleil dans toute son intensité, sa splendeur et sa *brûlure*, qui permet au Christ d'accomplir les Écritures, d'instaurer sur cette terre une ère où l'Esprit domine la Matière — qui n'en est d'ailleurs qu'une émanation, on l'avait oublié. Marie de Magdala, comme toutes les héroïnes de la tradition celtique, est celle qu'André Breton, prétextant une définition de la Beauté, décrit comme «convulsive, érotique-voilée, magique-circonstancielle», sous peine de non-existence. Car on ne peut nier l'*érotisme* et la *magie* de Marie de Magdala lavant de ses larmes les pieds du Christ et les séchant avec ses longs cheveux. Il était normal que ce fût à elle que Jésus ressuscité apparût en premier.

Mais le Nouveau Testament se tait ensuite sur le sort de Marie de Magdala, celle qui «osa aimer Jésus». Désormais commencent la légende, le culte et la controverse. Dans les premiers temps de l'Église, les écrits gnostiques et même certains Pères de l'Église reconnaissent à Marie de Magdala un pouvoir de séduction sacrée. Elle est même exaltée par saint Augustin. Son culte s'intensifie vers le Xe siècle, où Odon de Cluny compose un hymne à la Magdaléenne. La légende prend de l'ampleur au XIIIe siècle. Peu importe que les nouveaux théologiens mettent en doute l'identification des trois Maries : pour la piété populaire, elle devient l'image de la Pécheresse repentie. En Provence, on la fait débarquer à Marseille et l'on raconte qu'elle s'est retirée dans une grotte à la Sainte-Baume. Une légende bourguignonne raconte son départ de Palestine, en compagnie de Marthe, de Lazare et de Maximin, sur une barque qui se serait échouée sur les côtes de Provence. Cette même légende nous raconte comment Maximin évangélisa la Côte d'Azur, comment Marthe s'établit en Arles et y dompta la Tarasque, comment Marie de Magdala se retira dans une grotte et surtout comment les reliques très précieuses de la sainte arrivèrent à Vézelay, grâce à Girard de Roussillon, personnage à demi historique, à demi légendaire, héros de quelques Chansons de Geste du cycle de Charlemagne. Mais au même moment, la basilique d'Exeter, en Angleterre du sud, plus exactement dans l'antique Domnonée insulaire bretonne, l'ancienne métropole des *Dumnonii*, s'enorgueillit de posséder les mêmes reliques. Le culte de Marie-Madeleine se répandit partout en Europe, mais plus particulièrement en Occitanie où non seulement des églises lui sont consacrées, mais aussi des collines, des grottes et des montagnes. Dans ces conditions, comment s'étonner que l'église de Rennes-le-Château soit sous le vocable de sainte Madeleine ?

Bien entendu, la tradition concernant Marie de Magdala a subi de multiples métamorphoses. Il ne peut en être autrement puisque l'on ne possède rien sur sa vie après le moment essentiel de la Résurrection. Les spéculations peuvent aller bon train. D'ailleurs, le mystère qui entoure déjà Marie de Magdala dans les textes évangéliques prédispose à toutes sortes d'hypothèses.

Il est incontestable qu'elle a été amoureuse de Jésus. Le dire ne peut choquer personne, car les épisodes canoniques sont suffisants pour le prouver. Mais c'est tout. Aucun évangéliste n'a murmuré quoi que ce soit à propos d'une « liaison » entre Marie de Magdala et Jésus de Nazareth (ou plutôt Jésus le Nazaréen). Libre aux romanciers et aux cinéastes d'imaginer ce qu'ils veulent : les germes de leurs scénarios se trouvent déjà dans saint Jean, et c'est une caution qui en vaut bien une autre.

On a émis l'hypothèse que Marie de Magdala était l'épouse de Jésus. Une analyse rigoureuse du récit des Noces de Cana se révèle à cet égard bien troublante. D'après le texte, Jésus, invité soi-disant à ces fameuses noces en compagnie de sa mère (c'est le premier acte de sa vie publique), se comporte en maître de maison et donne des ordres aux serviteurs, notamment lorsqu'il leur dit de remplir les jarres d'eau pour qu'il puisse changer cette eau en vin. Et les serviteurs obéissent [1]... Il y a aussi le fait qu'un *rabbi* n'aurait pas eu droit à ce titre s'il n'avait point été marié. Il y a ces rapports étroits avec Marthe et Lazare. Il y a la maison de Béthanie qui semble avoir été une résidence pour Jésus entre ses voyages et ses prédications. Il y a la présence de Marie de Magdala, selon Jean, à la crucifixion et immédiatement après la Résurrection. Il y a ce *noli me tangere* que Jésus lance à Marie qui veut se précipiter vers lui. Les présomptions ne manquent pas. Mais il n'y a aucune preuve. D'ailleurs, il n'y a pas de preuves strictement historiques de l'existence réelle de Jésus, alors...

Certes, des Évangiles dits apocryphes ne se font pas faute de témoigner des liens qui unissaient Jésus à la Magdaléenne. Ainsi, on peut lire dans l'Évangile attribué à Philippe un passage on ne peut plus précis : « La compagne du Sauveur était Marie de Magdala. Le Christ l'aimait plus que tous les disciples et souvent l'embrassait sur la bouche. Les autre disciples s'en offusquaient sans chercher à dissimuler leur désapprobation et demandaient à Jésus : — Pourquoi l'aimes-tu davantage que chacun d'entre nous ? Et le Sauveur de répondre à son tour : — Pourquoi ne l'aimerais-je pas plus que vous ? » Mais ce qu'il faut savoir, c'est que l'Évangile attribué à Philippe est un texte gnostique où tout est symbolique. Il s'y trouve d'ailleurs une longue dissertation sur la chambre nuptiale qui n'a plus rien à voir avec la réalité d'un Jésus, Dieu incarné. Mais le texte

---

1. Voir M. Baigent, R. Leigh, H. Lincoln, *l'Énigme sacrée*, Pygmalion, 1983, pp. 296-340. Il va sans dire que si je considère comme très intéressants les arguments présentés dans ce livre concernant «la Femme de Jésus», je n'adhère en rien aux conclusions que les auteurs en donnent, de même que j'émets toutes les réserves qui s'imposent sur l'esprit qui anime cet ouvrage, à mes yeux tout à fait passionnant, mais très suspect à divers points de vue, en particulier à cause de l'idéologie discutable qui en émane.

comporte une constante : Jésus est toujours accompagné de trois femmes, sa mère, sa sœur et la Magdaléenne[1].

Tout cela est de l'ordre de l'hypothèse. Mais il n'en faut pas plus pour provoquer l'éclosion de spéculations qui, au lieu de se présenter comme de simples hypothèses, sont littéralement assénées comme des réalités historiques qu'à l'occasion on agrémente de documents miraculeusement retrouvés, et qui, à l'analyse, se révèlent être des faux. Ainsi en est-il de cette histoire de Marie de Magdala débarquant sur les côtes d'Occitanie, avec sa famille *et les enfants qu'elle a eus de Jésus*. Et cette descendance de Jésus se serait établie dans le sud de la Gaule et y aurait fait souche, de telle sorte qu'à l'heure actuelle, on peut côtoyer d'authentiques descendants de Jésus-Christ. Pourquoi pas ?

Là où les choses s'aggravent, c'est lorsqu'on opère une fusion entre cette légende de la Magdaléenne avec une autre légende mise en circulation par le chroniqueur mérovingien Frédégaire (en fait, c'est un texte apocryphe), et dont un autre chroniqueur de l'époque, Grégoire de Tours, ne fait même pas mention parce qu'il la considérait comme stupide. Il s'agit de l'origine mythique — et évidemment divine — des Mérovingiens, ces rois « aux cheveux longs » qui pratiquaient la magie aussi bien que la guerre. D'ailleurs, dans les sociétés dites primitives, toute guerre est magique, et lorsqu'on apprend le maniement des armes, on apprend forcément des tours de magie pour mieux venir à bout de l'adversaire. Bref, le mythe est le suivant : Mérovée, fondateur de la dynastie (on n'est pas certain de son existence réelle !), eut deux pères, car lorsque sa mère était enceinte du roi franc Clodion le Chevelu, elle fut enlevée, alors qu'elle se baignait dans la mer, par une mystérieuse créature que le Pseudo-Frédégaire décrit comme une *bestia Neptuni Quinotori similis*, « une bête semblable au Quinotaure de Neptune », ce qui fait référence à un autre animal fabuleux de la mythologie grecque. Cette « bête » abusa de la reine, et la rendit enceinte doublement, et, lorsque naquit un fils, le fameux Mérovée, celui-ci possédait deux sangs différents, celui d'un roi franc et celui d'une bête fantastique — et divine, bien sûr — venue d'au-delà des

---

1. Voir Pierre Crépon, *les Évangiles apocryphes*, Paris, Retz, 1983.

mers. Le thème est loin d'être original, et les naissances résultant de deux conceptions ne sont pas rares dans la mythologie celtique[1]. Il est probable que le Pseudo-Frédégaire a trouvé cette légende dans le vieux fonds mythologique commun aux Celtes et aux Germains. Mais, de toute façon, les grands hommes ont toujours une naissance ou une conception en dehors du commun : Romulus était le fils d'une vestale et du dieu Mars ; le héros irlandais Cûchulainn est pourvu de deux pères et il a deux naissances successives ; le grand barde gallois Taliesin a d'abord été Gwyon Bach avant d'être dévoré par la déesse Keridwen et de naître une seconde fois de cette dernière. Quant à Moïse, retrouvé flottant sur les eaux du Nil par la fille du Pharaon, on devine ce que cela veut dire... Mais toute famille régnante a besoin d'ancêtres mythiques, et Jules César prenait grand soin de diffuser la légende selon laquelle il descendait de Iulius Ascanius, fils d'Énée, lui-même fils de Vénus, ce qui fait que son successeur, Auguste, encouragea le poète Virgile à composer son *Énéide* à la gloire de Rome — et de la famille impériale, la *gens iulia*. Ne parlons pas des Plantagenêts qui prétendaient descendre d'une fée, ni des Lusignan qui étaient de la lignée de Mélusine.

Or, très récemment, et à propos de l'*affaire* de Rennes-le-Château, certains auteurs ont cru bon de mêler cette légende mérovingienne à celle de Marie de Magdala, épouse de Jésus et mère de nombreux enfants. On nous explique alors que le monstre marin n'est qu'un symbole, celui d'un homme venu d'au-delà des mers, mais avec une connotation divine. Et, on l'a deviné, ce monstre marin n'est qu'une image pour désigner un fils de Jésus et de Marie de Magdala. Par conséquent, les rois mérovingiens sont des descendants de Jésus. Ce ne sont pas des «rois de droit divin», ce sont *des rois divins*. Et cela vient à point pour étayer la thèse de ceux qui prétendent qu'il existe encore des descendants légitimes des Mérovingiens de pure race, c'est-à-dire des descendants de Dagobert II, roi parfaitement historique assassiné probablement en 678, dans des circonstances mal définies, mais sous l'impulsion de Pipping

---

1. Voir J. Markale, *l'Épopée celtique d'Irlande*, 2e éd., Paris, Payot, 1978, et aussi J. Markale, *l'Épopée celtique en Bretagne*, 3e éd., Paris, Payot, 1985.

d'Herstal (Pépin d'Herstal), véritable fondateur de la dynastie carolingienne. Ce fait n'est nullement contesté, même si le pouvoir revint ensuite à des Mérovingiens d'une branche cadette, pouvoir illusoire d'ailleurs, puisque les leviers de commande étaient déjà tenus par les Pippinides. Cette époque des « Rois Fainéants » reste assez obscure pour permettre toutes les spéculations et, malheureusement, toutes les inventions.

Ainsi prétend-on que Dagobert II avait épousé Gisèle de Reddae, fille d'une princesse wisigothe. Au moment de l'assassinat de Dagobert II, son fils, Sigebert IV, aurait été sauvé, et conduit par sa sœur Irmine, il aurait été caché dans le Razès, chez son grand-père Béra, comte de Reddae. Il aurait pris la succession de celui-ci et aurait donné naissance à une sorte de dynastie clandestine, pourtant authentiquement mérovingienne, dont les rejetons évidemment ardents (les *plant-ard*) se reconnaissent encore de nos jours, du moins dans certains milieux dits ésotériques.

Le malheur, c'est qu'il n'est nulle part question d'un mariage de Dagobert II avec Gisèle de Reddae, et que, d'autre part, à la mort de Dagobert II, son fils Sigebert (dont l'existence n'est même pas prouvée) n'aurait eu que trois ans, tandis que sa sœur Irmine, qui l'aurait conduit dans le Razès, ne pouvait être âgée que de quatre ans. On devait être précoce dans cette famille! Il est vrai qu'au sang des Francs se mêlait le sang du Christ! Il en est de même pour ce soi-disant Béra, comte de Reddae. Il n'est nulle part question de lui, et le premier comte du Razès fut Guillaume de Gellone, c'est-à-dire saint Guilhem, personnage historique devenu légendaire, comme on sait, sous le nom de Guillaume d'Orange, en 781, nommé à ce poste par Charlemagne. On est loin des Mérovingiens. Mais on nous dit qu'il existe des documents à ce sujet. « Ces documents qui pourraient rétablir la vérité seraient ceux découverts par l'abbé Saunière à Rennes-le-Château. Parmi ces parchemins, l'un est scellé par Blanche de Castille, nous dit-on, et prouve la descendance mérovingienne par Sigebert IV[1]. » Autre malheur, « les documents de l'abbé Saunière n'ont jamais été vus par quiconque. Pourquoi ne les montre-t-on pas au public alors que, depuis plu-

---

1. Richard Bordes, *les Mérovingiens à Rennes-le-Château*, p. 15.

sieurs décennies, leur contenu est dévoilé[1] » ? La question est pertinente. Mais on attend toujours la réponse...

On peut toujours espérer un miracle. Ces actuels Mérovingiens ne sont-ils pas après tout les descendants de Marie de Magdala et de Jésus ? Il est vrai que les temps actuels ne sont pas propices aux miracles. Si Jésus était un authentique thaumaturge, ses descendants ne le sont peut-être pas. On sait d'ailleurs que lorsqu'on recherche ses ancêtres et qu'on remonte le plus loin possible dans le passé, on s'aperçoit que, par une loi de progression arithmétique bien connue, on arrive finalement à se découvrir des aïeux par millions. Autrement dit, les êtres humains sont tous plus ou moins de la même famille...

De toute cette fantasmagorie, fort bien orchestrée d'ailleurs, et répercutée par des auteurs de talent, et sans en venir à une « race fabuleuse » qui viendrait d'*ailleurs*, il y a des certitudes, des réalités indéniables. Et parmi celles-ci, figure l'existence d'une église Sainte-Madeleine à Rennes-le-Château, une église étrange où toute l'ornementation semble avoir été cristallisée autour de Marie de Magdala. Voilà ce qui est le plus important.

---

1. Richard Bordes, *Les Mérovingiens à Rennes-le-Château*, p. 27.

IV

LES BERGERS D'ARCADIE

Ce n'est certes pas par hasard que sur la route d'Arques, mais sur le territoire de Peyrolles, se dresse un tombeau isolé qui est la réplique exacte de celui représenté dans un tableau de Poussin, *les Bergers d'Arcadie*. Et le plus surprenant, c'est que ce n'est pas Poussin qui a pris modèle sur le tombeau de la route d'Arques, car le tombeau n'existait pas au XVIIe siècle. Il faut bien admettre alors que le tombeau a été bâti *d'après le tableau de Poussin*. Mais une question se pose : pourquoi le paysage représenté dans le tableau de Poussin et celui, bien réel, qui est derrière le tombeau sont-ils identiques ? Voilà encore une anomalie de plus dans ce pays qui en comporte décidément plus qu'il n'est nécessaire pour provoquer d'incessantes spéculations et d'ardentes polémiques.

Le tombeau n'est pas ancien. Il date de l'époque de l'abbé Saunière et l'on sait très exactement les circonstances dans lesquelles il a été édifié. En 1903, le petit-fils d'un industriel qui avait acheté, vingt ans auparavant, la propriété sur laquelle se trouve le monument, avait décidé de faire construire une sépulture sur une petite éminence située à une cinquantaine de mètres de la route. Pour ce faire, il s'adressa à un artisan maçon, M. Bourrel, de Rennes-les-Bains. Le tombeau fut utilisé pour inhumer plusieurs personnes de la famille du propriétaire. Mais, en 1921, les défunts furent exhumés et transportés dans un caveau du cimetière de Limoux, et peu après, la propriété fut mise en vente, et rachetée par un autre industriel, d'origine américaine, M. Lawrence. Et le tombeau demeura comme il était, et comme il l'est aujourd'hui, c'est-à-dire vide. Mais il existe. On peut le voir, à demi caché par des arbres, sur un tertre, au bord d'un à-pic, à la hauteur d'un petit pont qui franchit le lit d'un ruisseau maintenant desséché. Et, quand on a en mémoire le tableau de Poussin, on reconnaît, par derrière, l'exact paysage peint par Nicolas Poussin.

Cela mérite réflexion. Il est certain que celui qui a fait construire le tombeau connaissait l'œuvre du peintre. Il n'aurait pas choisi cet emplacement et il n'aurait pas fait imiter le monument imaginé par Poussin s'il n'en avait pas été ainsi. Mais dans quel but ? Personne n'a jamais su quelles ont été ses motivations, et lorsqu'on s'est aperçu de cette similitude, il était trop tard pour le demander à son auteur puisque celui-ci avait disparu depuis déjà fort longtemps. Le mystère demeure donc entier.

On peut penser que Poussin s'est inspiré du paysage pour peindre son tableau. Mais là aussi, quelque chose ne va pas. Nicolas Poussin est né aux Andelys, mais il a quitté très tôt la France pour Rome où il a vécu. « Il serait aussi extraordinaire que Poussin, qui ne séjourna en France que pendant deux ans, du 17 décembre 1640 au 25 septembre 1642, ait pu quitter Paris pendant au moins trois mois pour aller peindre un paysage dans les Corbières. Si Poussin avait visité ces régions, subsisteraient des indices et des témoignages non équivoques... Au contraire, on peut prouver qu'il n'a pas quitté Paris où on l'avait investi d'une mission officielle et où on l'accablait de travail[1]. » De plus, le tableau de Poussin, qui est actuellement exposé au Louvre, n'est pas le seul qu'il ait composé sur ce thème : il en existe un autre, de disposition différente, mais identique quant au sujet, qui se trouve, depuis deux siècles, exposé dans la galerie des ducs de Devonshire, en Angleterre. Et Poussin n'est pas le premier peintre à avoir exploité le même thème, puisqu'il existe une peinture de Guercino datant de 1618 environ, qui a peut-être servi de modèle à Poussin.

Ce qui caractérise ces trois tableaux, c'est à la fois la représentation de bergers lisant une inscription sur un tombeau, et cette inscription elle-même : « *Et in Arcadia ego* », c'est-à-dire :

_____

1. R. Descadeillas, *op. cit.*, pp. 141-142.

« Moi aussi, je suis en Arcadie. » Cette phrase énigmatique (qui peut également se traduire par « Moi aussi, *j'ai été* en Arcadie ») a beaucoup attiré l'attention des commentateurs, de même que les attitudes des personnages, lesquels reflètent visiblement des préoccupations d'ordre symbolique. Dans le tableau de Guercino, deux bergers, appuyés sur leurs bâtons, regardent un tombeau, dans un paysage assez tourmenté, et sur le tombeau, se trouve une imposante tête de mort, avec un trou dans la boîte crânienne, ce qui nous renvoie aux anciens rituels germaniques destinés à empêcher le défunt de se réincarner. Le tableau anglais de Poussin représente trois bergers, dont l'un est assis dans une attitude d'accablement, tandis que les deux autres découvrent le tombeau avec une sorte d'effarement. Sur la gauche, une bergère, le sein droit presque dénudé, regarde aussi le tombeau, mais d'un air presque indifférent.

C'est le tableau du musée du Louvre qui est le plus achevé et le plus digne d'intérêt. Ce tableau est d'ailleurs considéré comme un exemple tout à fait exceptionnel de perfection en matière d'harmonie artistique ; la proportion d'or, ce fameux rapport 1,618[1], y est intégralement respectée, à tel point que tout est combiné pour faire de l'inscription le centre fictif, mais absolu, de toute la représentation. Il s'agit de trois bergers et d'une bergère autour d'un tombeau. Le berger de gauche s'appuie à la fois sur son bâton et sur le tombeau, son visage exprimant la curiosité. Toujours à gauche, un autre berger a le genou gauche sur le sol, et, de son index droit, il semble dessiner l'inscription. Le troisième berger est sur la droite. A demi penché et appuyé sur son bâton, il montre l'inscription de sa main gauche, mais il tourne la tête d'un air interrogateur vers la bergère, laquelle est debout, les mains sur les hanches, le visage légèrement incliné, avec une expres-

---

1. Le tableau de Poussin est considéré comme un « rectangle d'or » parce qu'il est entièrement construit selon ce que Pythagore appelait la « divine proportion », le rapport de sa longueur à sa largeur étant un nombre merveilleux : 1,618003399... Depuis la plus haute Antiquité, on avait remarqué que ce nombre était le rapport entre la première et la seconde, entre la seconde et la troisième phalange d'un doigt, et que le nombril divisait le corps dans cette proportion. Le nombre d'or, résultat d'un calcul mathématique très précis, a toujours été revêtu d'une vertu sacrée et même magique.

sion qui laisse penser qu'elle connaît la signification de l'inscription, que ne connaissent pas les bergers. Le paysage, mystérieux, un peu tourmenté, se prolonge par les crêtes des montagnes, un ciel bleu sur la gauche, nuageux au centre, derrière les arbres, avec du rouge à droite, comme si l'on était proche du crépuscule.

On a donné de ce tableau des explications fort différentes. Les spécialistes de l'Art n'y voient évidemment rien de mystérieux. Lorsqu'il a composé *les Bergers d'Arcadie*, Poussin était gravement malade et savait que ses jours étaient comptés. Il s'est donc servi de ce thème, déjà existant, pour traduire l'idée de la mort et de la fuite du temps au milieu de la vie. Son propre drame rejoignait ainsi une réalité humaine universelle. Et, de toute façon, il est prouvé que ce tableau était une commande du cardinal Rospigliosi, le futur pape Clément IX, qui avait demandé au peintre d'exécuter une œuvre qui pût exprimer une « vérité philosophique ». D'où l'utilisation du mythe bien connu de l'Arcadie.

Géographiquement, l'Arcadie est une région montagneuse et quelque peu sauvage du Péloponnèse. C'est en fait une sorte de cirque entouré d'une couronne de montagnes, un peu en dehors du monde, et qui a été longtemps recouvert de forêts. Mais cette région est devenue, dès l'Antiquité, un lieu mythologique. On a expliqué le nom d'Arcadie par celui du héros Arkas, fils de la nymphe Callisto. D'après le mythe, « Zeus a séduit la nymphe Callisto, compagne de chasse d'Artémis. Elle est changée en ourse, selon certains par Zeus lui-même pour la cacher aux yeux de son épouse Héra, selon d'autres par Artémis pour la punir d'avoir enfreint son devoir de virginité. L'ourse Callisto est alors traquée par la meute d'Artémis qui, à l'instigation de la jalouse Héra, la poursuit de ses flèches. Pour la soustraire à la mort, Zeus l'enlève et la hisse dans le ciel où elle devient la constellation de la Grande Ourse. La Petite Ourse représenterait soit le chien, soit le fils de Callisto, l'ancêtre des Arcadiens[1] ». Le mythe est révélateur. Le nom d'Arkas provient de la racine indo-européenne *orks* qui signifie « ours » et qui a donné le grec *arktos*, l'irlandais *art* et le breton *arz*, ainsi

---

1. Michel Praneuf, *l'Ours et les Hommes*, Paris, Imago, 1989, pp. 37-38.

que le latin *ursus*. Cela peut vouloir dire que l'Arcadie était autrefois infestée d'ours, mais quand on sait la valeur symbolique de l'ours, on comprend que l'Arcadie soit devenue une sorte d'Autre Monde, un monde parallèle et parfois souterrain, où la mort est inconnue. L'hiver, en effet, l'ours est en dormition dans une grotte, et il ne sort que l'été, quand le soleil brille. C'est également le mythe d'Arthur, lui-même en dormition dans l'île d'Avalon. C'est pourquoi l'Arcadie, dans la mythologie grecque, peut être considérée comme l'équivalent de l'île d'Avalon, et même de l'Autre Monde celtique, celui des tertres souterrains où vivent les dieux et les héros de l'ancien temps.

De plus, on sait que Nicolas Poussin était très attiré par les doctrines hermétistes et qu'il fréquentait des gens connus pour leur appartenance à des «confréries» plus ou moins secrètes. Sans doute le peintre était-il lui-même membre d'une de ces sociétés «initiatiques» qui pullulaient en Italie, et même en France, au XVIIᵉ siècle. On sait aussi qu'il fut le protégé de Nicolas Foucquet, et que ce dernier a eu des rapports avec le peintre. En 1655, le surintendant des Finances avait envoyé à Rome son frère, l'abbé Louis Foucquet, «avec la mission secrète d'y acquérir des œuvres d'art destinées à l'ornement de Belle-Ile, de Saint-Mandé et du château de Vaux-le-Vicomte». Louis Foucquet s'adressa évidemment à Nicolas Poussin. Mais cette «mission secrète» était-elle seulement destinée à un trafic d'œuvres d'art? On peut en douter à la lecture d'une lettre envoyée de Rome par Louis à son frère le surintendant. Cette lettre est fort ambiguë, car on y lit cette curieuse phrase : «Lui (c'est-à-dire Poussin) et moi nous avons projeté certaines choses dont je pourrai vous entretenir à fond dans peu, qui nous donneront, par monsieur Poussin, des *avantages que les rois auraient grand-peine à tirer de lui, et qu'après lui peut-être personne ne recouvrera jamais dans les siècles à venir*; et, ce qui plus est, cela serait sans beaucoup de dépenses et pourrait même tourner à profit, et ce sont choses si fort à rechercher que quoi que ce soit sur la terre maintenant ne peut avoir une meilleure fortune et peut-être égale. »

Il est évident que cette lettre peut concerner des «magouilles», des moyens peu honnêtes de se procurer des œuvres d'art à bon prix. Il y en a d'exposées dans les autres lettres de Louis à son frère. Mais les termes employés ici semblent hors de proportion avec une simple histoire de tableaux. Cela paraît nettement plus important. On peut certes imaginer bien des choses à ce propos, mais ce qui est sûr, c'est que Nicolas Foucquet sera bientôt emprisonné à vie parce qu'il détenait un secret, et que ce secret, il ne devait en aucun cas le dévoiler. Et pourquoi, après l'emprisonnement de Foucquet, Colbert fit-il faire des recherches dans les archives du Razès ? Que cherchait-il ? L'imbroglio est total, et le mystère de plus en plus épais.

Nicolas Poussin s'était choisi un sceau plutôt curieux : il représentait un homme tenant une nef ou une arche, avec la devise « *tenet confidentiam* » qui peut se traduire par « il détient le secret ». Et que penser de l'ouvrage posthume de Maurice Barrès, *le Mystère en pleine lumière*, qui regroupe plusieurs études sur les peintres, et dans lequel il se livre à d'étranges considérations ? Barrès laisse entendre que de nombreux peintres appartenaient à des confréries initiatiques, plus particulièrement à une mystérieuse « Société Angélique ». Il le suggère à propos de Delacroix, s'intéressant tout particulièrement à « l'aspect angélique de son œuvre ». Il se fait plus précis en ce qui concerne Claude Gellée, dit le Lorrain, à propos duquel il dit : « On sent bien qu'il n'est pas né tout d'un coup, qu'il *a été préparé.* » Cela signifie que Claude Gellée faisait partie d'un groupe spiritualiste qui lui dictait certaines de ses inspirations. Et Barrès ajoute : « Si l'on veut connaître Gellée, il faut le dessin de Sandrart où il se présente dans la plus digne compagnie auprès de son ami Poussin. » Faut-il en conclure que Nicolas Poussin appartenait à la même « confrérie » ? Toujours à propos de Claude le Lorrain, qu'il met en parallèle avec Poussin, Barrès dit encore : « Il n'est rien si les Anges ne lui tiennent pas la main, s'il n'est pas dans la société céleste, s'il s'écarte de ce qui l'enchante, le soutient et le soulève. *Il sait son poème et hors de cela ne sait rien.* » On ne peut être plus clair à propos de l'existence d'une « Société Angélique » à laquelle appartiennent la plupart des peintres (et aussi des écrivains) de toute époque. Mais il y a encore mieux, car Barrès dévoile franchement le mot de passe : « Il faut toujours que nous ménagions dans quelque coin de notre œuvre une *pierre tombale* avec l'inscription fameuse : *et in Arcadia ego.* »

Et si l'on voulait douter de l'existence de cette « Société Angélique » dont le signe de ralliement ou de reconnaissance paraît être la formule inscrite sur le tombeau peint par Poussin, on devrait lire une lettre de George Sand à Gustave Flaubert, datée du 17 décembre 1866. Voici en effet ce qu'écrit la «bonne dame de Nohant» : «Dans tous les cas, aujourd'hui, je ne suis bonne qu'à rédiger mon épitaphe! *Et in Arcadia ego*, vous savez.» Le «vous savez» en dit d'ailleurs davantage que n'importe quel discours. Avant d'être la «bonne dame de Nohant», George Sand a participé à tous les mouvements d'inspiration utopiste et sait fort bien à quoi s'en tenir sur certaines «confréries» plus ou moins héritières des «Illuminés de Bavière» et des «ordres» clandestins du Moyen Age. Avant d'écrire *la Mare au Diable*, elle a écrit un roman dont le titre est *Consuelo* et dans lequel elle fait quelques révélations sur une mystérieuse confrérie qu'elle appelle la «Secte des Invisibles». Voici ce qu'elle écrit à propos de ces *Invisibles* : «Ils sont les instigateurs de toutes les révolutions : ils vont dans les cours, dirigent toutes les affaires, décident la guerre ou la paix, rachètent les malheureux, punissent les scélérats, font trembler les rois sur leurs trônes.» On ne peut que songer à Nicolas Foucquet qui, lui aussi, a fait trembler Louis XIV sur son trône avant de succomber, probablement parce qu'il avait *trahi* la «confrérie» à laquelle il appartenait. On ne pardonne pas les trahisons dans ce genre d'associations. Car ces *Invisibles* sont toujours présents là où il le faut : «On ne sait pas s'ils demeurent quelque part, mais il y en a partout... Ce sont eux qui assassinent beaucoup de voyageurs et qui prêtent main-forte à beaucoup d'autres contre les brigands, selon que ces voyageurs sont jugés par eux dignes de châtiment ou de protection.» Comment ne pas penser ici à l'abbé Gélis, assassiné sans raison dans le presbytère de Coustaussa? Au fait, il y avait une inscription sur une feuille de papier à cigarettes, près du corps de la victime, et cette inscription était : *viva Angélina*. Qui douterait encore de la présence de cette «Société Angélique» à laquelle appartenait Nicolas Poussin, et dont l'Arcadie semble bien être la patrie mythique?

Car les «Illuminés» sont une réalité, même si cette réalité est masquée sous des apparences spirituelles. Louis Blanc, dans son *Histoire de la Révolution*, en fait une sorte d'éloge discret : «Par le seul attrait du mystère, la seule puissance de l'association, soumettre à une même volonté et animer d'un même souffle des milliers d'hommes dans chaque contrée du monde... Faire de ces hommes au moyen d'une éducation lente et graduée des êtres entièrement nouveaux; les rendre obéissants jusqu'au délire, jusqu'à la mort, à des chefs invisibles et ignorés; avec une légion pareille peser secrètement sur les cœurs, envelopper les souverains, diriger à leur insu les gouvernements et même l'Europe à ce point que toute superstition fût anéantie, toute monarchie abattue, tout privilège de naissance déclaré injuste, le droit même de propriété aboli; tel fut le plan gigantesque de l'Illuminisme. » Et Louis Blanc de s'en réjouir, car cet idéal était au fond le sien. Et l'on sait que la Révolution française, comme la Révolution bolchevique d'ailleurs, comme l'installation du nazisme en Allemagne également, avait été longuement préparée dans l'ombre de sociétés secrètes qui n'osent pas dire leur nom, mais qui affichent clairement des buts philanthropiques et spiritualistes. Il faut refaire le monde! Cette parole de Karl Marx, qui est aussi celle d'Arthur Rimbaud, est lourde d'ambiguïté. Car selon quelle idéologie refaire le monde?

Après tout, les premiers Chrétiens constituaient une secte plus ou moins secrète. C'est à partir du moment où le Christianisme est devenu religion officielle et unique de l'Empire romain que tout a basculé et que d'autres sectes, nées et maintenues dans l'ombre, ont cherché à le déstabiliser, à œuvrer à sa perte. Ainsi va le monde...

Mais ce qui est *terrifiant* dans l'exposé de Louis Blanc, c'est l'expression qu'il emploie : «*par le seul attrait du mystère*». Nous voici replongés en plein dans le Razès et dans l'*affaire* de l'abbé Saunière. Le curé de Rennes-le-Château a-t-il été membre de cette Société Angélique, ou bien en a-t-il seulement été le jouet, et finalement la victime? Il n'y a aucune réponse possible. Mais on sent des présences invisibles autour de l'abbé Saunière...

Car le mystère est efficace. Dans un ouvrage posthume publié en 1910, Saint-Yves d'Alveydre décrit un royaume souterrain assez étrange qu'il appelle l'Agartha. Il aurait aussi bien pu écrire *Arcadia*. Dans ce pays ombreux, vivent des peuples inconnus, dans les cavités de la terre, et sur lesquels règne un Roi du Monde, dont les envoyés viennent à la surface sans se faire remarquer et agissent sur les gouvernants. Cela ne fait que reprendre une conception déjà développée dans un roman d'Edward George Earle Bulwer-Lytton, paru en anglais sous le titre *the Coming Race*. Bulwer-Lytton est très connu pour être l'auteur des *Derniers jours de Pompéi*, mais ici, le thème est fran-

chement emprunté à la Tradition des « Illuminés ». Une race
d'êtres étranges vit sous la terre, nettement supérieurs intellectuellement et techniquement aux pauvres humains de la surface : ce sont les « Anas ». Ils ont dépassé depuis longtemps les
problèmes de luttes sociales, ont constitué une société sans classes
et utilisent une source d'énergie incroyable, le *Vril*. On peut
pénétrer dans leur monde à partir d'une mine qui communique avec un « gouffre dont les parois sont dentelées et calcinées,
comme si cet abîme eût été découvert à quelque période éloi-
gnée par une éruption volcanique ». La puissance de ces « Anas »
est incontournable, car leur civilisation est supérieure à la nôtre,
et ils possèdent l'arme absolue qui leur permettra un jour de
dominer le monde. Tout cela est bien mystérieux, et bien
inquiétant...

Mais les « Anas » sont des êtres sur lesquels il convient de se
pencher. Dans le roman, ce sont les « Anas » eux-mêmes qui
déclarent descendre d'une race celtique. Il est vrai que Bulwer-
Lytton (1803-1873), qui fut ministre de la reine Victoria, était
un Anglais, membre de la Rose-Croix et de cette ahurissante
« confrérie » qu'a été la *Golden Dawn*, l'Aube d'Or, impliquée
dans le développement de certaines sectes qui donnèrent naissance au nazisme. Bulwer-Lytton, lui-même descendant d'un
célèbre alchimiste du XVIIe siècle, connaissait parfaitement la
mythologie celtique, tout au moins les textes traditionnels gallois et irlandais qui commençaient à être traduits et publiés en
Grande-Bretagne. Il n'est pas difficile d'identifier les « Anas ».
Ce sont les *Anaon* de Bretagne armoricaine, ces trépassés qu'on
voit errer la nuit sur les landes et les rivages. Ce sont les fils
de Dôn, au Pays de Galles, c'est-à-dire les anciens dieux magiciens de la religion druidique. Ce sont, en Irlande, les Tuatha
Dé Danann, les anciens dieux vaincus par les Gaëls, qui vivent
dans les *tertres* (les *sidhs*), les grands cairns mégalithiques dont
l'Irlande et la Grande-Bretagne sont parsemées et qui sont réellement l'Autre Monde, l'univers souterrain merveilleux et fée-
rique. D'ailleurs, les Tuatha Dé Danann, ces « peuples de la
déesse Dana », ont des pouvoirs extraordinaires, et surtout, ils
peuvent sortir de leurs tertres, se mêler aux humains et les
manœuvrer tant qu'ils veulent. Ils font vraiment partie du quo-
tidien celtique dans la tradition populaire, et aucun Irlandais
ne mettra en doute la présence sournoise de la *bannshee* (mot

à mot, la « femme du tertre »), fée ou divinité mystérieuse qui agit sur la destinée humaine. Le mot irlandais *sidh* veut dire « paix ». L'univers souterrain décrit par les Celtes est le « monde de la paix ». Il n'y a plus de temps et l'espace est infini. Il n'y a plus de bornes à la logique et tout est possible. La magie, le fantastique et le merveilleux se donnent libre cours dans cette évocation du *royaume souterrain*. On voit combien Bulwer-Lytton est redevable à cette tradition celtique ancienne. Mais il l'a intégrée dans un cadre nouveau, celui des « Illuminés » de Bavière, de la Rose-Croix et de l'Aube d'Or, ce qui rend la fiction plus révélatrice qu'il n'y paraît de ce qui se passe en réalité dans les milieux intellectuels de Grande-Bretagne à la fin de l'ère victorienne.

Tout cela est d'ailleurs relié au mythe du Graal, une fois de plus, car ce mythe est prodigieusement fécond dans ses diverses incarnations. Il est en effet question, dans le roman de Bulwer-Lytton, d'une prodigieuse énergie qu'on nomme le « Vril ». Or ce « Vril » n'est pas autre chose que le Rayon vert dont parle Jules Verne dans le roman qui porte ce titre. Chez Jules Verne, tout est rationalisé, et le Rayon vert aura une explication scientifique : c'est un phénomène naturel. Dans d'autres romans de cette époque, et qui sont déjà de « science-fiction », le Rayon vert est l'Énergie suprême, bonne ou mauvaise selon celui qui l'utilise, le Graal tel qu'il est décrit chez Chrétien de Troyes, vase mystérieux d'où émane une lumière qui fait pâlir le soleil, ou encore coupe taillée dans l'émeraude tombée du front de Lucifer (le « Porte-Lumière ») lorsqu'après la révolte des Anges, il tomba dans l'abîme des Ténèbres et de la Souffrance. On n'ose point ici parler d'énergie nucléaire, mais on y est presque. Le *Vril* est l'énergie absolue. Et c'est le *Vril* que contient le Graal, lequel n'est qu'un récipient, c'est ce « Rayon vert » qui émane du vase sacré qu'avait vu, par hasard, Perceval le Gallois, et qu'il n'eut de cesse, par la suite, de traquer et de retrouver.

Dans ces conditions, comment s'étonner qu'une secte qui se dit normande, ou plutôt viking, ou encore « Église odinique », fasse répandre l'information selon laquelle il y aurait, à Rennes-le-Château, cachées quelque part, bien entendu, des *tables d'émeraude* d'une espèce toute particulière, que Fanny Cornuault, dans son livre, *la France des Sectes*[1], signale de la façon suivante : « Ces

---

1. Paris, Tchou, 1978.

vieilles tables wisigothiques renferment chacune une grosse émeraude capable de capter les rayons cosmiques en provenance de
la planète Véga. Les initiés normands savent comment il faut
ensuite diriger ces radiations vertes ou violettes (ces dernières sont
les plus cancérigènes) sur l'ennemi, de façon à le détruire. »
Rassurons-nous, nous ne nous éloignons pas de Nicolas Poussin. En effet, celui-ci « entre dans la crypte secrète où les rois wisigothiques ont amassé des trésors de guerre immenses ; il les
inventorie, puis peu à peu, il les fait transporter dans une autre
crypte, située entre la Montagne Noire et les Corbières. Mais il
craint que, dans les siècles à venir, ses successeurs dans sa fonction de gardien du trésor perdent la filiation ésotérique. Alors,
il peint beaucoup plus tard, à Rome, son fameux tableau *les Ber-*
gers d'Arcadie, sur lequel une femme, une Hallouine[1] fait
déchiffrer l'inscription d'une tombe ancienne »[2].

Tout cela se réfère à une tradition fort commune selon laquelle
il existerait, quelque part dans le monde, une « Table d'Émeraude » capable de concentrer l'énergie cosmique, une sorte de
redoutable condensateur qui, dans certaines conditions, pourrait être une « arme absolue ». Dans *l'Ile aux Trente Cercueils*,
de Maurice Leblanc, Arsène Lupin découvre le secret d'une
émeraude merveilleuse qui peut brûler la chair et tuer quelqu'un,
mais qui peut aussi donner la puissance et la vie. Voilà bien
un *or maudit*, dont l'ambivalence est celle de la radioactivité.
Rien n'est bon, rien n'est mauvais, mais tout dépend de la façon
dont on se sert d'une chose, ou d'un pouvoir.

On peut aussi penser à la *Tabula Smaragdina*, cette célèbre
« Table d'Émeraude » attribuée à Hermès Trismégiste, et qui
est une sorte de bible pour les hermétistes, un livre d'initiation
et de sagesse, qui contient tout et qui permet tout. L'origine
de cette tradition, à n'en pas douter, se trouve dans certains
Évangiles dits apocryphes qui mentionnent la fameuse Émeraude qui brille au front de Lucifer et qui sert de matière pre-

---

1. Prêtresse du dieu Odin-Wotan.
2. *Hin Heilaga Normanniska Kirkja. Tribune des Nationalistes normands catholiques et odinistes et des Jésuites panscandinaves restés fidèles à la doctrine raciste
de saint Ignace* (titre garanti), 1ᵉʳ mars 1965. Il vaut mieux ne pas citer le nom
de l'auteur de cet article, mais dénoncer une fois de plus le détournement des
grands mythes européens au profit d'idéologies plus que douteuses.

mière au « saint » Graal, du moins dans certaines versions de la légende. Mais la couleur verte est tout à fait mystérieuse, et elle a fait l'objet d'études innombrables qui prouvent son rôle essentiel dans la maturation des plantes. La fonction chlorophyllienne n'est pas une invention de poète inspiré par le Ciel, c'est une réalité. Tant pis si les légendes d'un peu partout signalent des pierres précieuses qui ont des propriétés étranges, qui provoquent des maladies, ou au contraire des guérisons, ou encore qui portent bonheur ou malheur. Au fond, le Graal, dans la version allemande de Wolfram von Eschenbach, n'est pas autre chose qu'une pierre qui a ces pouvoirs merveilleux, aussi dangereux que bénéfiques.

Mais où découvre-t-on de telles pierres ? Assurément, ce n'est pas à la surface du globe, c'est plutôt à l'intérieur de la terre, en quelque caverne secrète, et bien entendu gardée par des forces invisibles extrêmement vigilantes. Nous revoici donc revenus en Arcadie, ce « pays qui est ailleurs », cet « Autre Monde » qui, pourtant, dans le Razès, apparaît comme particulièrement souriant et lumineux. Déjà, certains auteurs du XVIIe siècle avaient signalé le Razès comme l'équivalent de l'Arcadie grecque. Mais il faut se méfier des apparences. Il existe toujours une face visible et une face cachée. Cette face cachée, elle n'est pas repérable par tous. On peut aussi penser à un autre roman de Jules Verne, *les Indes noires*, dont l'action est localisée en Écosse. Jules Verne, avec beaucoup d'allusions maçonniques, raconte les aventures d'un jeune ingénieur qui descend au fond d'une mine abandonnée depuis plusieurs années, et dans laquelle il espère trouver un filon non encore exploité. Ce sera le début d'une série d'épisodes extraordinaires, car le héros et ses compagnons s'égarent, se coupent du monde extérieur, et ne sont sauvés que par l'intervention d'une jeune fille qui habite ces souterrains avec son père, un mystérieux individu misanthrope. Après de multiples péripéties, tout s'arrangera, sauf pour le père qui perdra la vie, mais c'est dans le schéma du mythe, et le héros épousera la jeune fille remontée à la surface. Au fond, le héros a fait sa descente aux enfers et en a ramené Eurydice. Mais plus malin qu'Orphée, il n'a pas jeté un regard en arrière avant d'être remonté au grand jour.

Nous sommes là en plein mythe. A Rennes-le-Château aussi. Les histoires qu'on raconte au sujet de « caches » réparties dans l'ensemble de la région sont des variantes du même thème, celui d'Orphée, celui de Gilgamesh aussi, celui de Lancelot du lac évidemment, lorsqu'il va essayer de sortir Guénièvre du royaume infernal de Méléagant, ou enfin de tous ces jeunes paysans des contes populaires qui délivrent une jeune fille prisonnière d'un monstre et retenue dans une caverne, dans un puits ou dans une cave, sous une forteresse quelque peu diabolique. Mais la région de Rennes-le-Château se prêtant merveilleusement à la localisation de ce genre de mythe, on assiste à une invraisemblable cristallisation de traditions venues de partout. Oui, l'Arcadie est là, sous nos pieds. Mais, encore une fois, il faut avoir la clé qui permet d'ouvrir la porte conduisant aux souterrains, là où le berger essaie de retrouver sa brebis. Bérenger Saunière le savait bien, puisqu'il a fait représenter la scène dans son église.

Histoire ou mythe ? La question est absurde, parce que le mythe est histoire et que l'histoire est mythe. L'essentiel est de savoir qui on vient chercher quand on pénètre dans les souterrains de l'Autre Monde.

V

L'OR DE LA REINE

Dans la confrontation de tous les récits ou commentaires sur Rennes-le-Château et son Or maudit, il apparaît nettement que *quelque chose* se trouve caché dans un souterrain, que ce soit une grotte ou une galerie creusée par les hommes, ou encore un de ces pays féeriques que les contes populaires décrivent à loisir comme un lieu de paix et de prospérité, l'Arcadie, par exemple, où l'ours attend le printemps pour sortir de son profond sommeil. L'intérieur de la terre excite volontiers l'imaginaire et sert de support à de multiples versions du mythe primitif, celui de la Terre-Mère dont le ventre généreux donne naissance aux êtres vivants et les nourrit de son propre sang. Le ventre maternel est à la fois rassurant et terrifiant. Il a toute l'ambiguïté du Sacré, le froid de la tombe et la chaleur du soleil. Dans le *Cinquième Livre*, qui n'est peut-être pas entièrement de Rabelais, mais qui de toute façon porte la marque d'une filiation ésotérique, la prêtresse Bacbuc, après avoir conduit ses illustres visiteurs Pantagruel, Panurge et Frère Jean, auprès de la Dive Bouteille, leur tient un discours qui tend à affirmer que, contrairement aux apparences, toute vie, toute création, tout mouvement viennent d'en bas. «Une fois revenus en votre monde, dit-elle, portez témoignage que sous terre sont les grands trésors et choses admirables. » Et, après avoir fait allusion au mythe de Proserpine, elle ajoute : «Qu'est devenu l'art d'évoquer des cieux la foudre et le feu céleste? Vous, certes, vous l'avez perdu ; il est de votre hémisphère départi, ici sous terre est en usage. »

305

Incontestablement, pour Rabelais, et la tradition qui l'entoure, le monde d'en bas est dépositaire des secrets de l'univers, comme la Matière première des Alchimistes contient en elle-même et à elle seule toutes les composantes de la Pierre philosophale. Incontestablement, la prêtresse Bacbuc est tout à fait disposée à recevoir ceux qui viendront vers elle et à leur révéler ces secrets, en leur faisant *boire* d'ailleurs l'eau d'une source divine. Au fait, se souvient-on qu'un peu au sud de Rennes-les-Bains coule le ruisseau de *Trinque-bouteille* qui va se jeter dans la Blanque, elle-même affluent de la Sals ? *Trinck* ! n'est-ce pas le mot prononcé par la Dive Bouteille, l'unique mot, après la pompeuse interrogation lancée par Panurge ? Et, assurément, l'eau de cette source est capable de procurer l'ivresse, la véritable ivresse, quand on se sent saisi par l'Esprit.

Encore faut-il que cet Esprit ne soit pas mauvais. Car l'obscurité qui caractérise le monde d'en bas est propice aux confusions. Gérard de Nerval ne s'y trompe pas. Dans le cours du récit *Aurélia*, il fait part d'une étrange vision qui l'envahit et qui concerne l'histoire symbolique de la Création depuis les Sept Élohim des origines. Les Élohim finissent par se faire une guerre acharnée entre eux. « Je ne sais combien de mille ans durèrent ces combats qui ensanglantèrent le globe. Trois des Élohim avec les Esprits de leurs races furent enfin relégués au midi de la terre, où ils fondèrent de vastes royaumes. Ils avaient emporté les secrets de la divine *cabale* qui lie les mondes, et prenaient leur force dans l'adoration de certains astres auxquels ils correspondent toujours. Ces nécromants, bannis aux confins de la terre, s'étaient entendus pour se transmettre la puissance. Entouré de femmes et d'esclaves, chacun de leurs souverains s'était assuré de pouvoir renaître sous la forme de ses enfants. Leur vie était de mille ans. De puissants cabalistes les enfermaient, à l'approche de leur mort, dans des sépulcres bien gardés où ils les nourrissaient d'élixirs et de puissances conservatrices. Longtemps encore ils gardaient les apparences de la vie, puis, semblables à la chrysalide qui file son cocon, ils s'endormaient quarante jours pour renaître sous la forme d'un jeune enfant qu'on appelait plus tard à l'empire. »

Voilà bien l'Or maudit. Ce n'est plus ici que de la *nécromancie*, même si celle-ci est capable de prolonger la vie, ou plutôt de la transmettre d'un corps dans un autre. « Cependant les forces vivifiantes de la terre s'épuisaient à nourrir ces familles, dont le sang, toujours le même, inondait des rejetons nouveaux. Dans de vastes souterrains, creusés sous des hypogées et sous les pyramides, ils avaient accumulé tous les trésors des races passées et certains talismans qui les protégeaient contre la colère des dieux. » Il s'agit donc bel et bien d'une humanité *parallèle*, une humanité qui échappe à la règle commune. Ces « nécromants » survivent à tous les cataclysmes, à tous les bouleversements de la terre, à toutes les guerres, à tous les déluges. « Les nécromants, blottis dans leurs demeures souterraines, y gardaient toujours leurs trésors et se complaisaient dans le silence et dans la nuit. Parfois, ils sortaient timidement de leurs asiles et venaient effrayer les vivants ou répandre parmi les méchants les leçons funestes de leurs sciences. »

On sait que Nerval a côtoyé sans cesse ce monde d'en bas, aussi bien dans la fréquentation de certaines « confréries » que dans sa folie. Cette plongée dans les souterrains où agissent les magiciens, il l'a vécue, et il en a mesuré les dangers. Car la caractéristique de l'Or maudit, c'est de faire croire à ceux qui en disposent qu'ils peuvent dominer le monde. Et le poète d'ajouter dans une sorte de sanglot : « Je frémissais en reproduisant les traits hideux de ces races maudites. Partout mourait, pleurait ou languissait l'image souffrante de la Mère éternelle. »

Il n'est point nécessaire d'insister sur l'idée que se fait Nerval de la Mère éternelle : elle est *tout à la fois* mère, vierge et prostituée, Isis et Aphrodite, Cybèle et Marie, sa propre mère également, celle qu'il n'a pas connue et qu'il recherche dans toutes les femmes qu'il rencontre. C'est aussi Aurélia, cette figure rayonnante qui illumine ses cauchemars et attise la profonde brûlure de son être. Mais dans le texte d'*Aurélia*, il l'a montrée, cette Mère éternelle, comme une victime de la lutte des Élohim : « Trois des Élohim s'étaient réfugiés sur la cime la plus haute des montagnes d'Afrique. Un combat se livra entre eux. Ici ma mémoire se trouble, et je ne sais pas quel fut le résultat de cette lutte suprême. Seulement, je vois encore, sur un pic baigné des eaux, une femme abandonnée par eux, qui crie les cheveux épars, se débattant contre la mort. Ses accents plaintifs dominaient le bruit des eaux. Fut-elle sauvée ? Je l'ignore. Les dieux, ses frères, l'avaient condamnée ; mais au-dessus de sa tête brillait l'Étoile du soir, qui versait sur son front des rayons enflammés. »

Cette magnifique évocation rappelle quelque chose : l'image insolite de Marie-Madeleine, sur cette sorte de nef, le serpent contre sa robe, la tête surmontée de la croix, sur le tympan de l'église de Rennes-le-Château. Car, ici, la Magdaléenne prend réellement la place et l'attitude de la Vierge Marie. N'en serait-elle pas un double ? Sûrement, mais pas seulement cela. A la lumière de la vision de Nerval, on peut comprendre tout autrement le décor particulier de l'église de Rennes, et l'omniprésence de la Magdaléenne. Il faut bien avouer que, malgré les apparences, tout ceci n'est pas très conforme à l'orthodoxie. Par contre, on se trouve plongé dans un contexte entièrement gnostique où Marie-Madeleine, tout en étant ce qu'elle est, représente ce que la gnose nomme l'Ame du Monde. La Mère éternelle de Nerval est également cette Ame du monde, mise à l'écart par ses frères, les Élohim, et qui se lamente, attendant le moment de retrouver la plénitude. L'Ame du Monde séparée du Monde n'est plus qu'une prostituée qui cherche désespérément le signe de lumière. Mais l'Étoile du soir est au-dessus de sa tête : c'est l'espoir, c'est encore un peu de la lumière divine qui l'inondait autrefois. « Le parcours circulaire de l'Anima Mundi serait le suivant : la Vierge céleste (le Pleroma des Gnostiques) ; tombée dans le monde, elle est séparée. Veuve, en deuil, et en attente de sa part manquante ; puis éparpillée, occultée et massacrée sous les diverses figures de la Prostituée ; par la rencontre de l'Unique, elle redevient, Épouse de Yahvé, la Vierge du premier jardin, la Lumière indivise. Marie-Magdeleine connaît toutes ces épreuves, la solitude, la mort d'êtres chers, l'humiliation, la moquerie ; dans l'amour et le silence, comme tout mystique, elle accomplit le cercle (couronne d'épines et roue de feu) qui lui fait rejoindre le pays sans limites de l'Immortalité[1]. »

Il faut revenir sur cette figuration de Marie de Magdala sur le tympan de l'église. La nef ou l'arche peuvent représenter aussi bien le bateau sur lequel elle a traversé la Méditerranée, si l'on en croit la légende, que l'*archou*, c'est-à-dire le coffre dans lequel on enferme un trésor. Mais ce trésor, pour Marie de Magdala, cela peut être un vase à parfums et d'autres objets contenant

1. Jacqueline Kelen, *Un amour infini*, Paris, Albin Michel, 1983, p. 116.

ce qu'on appelle aujourd'hui des cosmétiques. De toute façon, la Magdaléenne est gardienne de quelque chose, navire ou coffre, et le serpent est là pour nous confirmer ce rôle. Car le serpent n'est pas soumis ou écrasé par la femme, ici, comme dans les représentations habituelles de la Vierge Marie ou de quelques saintes comme Marguerite de Cortone. Ce serpent semble au contraire familier à la Magdaléenne, et il n'y a pas de lutte visible. C'est que le serpent, ou le dragon, est toujours gardien des trésors qui se trouvent dans la terre, dans une grotte généralement. Au point de vue alchimique d'ailleurs, son rôle de gardien vient du fait qu'il est le symbole du mercure non encore purifié, contenant donc le germe de la pierre philosophale. De plus, il faut rappeler que le Serpent a toujours été symbole de Connaissance (c'est le rôle qu'il a dans la *Genèse*), parce qu'il se faufile partout et qu'il connaît tous les secrets, même ceux qui sont les mieux gardés dans les entrailles de la terre. Ce qui ne va pas sans une certaine ambiguïté, cette ambiguïté mise en valeur par Nerval à propos des *nécromants* qui peuvent prolonger la vie à loisir, mais qui se servent de leurs pouvoirs, de leur Connaissance, à des fins nettement maléfiques.

Dans les entrailles de la Terre. C'est en effet dans les profondeurs que se situe le «sanctuaire» où, selon la Tradition, gît le Trésor. Chez les Grecs, le Maître des Enfers (c'est-à-dire d'un monde d'en bas, le monde souterrain et obscur) est le Dieu Hadès, «celui qui voit tout», et dont l'autre nom est Pluton, appellation qui s'accroche à la même racine que *ploutos*, «riche». Le maître du Monde d'En Bas est donc le *Voyant* et le *Riche*. On pense au «Riche Roi-Pêcheur» des romans du Saint-Graal, le roi boiteux qui fait semblant de régner sur le royame du Graal, un royaume devenu stérile et désertique depuis que les Fées des Tertres ont été violées par les hommes, et surtout par le Roi, accomplissant là le sacrilège majeur. Ce Roi-Pêcheur, qui, selon certains récits du cycle arthurien, se nomme Pellès, et qui n'est qu'une forme «courtoise» d'un ancien dieu Pwyll Penn Annwfn, au Pays de Galles, est un homme remarquable, oncle de Perceval-Parzival. Ce roi n'est rien sans l'intervention d'une femme divine, ou mystérieuse, qui est la Porteuse de Graal dans le récit médiéval, qui est Mélisande dans la pièce de Maurice Maeterlinck (puisque Pelléas n'est autre que Pellès), qui est l'énigmatique cavalière Rhiannon dans le récit gallois de la première branche du *Mabinogi*. Or, Rhiannon est un personnage de toute première importance : cette déesse cavalière, souvent assimilée à l'Épona gallo-romaine, est en effet la *Grande Reine*, tandis que Pwyll Penn Annwfn est littéralement Pwyll « chef de l'Abîme », le mot *annwfn* (ou *annwyn*) désignant le monde souterrain, le monde obscur où sont conservés les secrets de la vie et de la mort[1]. Et l'on sait que le roi Pellès qui, d'après une des versions des légendes du Graal, est expert en « nigromancie » et peut prendre toutes les formes, est *le gardien du Graal* qu'il protège dans un château auprès duquel tout le monde passe sans le voir, et où seuls peuvent pénétrer ceux qui ont *l'œil ouvert*, cet œil étant symboliquement celui de la Connaissance, de l'Inspiration, de l'Initiation.

C'est donc autour du personnage de la *Grande Reine* que toute cette histoire de Rennes-le-Château s'organise. Qui est cette *Grande Reine* ? La tradition populaire en fait Blanche de Castille. Mais il ne s'agit pas de la mère de saint Louis. C'est une soi-disant reine d'Espagne qui vint « prendre les eaux » à Rennes-les-Bains, en particulier à cette source que, depuis, on appelle *Bains de la Reine*, avec tous les jeux de mots que cela suppose. Il ne faudrait pas oublier non plus que Rennes-les-Bains s'est longtemps appelée *les Bains de Règnes*. Et si l'on reprend la légende telle qu'elle a été transcrite par Louis Fédié, on ne peut manquer d'être surpris par certains détails. On la voit en effet, « assise sous un vieux saule pleureur dont les branches se penchaient sur le cristal des eaux », et là, « elle passait de longues heures à exhaler ses plaintes d'exilée et à pleurer sur sa destinée de femme sans époux et de reine sans couronne. » Étrange. Il faut d'abord savoir que cette reine, par suite de circonstances malheureuses datées du XIVe siècle par la tradition historicisante, était l'épouse de Pierre II le Cruel, roi de Castille, qui l'avait abandonnée trois jours après son mariage pour vivre avec sa maîtresse. Enfermée dans une forteresse, elle en avait été délivrée par le comte Henri de Trastamare, frère naturel de Pierre le Cruel, et conduite par lui au château de Peyrepertuse. Mais à travers cette fable historicisée, se dessinent les grands

---

1. Voir J. Markale, *l'Épopée celtique en Bretagne*, Paris, Payot, 3e éd., 1985, pp. 27-42.

traits du mythe celtique (précisément gallois) de Rhiannon, laquelle, par suite des circonstances, est rejetée par son époux Pwyll Penn Annwfn (elle était accusée par lui d'avoir tué leur enfant) et condamnée par lui à se tenir sur un tertre et à servir de monture à tous ceux qui viendraient à la forteresse royale (d'où l'assimilation de Rhiannon à Épona, la déesse-jument). Ce n'est certes pas une coïncidence, et cette fameuse Reine blanche, plus mythologique que réelle, est l'âme même d'un nouveau mythe, celui du Trésor de Rennes-le-Château.

En effet, toujours d'après la légende locale, cette Reine blanche, au cours de son séjour à Peyrepertuse, fut atteinte d'une maladie. Elle se rendit, en litière, au *Locus de Montferrando et Balneis*, station thermale dont on lui avait vanté les mérites, c'est-à-dire Rennes-les-Bains. Elle y demeura un certain temps, et elle fut guérie de son mal. Mais c'est en souvenir d'elle et de sa guérison que la source dans laquelle elle s'est baignée porta son nom à dater de cette époque, et s'appelle encore de nos jours les « Bains de la Reine ». Mais, dans ce récit traditionnel, un autre élément peut attirer l'attention : cette reine en pleurs, au-dessus des eaux, laissa un jour échapper de ses mains un gobelet d'argent qui roula dans le gouffre. Certaines versions disent qu'un berger retrouva le gobelet. D'autres affirment qu'il se trouve toujours quelque part, *dans les entrailles de la terre*.

Les légendes mêlent toujours le fantasme à la réalité. Car s'il existe à Rennes-les-Bains une source dite « Bains de la Reine », il y en a une autre, beaucoup plus au sud du village, entre la Sals et la Blanque, qui se nomme « Source de la Madeleine ». Des esprits positivistes diront que cette source a pris le nom d'une femme qui vint s'y baigner en 1871, à une époque où il est possible de vérifier objectivement une information. Mais personne ne peut être dupe. D'ailleurs, le nom plus ancien de cette source est « Fontaine de la Gode ». Or, le mot *gode* ou *gote* signifie « coupe » en occitan, ce qui est assez révélateur, d'autant plus que ce mot réapparaît dans les fameux *Goudils*, ces personnages grimés qui participent aux défilés carnavalesques de Limoux et des environs, en compagnie des *Fécos* masqués, et aussi, le mercredi des Cendres, des *Ermites* de Bugarach. Et la hauteur qui surplombe cette source porte le nom de Goundill, où l'on peut reconnaître facilement le premier terme. Il ne faudrait pas oublier non plus que le territoire de Rennes-les-Bains a livré un certain nombre d'objets archéologiques de l'époque gallo-romaine, la plupart du temps des représentations d'une divinité féminine. Et il est bien évident que, dans les temps les plus lointains, c'est Rennes-les-Bains qui devait être le sanctuaire de la région : en somme, le *nemeton* celtique se trouvait là, près des sources, et en plein milieu de la forêt, dans une clairière sacrée. Qu'est-ce que cache cette légende? Quels sont les rapports avec Marie-Madeleine.

Non loin de cette fontaine, en un lieu dit «Cap de l'Homme», c'est-à-dire «Tête de l'Homme», sur la hauteur nommée «Plas de la Coste» qui domine les vallées qui convergent vers Rennes-les-Bains, on a découvert un autre objet archéologique : il s'agit d'une tête représentant sans doute une divinité, tête qui est exposée, comme on le sait, dans le jardin du presbytère de Rennes-les-Bains. C'est incontestablement une divinité féminine, mais ce qui est étrange, c'est que le sommet du crâne est creusé d'une profonde cupule.

Il n'est pas besoin d'en chercher loin l'explication. Le crâne découvert dans le sous-sol de l'église de Rennes-le-Château, crâne probablement mérovingien et qui était *troué rituellement*, donne la solution : ce rite était observé autrefois, non seulement pour empêcher l'âme du défunt de se réincarner (croyances germaniques), mais aussi pour protéger un trésor *ou un dépôt précieux* de toute profanation. Or qu'y a-t-il aux pieds de Marie-Madeleine à l'intérieur de l'église de Rennes-le-Château, à la fois sur la statue et sur la peinture qui orne le dessous de l'autel? *Un crâne avec un trou rituel.*

Le message de l'abbé Saunière se trouve là, et nulle part ailleurs. C'est Marie de Magdala. Certes, l'église paroissiale de Rennes-le-Château était depuis le XIᵉ siècle sous le vocable de la Magdaléenne, mais Bérenger Saunière a tout fait pour en multiplier l'image : la statue, la fresque sous l'autel, la fresque du fond, le vitrail du chœur, le tympan à l'extérieur, *sans oublier la villa Béthania et la tour Magdala*. Trop, c'est trop... Comme le dit si magnifiquement Gérard de Nerval, encore et toujours lui :

Mon front est rouge encore du baiser de la Reine;
J'ai rêvé dans la Grotte où nage la Sirène...

L'*Or de la Reine* n'est pas loin, avec tous ses jeux de mots...
«Certains trésors sont une véritable "Queste" qu'on commence

un jour sans savoir pourquoi et qu'on ne termine jamais, une queste à travers la nature, les gens, l'Histoire, l'Art, une queste totale, absolue. Et c'est la raison pour laquelle ce genre de démarche est éternelle, et il se pourrait fort bien que l'or que l'on traque dans ce genre d'histoire soit bien plus *un or spirituel que matériel,* qu'il soit partout et nulle part ou plutôt dans chaque endroit où souffle l'esprit, à chaque fois que progresse la connaissance humaine [1]. »

L'abbé Bérenger Saunière, en plus d'un incontestable trésor de pièces et de bijoux anciens, avait trouvé des documents. Les témoins sont formels sur cette découverte. Or, que sont devenus ces fameux parchemins ? Ceux qu'on a vu réapparaître sont authentiquement des *faux.* Que sont devenus les parchemins qui se trouvaient dans le pilier de l'autel de l'église Sainte-Madeleine de Rennes-le-Château ? *Jamais personne n'a pu le dire.* Bérenger Saunière ne l'a jamais dit. Marie Dénarnaud n'a jamais parlé. La loi du silence a été respectée.

Mais attention, murmure Gérard de Nerval, celui qui en savait trop et qu'on retrouva pendu à un réverbère, rue de la Vieille Lanterne, à Paris (suicide ? sûrement pas...), attention, « l'alphabet magique, l'hiéroglyphe mystérieux ne nous arrivent qu'incomplets et faussés soit par le temps, *soit par ceux-là mêmes qui ont intérêt à notre ignorance* ; retrouvons la lettre perdue ou le *signe effacé,* recomposons la gamme dissonante, et nous prendrons force dans le monde des esprits » (*Aurélia*). Mais il n'est pas toujours facile, surtout à notre époque volontairement confusionnelle, de reconstituer l'ensemble d'un plan dont il manque les trois quarts des éléments. Les documents découverts par Saunière devaient avoir une valeur inestimable puisqu'on les a fait disparaître : c'est une certitude. La question se pose : pour qui avaient-ils une valeur inestimable ? Et, là, il n'y a pas de réponse. Du moins, la réponse ne peut s'exprimer. Car, comme le dit encore une fois Nerval :

> *Et j'ai deux fois vainqueur traversé l'Achéron :*
> *Modulant tour à tour sur la lyre d'Orphée*
> *Les soupirs de la Sainte et les cris de la Fée* [2].

---

1. Gérard Lupin, *le Trésor d'Alaric,* inédit.
2. *El Desdichado.*

«Deux fois vainqueur», dit Nerval. Oui, mais la troisième, c'était la rue de la Vieille Lanterne. Ne soyons pas dupes. «Et si l'abbé Saunière n'avait été que ce que les agents secrets appellent une "chèvre"; c'est-à-dire quelqu'un destiné à attirer l'attention sur lui, alors qu'ailleurs se passent des choses bougrement intéressantes? Et si Rennes-le-Château n'était qu'un arbre cachant une immense forêt? Ou tout au moins, qu'un tout petit affleurement d'un colossal iceberg? Ou encore, un vacarme destiné à préparer psychologiquement "autre chose" remettant en question des siècles de certitude[1]?»

La question est posée. Et il suffit parfois de poser la question pour que la réponse surgisse de l'inconscient où elle se trouvait engourdie par des siècles de dormition, comme l'ours d'Arcadie ou comme l'Arthur de la légende celtique. Ou encore comme la Marie de Magdala, cette mystérieuse femme que les Évangiles n'ont fait que citer parce qu'elle fait peur. Elle remet en effet en cause, par sa seule et énigmatique présence, quelque vingt siècles de Christianisme, non pas dans ses fondements essentiels, qui sont toujours les mêmes, mais dans *ce qui a été fait du message*, autrement dit la trahison de ce message d'amour et de beauté, de connaissance et de sérénité.

Si l'on cherche le message de Bérenger Saunière, c'est dans cette direction qu'il faut aller à sa rencontre. C'est Marie de Magdala qui est la clé de toute la vie de ce prêtre. Car, contrairement à tout ce qu'on a pu raconter sur lui, contrairement aux mauvais esprits qui veulent voir en lui un prêtre en rupture de ban, un hérétique, voire un adepte de confréries plutôt inquiétantes et nettement négatives, on peut affirmer que le curé de Rennes-le-Château a été un *homme inspiré*. Certes, après ses découvertes, il a été muselé. Par qui? On l'ignore. Mais les parchemins découverts dans le pilier de l'autel existent quelque part... Et si Bérenger Saunière n'a jamais rien dit à ce sujet, s'il a refusé de s'expliquer devant son évêque à propos des fonds dont il disposait pour réaliser ses travaux, il devait avoir ses raisons.

Saunière a eu la chance — ou la malchance — de découvrir l'*Or de la Reine*. Que cet *Or* soit réel ou qu'il soit seulement

---

1. Gérard Lupin, *Le Trésor d'Alaric*.

trésor de connaissance ne change rien à l'affaire. De toute façon, ce ne pouvait être qu'un *Or maudit*. On ne dérange pas impunément une société qui a ses règles, ses habitudes et ses intérêts. On ne prêche pas impunément à l'encontre de l'idéologie dominante. Ou alors, il faut se contenter, comme le Baptiste, d'aller prêcher dans le désert.

C'est un peu ce qu'a fait Saunière. Mais il n'a pas oublié qu'il était prêtre, et que, en tant que prêtre, il avait un devoir à accomplir vis-à-vis des autres. Il a courbé l'échine devant l'adversité, se défendant mal, se demandant chaque jour ce qui allait lui tomber sur le dos. Il n'a jamais mis les pieds à Paris pour faire expertiser ses parchemins. Il n'a jamais connu le sataniste Jules Bois. Il n'a jamais été l'amant d'Emma Calvé, pas plus d'ailleurs que celui de Marie Dénarnaud. Il n'a jamais pratiqué de trafics de messes. Il était monarchiste et intégriste, certes, mais il n'était pas le seul à son époque. Mais alors, pourquoi dire qu'il était franc-maçon ou affilié à on ne sait quelle secte mystérieuse qui l'aurait manipulé, lui garantissant en revanche sa fortune ? Saunière est mort pauvre, et Marie Dénarnaud également. Et les héritiers de Marie Dénarnaud n'ont jamais trouvé le Trésor royal, que ce soit celui des Wisigoths, que ce soit celui des Templiers, que ce soit celui des Cathares. Le roman bâti autour de Bérenger Saunière est une vaste entreprise d'intoxication pour mieux cacher ce qui peut être visible.

Ce qui est visible, c'est d'abord la dignité d'un homme qu'on a voulu salir *post mortem*[1]. C'est ensuite la certitude que Saunière connaissait un secret et que ce secret était important. Il n'a jamais pu le divulguer, mais il s'est arrangé pour le transmettre, de la façon la plus simple qui soit. Mais pourquoi rester simple quand on peut faire compliqué ? L'œuvre de Bérenger Saunière existe. Elle est visible. Elle est même *lisible*. Y a-t-il encore autant d'illettrés aujourd'hui qu'en cette époque décadente de 1900 ? Quel besoin a-t-on de déformer

---

1. Je suis bien placé pour affirmer cela à cause de mon père spirituel, l'abbé Henri Gillard. Depuis sa mort, les histoires les plus stupides sont racontées à son propos, alors que ce prêtre a toujours été un modèle de dignité humaine et de dévouement sacerdotal. Mais il a eu, lui aussi, l'audace de s'intéresser à des choses qu'il ne fallait pas trop remuer, et de faire réaliser, de ses propres deniers, un aménagement — curieux — de l'église dont il était le « recteur ».

l'Histoire au profit d'on ne sait quelle idéologie d'un goût douteux ?

L'*Or maudit* de Rennes-le-Château, qui peut très bien être également celui de Rennes-les-Bains, n'est entaché de malédiction que dans la mesure où le Sacré est terrifiant. On tremble devant Dieu, et, s'il faut en croire la Bible, jamais Yahvé ne se présente à la face des prophètes sans mettre un écran entre lui et l'humain. Et depuis que l'Homme a été chassé du Paradis terrestre, un ange, muni d'un glaive de feu, surveille l'entrée d'un monde enfoui désormais dans les ténèbres de l'Inconscient. C'est que le Jardin d'Éden, quel qu'il soit, recèle un Trésor perdu, et toute l'énergie de la Créature est cristallisée vers la redécouverte de ce Trésor, même si cette quête absolue frôle les dangereux précipices d'où émanent des vapeurs sulfureuses.

Mais quel Trésor ? Quel est donc cet Or qu'on prétend maudit, peut-être parce que ceux qui sont parvenus jusqu'à lui risquent d'y perdre leur âme ? Est-ce un Or matériel, ces objets sacrés du Temple de Jérusalem ou du sanctuaire de Delphes, ramenés de Rome par les Wisigoths d'Alaric et enfouis quelque part dans le Razès, au milieu des bois ou sur un plateau désertique criblé de cavernes encore inconnues ? Ce Trésor matériel gît-il dans la grotte de la Madeleine, ou de la Gode, au nom étrange, puisqu'on y reconnaît la Coupe primordiale dans laquelle fut recueilli le Sang du Christ ? On sait que, selon l'un des Évangiles, Marie de Magdala assistait à la descente de Croix et à l'ensevelissement de Jésus, donc au recueillement du sang du Christ dans le Graal par Joseph d'Arimathie. Mais est-ce vraiment un Trésor matériel ? N'est-ce pas plutôt un grand Secret qu'il ne serait pas opportun de divulguer encore parce qu'il risquerait de remettre en cause des siècles d'Histoire et une certaine conception de la spiritualité chrétienne ? On n'a jamais su ce que contenaient les manuscrits trouvés par Saunière. Ils ont disparu. Mais cela ne veut pas dire qu'on ne puisse pas les reconnaître un jour. On ne peut nier que Saunière savait ce qu'ils étaient devenus. Mais lui seul le savait. Et un homme qui a consacré sa vie à une œuvre, si discutable et si étrange qu'elle soit, n'a pas pu emporter son secret dans la tombe sans laisser derrière lui des signes.

Or les signes sont toujours symboliques, et ils sont généralement noyés dans un flot de détails destinés à égarer ceux qui n'ont pas la claire conscience de ce qu'ils cherchent. Là apparaît la vertu de l'épreuve, et tous les grands mythes de l'humanité insistent sur ce point essentiel de la quête. A bien examiner l'œuvre de Saunière, on parvient à une conclusion très simple : s'il a laissé un message — et cela paraît indéniable —, ce ne peut être que dans l'image qu'il a donnée de Marie de Magdala, image trop forte et trop aveuglante pour qu'on l'ait prise en compte jusqu'à présent.

La répétition du thème est une indication en soi, même si cette répétition est logique dans une paroisse dédiée à la Magdaléenne. Sa figuration, on l'a remarqué, prend la place d'ordinaire réservée à la Vierge Marie, et elle n'est pas tout à fait représentée comme ailleurs. C'est surtout la scène où Marie de Magdala se tient agenouillée dans la grotte, face à la croix rustique, avec la tête de mort *trouée*, qui est révélatrice. La présence de ce crâne troué constitue un aveu : la tête de mort est en quelque sorte un élément symbolique et *magique* placé traditionnellement auprès d'un Trésor. Il fait sombre dans cette grotte, mais la lumière extérieure vient inonder le visage de la femme dans sa méditation. « J'ai méprisé le royaume du monde et tout ornement du siècle », fait-on dire à la Magdaléenne. Est-ce à dire que ce Trésor qu'elle semble garder n'appartient pas à ce monde, et qu'il acquiert ainsi une importance exceptionnelle dans le message global du Christianisme ? Le Serpent de la Connaissance qui grimpe sur la robe de Marie de Magdala, au tympan de l'église, ne fait que renforcer cette idée, et l'arche, ou le coffre, à ses pieds peut aussi bien signifier sa navigation vers la Gaule que la conservation d'un objet précieux caché aux regards des autres.

Marie de Magdala est l'image de la Féminité dans sa plus haute expression. Elle est la« révélatrice » de Jésus ressuscité. Elle est celle qui accomplit l'onction royale sur le Christ. Elle est celle qui aima Jésus, et que Jésus aima, entre toutes les femmes, celle qui lui donna la seconde vie, celle de l'Esprit et du Corps glorieux. C'est un message d'Amour, mais d'un Amour qui peut transformer le monde. Les troubadours occitans le savaient, eux qui répétaient sans cesse que c'était à travers la Femme qu'on atteignait Dieu. Mais la Magdaléenne symbolise aussi la Beauté «convulsive», qui peut être également «explosante-fixe», c'est-à-dire génératrice d'un éternel devenir vers la Perfection. Mais, pour l'instant, dans un monde qui n'est pas encore capable de comprendre le message suprême, la Beauté se cache dans une grotte. C'est Gérard de Nerval qui le dit :

> *Reconnais-tu le temple au péristyle immense,*
> *Et les citrons amers où s'imprimaient tes dents,*
> *Et la grotte, fatale aux hôtes imprudents,*
> *Où du dragon vaincu dort l'antique semence ?*[1]

L'*Or maudit* de Rennes n'est-il pas en définitive la semence du dragon vaincu, mais seulement endormi ? Le message de Saunière n'est-il pas de réveiller le Dragon ? C'est là que la quête peut se révéler dangereuse, fatale même pour celui qui n'est pas préparé à ce genre de confrontation. Il faut oser pénétrer dans cette grotte, car, comme l'avoue Nerval, décidément bien initié, « la Sainte de l'Abîme est plus sainte à mes yeux » (*Artémis*). C'est incontestablement une invitation à chercher non pas l'Or de Rennes, mais l'*Or de la Reine*, enfoui dans cette grotte où dort l'antique dragon, dans un coffre que Marie de Magdala tient précisément entre ses mains de fée...

Sainte-Anne d'Auray, 1989

---

1. *Delfica.*

BIBLIOGRAPHIE SOMMAIRE

Baigent, Leigh, Lincoln, *L'Énigme sacrée*, Paris, 1983.
Bordes Richard, *Rennes-le-Château*, 1985;
    Les Mérovingiens à Rennes-le-Château, 1984.
Boudet Henri, *La Vraie Langue celtique*, Nice, 1984.
Chaumeil Jean-Luc, *Le Trésor du Triangle d'or*, Paris, 1979;
    L'Alphabet solaire (avec J. Rivière), Paris, 1985.
Corbu et Captier, *L'Héritage de l'abbé Saunière*, Nice, 1986.
Descadeillas René, *Mythologie du trésor de Rennes*, Carcassonne, 1988.
Fédié Louis, *Le Comté de Razès et le diocèse d'Alet*, Carcassonne, 1880.
Jarnac Pierre, *Histoire du Trésor de Rennes-le-Château*, 1985.
Kelen Jacqueline, *Un amour infini*, Paris, 1983.
Lamy Michel, *Jules Verne, initié et initiateur*, Paris, 1984.
Lupin Gérard, *Le Trésor d'Alaric* (inédit).
Marie Franck, *La Résurrection du grand Cocu*, 1981;
    Le Surprenant Message de Jules Verne, 1981;
    Rennes-le-Château, étude critique, 1979.
Markale Jean, *Montségur et l'énigme cathare*, Paris, 1986.
Mazières (abbé), *Les Templiers du Bézu*, 1984.
Monteils Jean-Pierre, *Le Dossier secret de Rennes-le-Château*, Paris, 1981.
Rivière Jacques, *Le Fabuleux Trésor de Rennes-le-Château*, Nice, 1983.
Robin Jean, *Rennes-le-Château, la colline envoûtée*, Paris, 1982.
Sède Gérard de, *L'Or de Rennes*, Paris, 1967;
    Signé Rose + Croix, Paris, 1977.
Thibaux Jean-Michel, *L'Or du Diable*, Paris, 1988.

TABLE

TABLE